英语词汇的奥秘

——英语单词学习手册

(修订本)

蒋　争　著

中国国际广播出版社

图书在版编目（CIP）数据

英语词汇的奥秘 / 蒋争著. —修订本—北京：中国国际广播出版社，2000.1（2015.4重印）
ISBN 978-7-5078-1803-1

Ⅰ.英… Ⅱ.蒋… Ⅲ.英语—词汇—记忆术 Ⅳ.H313

中国版本图书馆CIP数据核字（1999）第68313号

英语词汇的奥秘

——英语单词学习手册

著　　者	蒋　争
责任编辑	王全义　李　卉
版式设计	周　迅
出版发行	中国国际广播出版社（83139469　83139489[传真]）
社　　址	北京复兴门外大街2号（国家广电总局内） 邮编：100866
网　　址	www.chirp.com.cn
经　　销	新华书店
印　　刷	北京广内印刷厂
开　　本	850×1168　1/32
字　　数	400千字
印　　张	13.25
印　　数	314001—324000
版　　次	2000年1月　北京第一版
印　　次	2015年4月　第三十六次印刷
书　　号	ISBN 978-7-5078-1803-1/H·129
定　　价	20.00元

修订说明

本书于1986年问世后，颇受读者青睐，至今已重印多次，作者深感荣幸。为使本书趋于完善，更适合广大读者需要，作者对本书作了修订，出版修订本。修订的内容有（1）调整词根、（2）增加例词、（3）将原书词根部分的第（二）组（即“多认词根，多识单词”）中的单词全部作逐字分析解释。

全书体例及结构形式未作大的更动，基本保持原貌。

作　者

书中使用的几种符号说明

1. 后面有短横“-”的，如：pre-，anti-，re- 等，表示前缀。
2. 前面有短横“-”的，如：-ist，-ous，-ful 等，表示后缀。
3. 前后都有短横“-”的，如：-i-，-o-，-u- 等，表示连接字母。
4. 前后都没有短横“-”的，如：hydro，dent，act 等，表示词根或单词。
5. 顺箭头“→”表示“意为…”、“转成…”、“引伸为…”。
6. 逆箭头“←”表示“由…转成”、“来自…”。

目　录

前　言

学习英语者经常遇到这种情况：虽然已认识moon（月亮），可是却不认识lunar（月亮的），luniform（月形的），lunate（新月形的），demilune（半月，新月），plenilune（满月）…等词；这些词都与“月亮”有关，但不知为什么在这些词里却不见“moon”的面孔。虽然已认识sun（太阳），可是却不认识solar（太阳的），parasol（遮阳伞），solarium（日光浴室），insolate（曝晒），turnsole（向日性植物）…等词；这些词都与“太阳”有关，但不知为什么在这些词里却没有“sun”的踪迹。这是掌握英语单词的难点，也是英语单词的奥秘所在。

由于存在这种难点，学习者均感到英语单词难学难记，捷径难寻。今日记住一词，他日又会忘却。翻查词典频繁之苦，似无解脱之日。加之英语单词数量庞大，浩如烟海，常使学习者望词兴叹，徒唤奈何。

英语单词虽然难学难记，但它本身却有内在规律可寻。单词是由词素（词根、词缀）构成的，词义是由词素产生的。单词的数量虽然浩瀚，但词素的数量却很有限。如果掌握了词素，懂得基本的构词方法，就能很容易地突破记忆单词的难关。

本书旨在帮助读者了解英语单词的内在规律，向读者介绍一种学习英语单词的有效方法，以便使读者能迅速地掌握大量单词，并通过揭示英语单词的奥秘，使读者认识到：学习、记忆英语单词并非难事，原有捷径可循。

本书从构词法入手，通过对单词的分析，阐明单词的核心是词根，并使读者了解词根的重要性：认识一个词根，就可认识一群单词。例如你只认识单词 moon，当然不行；你若认识词根 lun（月亮），你就可以认识 lunar（月亮的），luniform（月形的），lunate（新月形的），demilune（半月），plenilune（满月）…等许多词，可谓闻一知十，触类旁通。

书中选用 252 个词根作基础，把同根词集中在一起，配以单词分析实例，使读者了解单词是如何构成的，词义是如何产生的。读者一旦掌握分析单词的能力以后，便可掌握大量词汇。

书的后一部分是词缀，包括124个前缀和165个后缀。凡较常用的词缀均已收入。多义的词缀均按义分条举例解释。例词都选用常用词，以利辨认和理解。

本书在解词释义、寻源溯流等方面，难免存在纰漏讹误之处，尚祈专家及广大读者指正是盼。

作　者

绪　论

（一）一般词汇与特殊“词汇”

若将单词 eatable（可吃的），seeable（看得见的），hearable（听得见的），changeable（可变的）等进行分析，去掉后缀 -able，剩下的 eat，see，hear，change，大家都认识。但是，若将单词 edible（可吃的），visible（看得见的），audible（听得见的），mutable（可变的）等去掉后缀 -ible（-able），剩下的 ed，vis，audi，mut 都是什么呢？一般读者也许不知道。原来 ed = eat，vis = see，audi = hear，mut = change。又如：一般读者虽然认识 readable（易读的），believable（可信的），relive（再生，复活），但却不认识 legible（易读的），credible（可信的），revive（再生，复活），原因是不知道 leg = read，cred = believe，viv = live。

文字是一种表示意义的符号，这是人所共知的。我们从上例可以看出英语词汇的一个特点：即每一个基本意义都有两种（或两种以上）符号来表示。按照上例所示如下：

吃	（1）eat	（2）ed
看	（1）see	（2）vis
听	（1）hear	（2）audi
改变	（1）change	（2）mut
读	（1）read	（2）leg
相信	（1）believe	（2）cred
活	（1）live	（2）viv

第（1）类是可以独立使用的符号 —— 单词，第（2）类是不可独立使用的符号 —— 词根。学习英语者必须同时认识两种符号，即不仅要认识 see（看），还必须认识 vis（看），才能掌握大量词汇。

这种“一个意义、两种符号”的现象形成了英语词汇的特殊性和多样性。词根虽然是一种不能独立使用的符号，不是单词，但实际上它是一种含有具体意义的特殊“单词”。因此，从某种意义上说，英语中存在着两套词汇：一套是“明”的、一般的词汇（如 see，hear 等），另一套是“暗”的、特殊“词汇”（如 vis，audi 等）。这种特殊“词汇”在暗中（在“幕后”）发挥作用，施展影响。它们的数量虽小，但它们的“能量”很大。它们“领导”和“统辖”了英语中约百分之八十的词汇。

一般学习者往往只注意学习“明”的一般词汇，而忽视了这种“暗”的特殊“词汇”，只认识 sun（日），moon（月），而不认识 sol（日），lun（月）。因此，他们虽然学习英语多年，也还是个“半文盲”，在阅读中“生词处处有，词典不离手”。

（二）词根与单词

词根是什么？词根是一个单词的根本部分，是一个单词的核心，它表示一个单词的基本意义。单词的意义即由词根的意义所产生。根据词根的意义就可理解单词的意义。从下表中可以看出词根与单词之间的关系。

词根			单词	
vis	看	——	visible	看得见的
log	言	——	dialogue	对话
lingu	语言	——	bilingual	两种语言的

later 边 —— bilateral 双边的
flor 花 —— florist 花商，种花者
mort 死 —— immortal 不死的，不朽的
cord 心 —— cordial 衷心的，诚心的
dent 牙 —— dentist 牙科医生
pend 悬 —— pending 悬而未决的
nov 新 —— innovation 革新，创新
ann 年 —— annual 年度的，每年的
duc 引导 —— introducer 引进者，介绍人
frag 破碎 —— fragile 易碎的
ego 我 —— egoism 自我主义，利己主义
simil 相同 —— assimilate 同化
paci 和平 —— pacific 太平的，平静的

上例表明，词根的意义代表了单词的中心意义，它在单词中占主导地位。词根的意义结合词缀（前、后缀）的意义，即产生了一个单词的意义。因此，只要记住词根的意义，只要能从单词中辨认出词根的形体，就能理解并记住这个单词的意义，而且记得牢固，不易忘记。例如，你若记住 vis（看）的意义，你就不会忘记 visible（看得见的）的意义。

（三）一以当十

一个词根不仅是一个单词的核心，同时也是一组单词的共同核心，是一组单词中可以辨认出来的共同部分。它表示这一组单词的共同的基本意义。它是单词的“种子”，它的孳生力很强。一个词根能派生出许多单词。例如：

词根	单词
(1) vis 看 ——	visible 看得见的
	invisible 看不见的
	visit 参观
	television 电视
	supervise 监视
	previse 预见
	visual 视觉的
	visage 外观
	… …
(2) log 言 ——	dialogue 对话
	prologue 前言，序言
	eulogize 称赞，赞颂
	apologize 道歉，辩解
	epilogue 结束语
	monologist （戏剧）独白者
	neologism 新语，新词
	pseudology 假话
	… …

由上表中可以看出，一个词根是如何“领导”、“统辖”一群单词的。在这一群单词中，每个单词的意义都以这个词根的意义为基础。一个词根的意义决定了一群单词的意义。因此，认识一个词根，就易于认识一群单词，并能牢固地记住一群单词。闻一知十，立竿见影。词根，作为一种特殊“词汇”，在英语中具有特别重要的作用，学习英语者万不可等闲视之。

(四) 单词的"构件"

上例 invisible (看不见的) 一词中, vis 是词根。vis 前面的 in- 和后面的 -ible 是什么呢? 在构词法上, in- 称作前缀, -ible 称作后缀, 它们合称为词缀。in- = 不, -ible = 可…的。它们和词根 vis (看) 共同构成 invisible 一词, 表示"看不见的"。由此可见, 词根、前缀、后缀是构成单词的三个元素、三个"构件", 它们在构词法上叫词素。词根是主要元素, 前缀、后缀是次要元素。

英语的构词方法有好几种。由词根添加前缀、后缀而构成单词的方法叫派生法。派生的方式有多种, 有的只添加一个词缀, 有的添加好几个词缀。下面略举数种为例:

(1) 前缀 + 词根

pro- + pel → propel
(向前) (推) (推进)

(2) 词根 + 后缀

port + -able → portable
(拿,带) (可…的) (可携带的)

(3) 前缀 + 词根 + 后缀

im- + mort + -al → immortal
(不) (死) (…的) (不死的,不朽的)

(4) 前缀 + 前缀 + 词根

re- + ex- + port → reexport
(再) (出) (运) (再输出)

(5) 词根 + 后缀 + 后缀

cord + -ial + -ly → cordially
(心) (…的) (…地) (衷心地)

(6) 前缀 + 词根 + 词根

tri- + gon(o) + metry → trigonometry

(三) (角) (测量) (三角学)

(7) 前缀 + 前缀 + 词根 + 后缀 + 后缀

un- + pre- + ced + -ent + -ed → unprecedented

(无) (先，前) (行) (表事物) (…的) (无先例的)

由上述各例可以看出，一个英语单词并不是一些毫无意义的孤立的字母的随意排列，而是由一些含有具体意义的“构件”所构成的“有机结构体”。因此，要记忆一个单词，就不能按照一个个字母的排列顺序去记，而应当按照一个个“构件”的意义去记。例如，记 propel（推进）一词，若按 p，r，o，p，e，l，六个字母去记，不但枯燥无味，且难以记住。若按 pro-（向前），pel（推）两个“构件”的意义去记，则效果完全不同：词义清楚，印象深刻，一次记住，永不忘记。

英语单词的数量虽然庞大，但构成单词的元素——词根、前缀、后缀的数量却是有限的。常见的词根约有三百多个，常见的前缀、后缀各有一百多个。

一般读者对前缀、后缀比较熟悉。如前缀 un-（不），re-（再），inter-（…之间），mis-（误）和后缀 -able（可…的），-er（人），-ist（人），-ous（…的），-ive（…的），-ism（主义）等，一般读者都认识。但是，他们对词根可能非常生疏。他们虽然认识单词 terrible（可怕的），但却不知道词根 terr 是什么意义。他们虽然认识单词 diary（日记），但却不知道词根 di 是什么意义。

历来的教科书（教材）及语法书中，都有介绍前缀、后缀的内容，但都几乎没有介绍词根的内容。这也是一般读者对词根缺乏了解的原因。

（五）曲径通幽，词义可寻

一般地说，知道词根的意义，就可知道单词的基本意义，再结合词缀的意义，就可得出单词的完整意义。例如，你若知道前缀 pro-（向前）和词根 gress（行走）的意义，你就自然知道单词 progress（前进，进步）的意义；你若知道前缀 an-（无），词根 onym（名）和后缀 -ous（…的）的意义，你就自然知道单词 anonymous（无名的，匿名的）的意义。

然而，实际情况并不完全如此。有相当一部分单词的词义并不完全等于词根意义 + 词缀意义。单词意义与词根意义之间有很大距离，甚至毫无联系，我们无法根据词根的意义直接理解单词的意义。以下表为例：

	词根			单词	
(1)	hospit	客人	——	hospital	医院
(2)	sid	坐	——	president	总统，大学校长
(3)	ori	升起	——	orient	东方
(4)	vis	看	——	advise	作顾问，建议
(5)	port	拿，带	——	report	报告，汇报
(6)	vert	转	——	advertise	登广告，做广告
(7)	sect	切，割	——	insect	昆虫
(8)	medi	中间	——	immediate	立刻的，直接的
(9)	spir	呼吸	——	conspire	共谋，阴谋
(10)	fer	拿，带	——	conference	会议，协商会
(11)	ven	来	——	intervention	干预，干涉
(12)	sal	盐	——	salary	工资
(13)	mini	小	——	minister	大臣，部长

从表面上看，这些词根与单词在意义上似乎互不关联，相距很远，彼此风马牛不相及，但是，实际上它们之间存在着内在的联系，它们之间确有一条曲径相通。这种现象的产生，有的是由于词义的形成过程过分曲折，词根的含义由原义引申为其他意义，有的是由于词义来源于某种历史背景。下面对这些词义进行分析溯源：

(1) hospit 客人 + -al 名词后缀→hospital 医院
(接待“客人”的地方→接待“病客”的地方→医院)

(2) pre- 前 + sid 坐 + -ent 表示人→ president 总统，大学校长
(开会时“坐在前面的人”→主事者，指挥者→总统，大学校长)

(3) ori 升起 + -ent 名词后缀→东方
(太阳“升起”的地方→东方)

(4) ad- 向 + vis 看→ advise 作顾问，建议
(“看”→看法，意见；“向别人提出自己的看法或意见”)

(5) re- 回 + port 拿，带→ report 报告，汇报
(把消息、情况等“带回来”→报告)

(6) ad- 向 + vert 转 + -ise 使…→ advertise 登广告，做广告
(“使人们的注意力转向…”→使人们注意到…→引起人注意→登广告)

(7) in- 入 + sect 切割→ insect 昆虫
(“切入”→切裂；昆虫躯体分节，节与节之间宛如“切裂”、“割断”之状，故名)

(8) im- 无 + medi + 中间 + -ate 的→ immediate 立刻的，直接的

（“没有中间空隙时间的”，“当中没有间隔的”→立刻的）

(9) con- 共同 + spir 呼吸 → conspire 共谋，阴谋
（“共呼吸”→互通气息→共谋，阴谋）

(10) con- 共同，一起 + fer 拿 + -ence 名词后缀→ conference 会议，协商会
（把意见“拿到一起来”→交换意见，协商，开会→会议）

(11) inter- 中间 + ven 来 + -tion 名词后缀→ intervention 干预，干涉
（“来到中间”→介入其中→干涉）

(12) sal 盐 + -ary 表示物→ salary 工资
（原为古罗马士兵所领取的“买盐的钱”，作为生活津贴，由此转为工资、薪金）

(13) mini 小 + -ster 表示人→ minister 大臣，部长
（原义为“小人”，仆人；古时大臣对君王自称为“小人”，仆人，转为现今的部长）

由上面的分析可以看出，一个单词的意义与其词根的意义虽然相距很远，但根据词根的意义，沿着一条曲折的途径，总是可以寻到这个单词的意义，一旦理解了这个词义的来源以后，你对这个单词的印象就特别深刻。

（六）后缀的扩展

“单词 + 后缀”形式的单词，一般是非常容易认识的。如 danger（危险）+ -ous（的）→dangerous（危险的），work（工

作）+-er（人）→worker（工人）等。这类单词的词义明显，容易记忆。只要知道后缀的意义，就能分析而得出词义。又如，我们很容易认出 mountainous（多山的）是 mountain（山）+-ous（的），courageous（勇敢的）是 courage（勇气）+-ous（的）。

然而，实际情况并不都是这样简单。例如，将 suppositious 去掉后缀 -ous，乘下的 suppositi 是什么呢？（如果你认出 suppose，那么剩下的 iti 又是什么呢？）将 rosaceous 去掉 -ous，剩下的 rosace 是什么呢？将 instantaneous 去掉-ous，剩下的 instantane 是什么呢？这又是英语单词的一个难点。

原来这些单词的后缀都不是 -ous，这些单词是这样构成的：suppos(e)（假定）+-itious（的），ros(e)（玫瑰）+-aceous（的），instant（瞬息）+-aneous（的）。它们的后缀是 -itious，-aceous，-aneous。这些后缀都含有"ous"的形式，它们的含义都与 -ous 相同。它们称作"-ous"的扩展形式"，-ous 是"基本形式"。

"基本形式"后缀与"扩展形式"后缀是"同型后缀"，它们都有共同的基本意义。许多读者只认识"基本形式"后缀而不认识"扩展形式"后缀，这也是他们在学习单词时感到困难的原因之一。

很多常用后缀都有相对应的扩展形式，下面略举数例说明：

-ous 型后缀（-ous 及其扩展形式）—— 表示"…的"

-ous: dangerous 危险的，poisonous 有毒的
-eous: righteous 正直的，gaseous 气体的
-ious: laborious 勤劳的，contradictious 相矛盾的
-aceous: herbaceous 草本的，rosaceous 玫瑰色的
-acious: rapacious 掠夺的，sagacious 聪明的
-aneous: contemporaneous 同时代的，simultaneous

同时发生的

-itious: suppositious 假定的, cementitious 水泥的

-uous: contemptuous 轻视的, sensuous 感觉上的

-ulous: globulous 球状的, acidulous 带酸味的

-er 型后缀（-er 及其扩展形式）—— 表示"…人"

-er: worker 工人, teacher 教师

-eer: weaponeer 武器专家, mountaineer 登山者

-ier: clothier 织布工人, hotelier 旅馆老板

-yer: lawyer 律师, bowyer 弓手, 制弓的人

-ster: songster 歌唱家, youngster 年轻人

-aster: poetaster 劣等诗人, criticaster 低劣的批评家

-ic 型后缀（-ic 及其扩展形式）—— 表示"…的"

-ic: atomic 原子的, periodic 周期的

-tic: Asiatic 亚洲的, dramatic 戏剧性的

-fic（-ific）: pacific 太平的, honorific 尊敬的

-atic: systematic 有系统的, idiomatic 惯用语的

-etic: sympathetic 同情的, energetic 精力旺盛的

-istic: colouristic 色彩的, humoristic 幽默的

-ion 型后缀（-ion 及其扩展形式）—— 表示抽象名词

-ion: perfection 完整无缺, action 活动, 行为

-sion: declension 倾斜, conclusion 结束, 结论

-tion: introduction 介绍, 引进, convention 集会, 会议

-ation: transportation 运输, colouration 色彩, 特色

-ition: opposition 反对, 反抗, addition 附加

-faction: rarefaction 稀少, 稀薄, satisfaction 满足

-fication：classification 分类，beautification 美化

-ty 型后缀（-ty 及其扩展形式）——表示抽象名词

-ty：safety 安全，entirety 整体，全部

-ety：gayety 快乐，variety 变化

-ity：humanity 人性，人类，reality 真实，现实

-acity：rapacity 掠夺，luquacity 多言

-icity：simplicity 简单，简明，historicity 历史性

-ality：personality 个性，人格，exceptionality 特殊性

-ivity：activity 活动，productivity 生产力，生产率

-ability：knowability 可知性，readability 可读性

-ibility：sensibility 敏感性，conductibility 传导性

此外，还有-al 型后缀（-al，-ical，-ial，-ual），-an 型后缀（-an，-ian，-ician，-arian），-cy 型后缀（-cy，-acy，-ency，-ancy），-or 型后缀（-or，-ator，-itor，-ior）等等。

认识了后缀的扩展形式以后，就可以对众多而复杂的后缀有了一个系统的了解，将它们按型归类以后，就可以看出哪些后缀是“一个姓”、“一家人”，是构成单词的“同型号构件”。这对我们分析单词、理解词义是颇为重要的。

第一部分　单词的核心 —— 词根

（一）掌握词根，分析单词

1. ag

记忆单词非难事，原有捷径，
认得 ag 识字多，立竿见影。

☞ **ag = do, act 做，动**

agent 〔ag 做，办理，-ent 名词后缀，表示人；“做事者”，“办事人”→〕代理人

agential 〔见上，-ial 形容词后缀，…的〕代理人的

subagent 〔sub- 副的，agent 代理人〕副代理人

coagent 〔co- 共同，ag 做，作，-ent 表示人〕共事者，合作者

agency 〔ag 做，作，-ency 名词后缀〕代理，代理处，机构，作用

coagency 〔co- 共同，ag 做，行动，-ency 名词后缀〕共事，协作，合作

agenda 〔ag 做，-end 名词后缀，-a 表示复数；原义为：things to be done，“待做的事项”→〕议事日程

agile 〔ag 动→活动→灵活，-ile 形容词后缀，…的〕

灵活的，敏捷的

agility 〔见上，-ility 名词后缀，表示抽象名词〕灵活，敏捷

agitate 〔ag 动，-it-，-ate 动词后缀，使…；“使骚动”→〕鼓动，煽动，搅动，使不安定

agitation 〔见上，-ion 名词后缀〕鼓动，煽动

agitator 〔见上，-or 表示人〕鼓动者，煽动者

agitatress 〔见上，-ress 表示女性〕女鼓动家

agitated 〔见上，-ed 形容词后缀，…的〕不安的

agitating 〔见上，-ing 形容词后缀，使…的〕使人不安的，进行鼓动的

counteragent 〔counter- 反，ag 做，作用，-ent 表示物〕反作用剂，反抗力

2. agri

你已认识 field 是“田地”，
你是否也知 agri 的意义？
在有关农田的词汇里，
field 竟都被 agri 所代替。

☞ **agri = field 田地，农田**
（agri 也作 agro，agr）

agriculture 〔agri 田地，农田，cult 耕作，-ure 名词后缀〕

农业，农艺

agricultural 〔见上，-al 形容词后缀，…的〕农业的，农艺的

agriculturist 〔见上，-ist 表示人〕农学家

agricorporation 〔agri 农田→农业，corporation 公司〕农业综合公司

agrimotor 〔agri 农田→农业，motor 机器〕农用拖拉机

agronomy 〔agro 农田→农业，nomy …学〕农学，农艺学，作物学

agronomic 〔见上，-ic 形容词后缀，…的〕农学的，农艺学的

agronomist 〔见上，-ist 表示人〕农学家

agrology 〔agro 田地，-logy …学〕农业土壤学

agrobiology 〔agro 田地→农业，biology 生物学〕农业生物学

agrotechnique 〔agro 田地→农业，technique 技术〕农业技术

agro-town 〔agro 农田→农村，town 城镇〕建在农村地区的城镇

agrochemicals 〔agro 农田，chemicals 化学药品〕农药

agro-industry 〔agro 农田→农业，industry 工业〕农业工业

agrarian 〔agr 田地，-arian 形容词后缀，…的〕土地的，耕地的

agrestic 〔agr 田地→乡村→乡野〕乡间的，乡野的，粗野的

3. ann

山外青山楼外楼，学无止境，

已识 year 再识 ann，由浅入深。

☞ **ann = year 年（ann 也作 enn）**

anniversary 〔ann 年，-i- 连接字母，vers 转，-ary 名词后缀；时间“转了一年”→〕周年纪念日，周年纪念

annual 〔ann 年，-ual 形容词后缀，…的〕每年的，年度的

annals 〔ann 年，-al 名词后缀〕编年史

annalist 〔见上，-ist 表示人〕编年史作者

annuity 〔ann 年，-u- 连接字母，-ity 名词后缀〕年金；年金享受权

annuitant 〔annuit(y) 年金，-ant 表示人〕领受年金的人

superannuate 〔super- 超过，ann 年→年龄，-u-，-ate 动词兼形容词后缀；“超过年龄”→〕因年老而令退休；太旧的，过时的

superannuation 〔见上，-ation 名词后缀〕年老退休

perennial 〔per- 通，全，enn 年，-ial 形容词后缀，…的〕全年的，四季不断的

perenniality 〔见上，-ity 名词后缀〕全年，四季不断

semiannual 〔semi- 半，ann 年，-ual …的〕半年一次的

4. audi

试看下列单词，均与“听”有联系。
为何不见 **hear**？君且无须诧异。
原来构词有方，**hear** 换成 **audi**。

☞ **audi = hear 听**
(audi 也作 audit)

audience 〔audi 听，-ence 名词后缀〕听众；倾听

auditorium 〔audit 听，-orium 名词后缀，表示场所、地点；"听讲的场所"→〕礼堂，讲堂，听众席

audible 〔aud(i) 听，-ible 形容词后缀，可…的〕听得见的，可闻的

audibility 〔aud(i) 听，-ibility 名词后缀，可…性〕可听性，可闻度

inaudible 〔in- 不，见上〕听不见的，不能听到的

audit 旁听，审计

auditor 〔-or 表示人〕旁听生，旁听者，审计员

auditory 〔audit 听，-ory 形容词后缀，…的〕听觉的

audiphone 〔audi 听，phone 声音〕助听器

audition 〔audit 听，-ion 名词后缀〕听觉，听

audiometer 〔audi 听，-o- 连接字母，meter 测量器，计〕听力计，听力测量器

audiometry 〔audi 听，-o-，-metry 测量〕听力测量，测听术

audiology 〔audi 听，-o-，-logy …学〕听觉学

audio 听觉的，声音的

audio-visual 〔见上，visual 视觉的〕视听法的，视觉听觉的

audiovisuals 〔见上〕视听教材，直观教具

5. bell

同形须辨，莫把 bell 误认为“铃”，
同义相连，它与 war 都是“战争”。

☞ **bell = war 战争**

rebel 〔re- 相反，be(l)战争，战斗；“反戈”，“反战”→〕反叛，反抗

rebellion 〔见上，-ion 名词后缀〕反叛，反抗，叛乱

rebellious 〔见上，-ious 形容词后缀，…的〕反判的，反抗的，叛乱的

bellicose 〔bell 战争，-icose 复合后缀，由 -ic + -ose 而成，表示有…性质的〕好战的，好斗的

bellicosity 〔见上，-ity 名词后缀，表性质〕好战性

bellicism 〔见上，-ism 名词后缀，表性质〕好战性，好战倾向

belligerent 〔bell 战争，-i-，ger = to wage，-ent 形容词后缀，…的〕好战的，挑起战争的

belligerency 〔见上，-ency 名词后缀，表性质〕好战性

6. brev

苦学多年，brev 含义未领会，
君须牢记，它与 short 是同义。

☞ **brev = short 短**

abbreviate 〔ab- 加强意义，brev 短，-i-，-ate 动词后缀，使…〕缩短，缩写，节略（读物等）

abbreviation 〔见上，-ation 名词后缀〕缩写，缩短，节略；缩写式，缩写词

abbreviator 〔见上，-ator 表示人〕缩写者，节略者

brevity 〔brev 短，-ity 名词后缀〕（陈述等的）简短，简洁；（生命等的）短暂，短促

breviary 〔brev 短，-i-，-ary 名词后缀〕缩略，摘要

brief 〔brief ← brev 短〕短暂的，简短的，简洁的；摘要，短文，概要

briefness 〔见上，-ness 名词后缀〕短暂，简短，简洁

breve 短音符号

7. ced

你最熟悉的词是 go，
只识一个 go 远远不够。
你若知道 ced 也是“行走”，
记忆更多单词就无须发愁。

☞ **ced = go 行走**
(ced 也作 ceed，cess)

precedent 〔pre- 先，前，ced 行，-ent 名词后缀，表示物〕先行的事物，前例，先例；〔-ent 形容词后缀，…的〕先行的，在前的

precedented 〔见上，-ed …的〕有先例的，有前例的

unprecedented 〔un- 无，见上〕无先例的，空前的

precede 〔pre- 先，前，ced 行〕先行，领先，居先，优先

preceding 〔见上，-ing 形容词后缀，…的〕在前的，在先的

exceed 〔ex- 以外，超出，ceed 行，“超越而行”→〕超过，越过，胜过

excess 〔ex- 以外，超出，cess 行；“超出限度以外”→〕超过，越过，过分，过度

excessive 〔见上，ive …的〕过分的，过度的，过多的

proceed 〔pro- 向前，ceed 行〕前进，进行

procedure 〔pro- 向前，ced 行，-ure 名词后缀；“进行的过程”→〕过程，步骤，手续

process 〔pro- 向前，cess 行〕过程，进程，程序

procession 〔见上，-ion 名词后缀〕行进，行进的行列，队伍

antecedent 〔ante- 先，前，ced 行，-ent 形容词及名词后缀〕先行的，居先的；先例，前例，先行词

antecessor 〔ante- 先，cess 行，-or 者〕先行者，先驱者

antecede 〔ante- 先，ced 行〕居…之先

successor 〔suc- 后面，cess 行，-or 者〕后行者，继任者，接班人，继承人

succession 〔suc- 后面，cess 行，-ion 名词后缀〕相继，接续，继承，继任

successive 〔见上，-ive …的〕相继的，连续的，连接的

recession 〔re- 反，回，cess 行，-ion 名词后缀；“回行”〕后退，退回，（经济）衰退

recede 〔re- 反，回，ced 行；“往回行”→〕后退，退却，引退，退缩

retrocede 〔retro- 向后，ced 行〕后退，退却

retrocession 〔retro- 向后，cess 行，-ion 名词后缀〕后退，退却，引退

intercede 〔inter- 中间，…之中，ced 行；“介入其中”→〕居间调停，调解，代为说情，代为请求

intercession 〔inter- 中间，…之中，cess 行，-ion 名词后缀；“介入其中”→〕居间调停，调解，说情

intercessor 〔见上，-or 者〕居间调停者，调解者，说情者

8. cept

认得 take，仅是识一字，
认得 cept，可识字一堆。

☞ **cept = take 拿，取**

except 〔ex- 外，出，cept 拿；“拿出去”→排除，除外→〕除…之外，把…除外

exception 〔见上，-ion 名词后缀〕例外，除外

exceptional 〔见上，-al …的〕例外的，异常的，特殊的

exceptive 〔见上，-ive …的〕作为例外的，特殊的

accept 〔ac- 加强意义，cept 拿→接→〕接受，领受，承认

acceptance 〔见上，-ance 名词后缀〕接受，领受，承认

acceptable 〔见上，-able 可…的〕可接受的

intercept 〔inter- 中间→从中，cept 拿，取；“从中截取”→〕截取，截击，拦截，截断

interception 〔见上，-ion 名词后缀〕截取，截住，拦截，截击

intercepter 〔见上，-er 表示物〕截击机

incept 〔in- 入，cept 拿，取；“拿入”→收进→〕接收（入会），摄入，摄取

9. cid, cis

decide 为什么是"决定"?
concise 为什么是"简明"?
学习单词必须问底刨根,
囫囵吞枣岂能学透学深?

☞ **cid, cis = cut, kill 切,杀**

decide 〔de- 表示加强意义,cid 切,切断→裁断→裁决→〕决定,裁决,判决,下决心

decidable 〔见上,-able 可…的〕可以决定的

undecided 〔见上,un- 不,未,decide 决定,-ed …的〕未定的,未决的

decision 〔见 decide,字母转换:d → s,因此:cid → cis,-ion 名词后缀〕决定,决心,决议

indecision 〔in- 无,不,decision 决定〕无决断力,犹豫不决

decisive 〔见上,ive …的〕决定性的

indecisive 〔in- 非,不,见上〕非决定性的,不决断的

concise 〔con- 表示加强意义,cis 切;"切短","切除"不必要的部分,删除冗言赘语,留下精简扼要的部分→〕简明的,简洁的,简要的

precise 〔pre- 先,前,cis 切;"预先切除不清楚的部分"

→〕明确的，准确的，精确的

precision 〔见上，-ion 名词后缀〕精确性，精密度

incise 〔in- 入，cis 切；“切入”→〕切开，雕刻

incision 〔见上，-ion 名词后缀〕切开，切口，雕刻

incisive 〔见 incise，-vie …的〕能切入的，锋利的，尖锐的

incisor 〔见 incise，-or 表示物；“能切断东西者”→〕门牙，切牙

excide 〔ex- 出，去，cid 切〕切除，切去，切开，删去

excision 〔见上，-ion 名词后缀〕切除，切去，删除

circumcise 〔circum- 周围，环绕，cis 切；“周围切割”，环状切割→〕割去包皮，进行环切

suicide 〔sui 自己，cid 杀〕自杀，自杀者

homicide 〔homi 人，cid 杀〕杀人，杀人者

patricide 〔patri 父，cid 杀〕杀父，杀父者

insecticide 〔insect 虫，-i- 连接字母，cid 杀〕杀虫剂

parasiticide 〔parasit(e) 寄生虫，-i-，cid 杀〕杀寄生虫药

bactericide 〔bacteri 细菌，cid 杀〕杀菌剂

10. circ

circle 是“圆圈”，
circus 乃“马戏团”，
二者意义相去千里，
寻祖问宗却有姻缘。

☞ circ = ring 环，圆

circus 〔circ 圆，-us 名词后缀；“圆形的表演场地”→〕马戏场；〔转为→〕马戏团

circle 〔circ 圆，-le 名词后缀〕圆，圈，环状物

encircle 〔en- 作成…，circle 圈；“作成一圈”〕包围，绕…行一周

semicircle 〔semi- 半，circle 圆〕半圆

circular 〔circul = circle 圆，-ar 形容词后缀，…的〕圆形的，环形的

circularity 〔见上，-ity 名词后缀〕圆形性，环行性，圆，迂回

circulate 〔circul = circle 环，-ate 动词后缀，使…〕循环，环流，通行，流通，流传

circulation 〔见上，-ion 名词后缀〕循环，环流，流通，流传

circulative 〔见上，-ive …的〕循环性的，流通性的

circulatory 〔见上，-ory …的〕循环的（指血液），循环上的

circlet 〔circle 圈，-et 表示小〕小圈，小环

circuit 〔circ 圆，环，-u-，it 行〕环行，周线，电路，回路

circuitous 〔见上，-ous …的〕迂回的，绕行的

circuity 〔见上，-y 名词后缀〕（说话等的）转弯抹角，绕圈子

11. claim, clam

cry 和 shout 的意义你都知晓，
你可知
claim 和 clam 也是“喊叫”？

☞ **claim, clam = cry, shout 喊叫**

exclaim 〔ex- 外，出，claim 叫，“大声叫出”→〕呼喊，惊叫

exclamation 〔见上，exclam = exclaim，-ation 名词后缀〕呼喊，惊叫；感叹词，惊叹词

exclamatory 〔见上，-atory 形容词后缀，…的〕叫喊的，惊叹的

proclaim 〔pro- 向前，claim 叫喊→声言〕宣布，宣告，声明

proclamation 〔见上，-ation 名词后缀〕宣布，公布，声明

proclamatory 〔见上，-atory 形容词后缀，…的〕公告的，布告的，宣言的

acclaim 〔ac- 表示加强意义，claim 叫→呼喊〕欢呼，喝采

acclamation 〔见上，-ation 名词后缀〕欢呼，喝采

acclamatory 〔见上，-atory 形容词后缀，…的〕欢呼的，喝采的

clamour 〔clam 叫喊→吵，-our 名词后缀〕喧嚷，吵闹

clamorous 〔见上，-ous …的〕喧嚷的，吵吵嚷嚷的

clamant 〔clam 叫喊，-ant …的〕喧嚷的，吵闹的

declaim 〔de- 加强意义，claim 叫→大声说〕作慷慨激昂的演说，朗诵

declamation 〔见上，-ation 名词后缀〕慷慨激昂的演说，雄辩，朗诵

declamatory 〔见上，-atory …的〕演说的，雄辩的，适宜于朗诵的

12. clar

初遇 clar，
含义很难猜，
添 e 写成 clear，
意义清楚又明白。

☞ **clar = clear** 清楚，明白

declare 〔de- 加强意义，clar = clear 清楚，明白；"to make clear"，"使明白"→〕表明，声明，宣告，宣布

declarer 〔见上，-er 者〕宣告者，声明者

declaration 〔见上，-ation 名词后缀〕声明，宣言，宣布

declarative 〔见上，-ative 形容词后缀，…的〕宣言的，公

告的，说明的

clarify 〔clar = clear 清楚，明白，-i-，-fy 动词后缀，使…；“使明白”→〕讲清楚，阐明，澄清

clarification 〔-fication 名词后缀〕阐明，澄清

clarity 〔clar = clear 清澈，明白，-ity 名词后缀〕清澈，透明

13. clud

问起 close，
人人都熟悉，
你还应该知道：
clud 的意义也是“关闭”。

☞ clud = close，shut 关闭
(clud 也作 clus)

exclude 〔ex- 外，clud 关；“关在外面”→不许入内→〕排斥，拒绝接纳，把…排除在外

exclusive 〔见上，-ive …的〕排外的，排他的，除外的

exclusion 〔见上，-ion 名词后缀〕排斥，拒绝，排除，排外

exclusionism 〔见上，-ism 主义〕排外主义

include 〔in- 入，内，clud 关闭；“关在里面”，“包入”→〕包含，包括，包住，关住

inclusion 〔见上，-ion 名词后缀〕包含，包括，内含物

inclusive 〔见上，-ive …的〕包括在内的，包括的，包含的

conclude 〔con- 加强意义，clud 关闭→结束，完结〕结束，完结，终了

conclusion 〔见上，-ion 名词后缀〕完结，结束，结局，结论

conclusive 〔见上，-ive …的〕结论的，总结性的，最后的

seclude 〔se- 离，分开，clud 关闭；“关闭起来，与外界隔离”→〕使隔离，使孤立，使退隐

seclusion 〔见上，-ion 名词后缀〕隔离，孤立，隐居，退隐

seclusive 〔见上，-ive …的〕隐居性的，爱隐居的

secluded 〔见上，-ed …的〕隔离的，隐退的，僻静的

recluse 〔re- 回，退，clus 关闭；“闭门退居”→〕退居的，隐居的，隐士，遁世者

reclusive 〔见上，-ive …的〕隐退的，隐居的，遁世的

occlude 〔oc- = against，clud 关闭；“关闭起来，不让通过”→〕使堵塞，使闭塞

occlusion 〔见上，clud → clus，-ion 名词后缀〕堵塞，闭塞

occlusive 〔见上，-ive …的〕闭塞的，堵塞的

preclude 〔pre- 前，先，预先，clud 关闭；“预先关闭”→〕阻止，预防，排除，消除

preclusion 〔见上，clud → clus，-ion 名词后缀〕预防，防止，排除

preclusive 〔见上，-ive …的〕预防（性）的，排除的，阻止的

14 . cogn

你虽早已认识 know，
cogn 含义应知道；
且看以下如许词，
均由 cogn 所构造。

☞ **cogn = know 知道**

cognition 〔cogn 知道→认识，认知，-ition 名词后缀〕认识

cognitive 〔cogn 知道→认识，-itive 形容词后缀 …的〕认识的

cognize 〔cogn 知道，-ize 动词后缀〕知道，认识

cognizable 〔见上，-able 可…的〕可认识的，可认知的

incognizable 〔in- 不，见上〕不可认识的，不可知的

cognizance 〔cogniz (e) + -ance 名词后缀〕认识，认知

cognizant 〔cogniz(e) + -ant 形容词后缀，…的〕认识的，知晓的

incognizant 〔in- 不，见上〕没认识到的

recognize 〔re-，加强意义，cogn 知道→认识，-ize 动词后缀〕认识，认出，认知

recognizable 〔见上，-able 可…的〕可认识的，可认出的

irrecognizable 〔ir- 不，见上〕不能认识的，不能认出的

recognition 〔re- 加强意义，cogn 知道→认识，-ition 名词后缀〕认出，认识，识别

precognition 〔pre- 预先，cogn 知道，-ition 名词后缀〕预知，预察，预见

15. cord

heart 乃是“心”，
这个字早已熟悉，
cord 也是“心”，
你可能未曾注意。

☞ **cord = heart 心**

cordial 〔cord 心，-ial 形容词后缀，…的〕衷心的，诚心的

cordially 〔见上，-ly 副词后缀，…地〕衷心地，诚心地，真诚地

cordiality 〔见上，-ity 名词后缀〕诚心，热诚，亲切

record 〔re- 回，再，cord 心→想，忆；“回忆”→以备“回忆”之用→〕记录，记载

recorder 〔见上，-er 表示人或物〕记录者，录音机

recordable 〔见上，-able 可…的〕可记录的

recordation 〔见上，-ation 名词后缀〕记录，记载

recording 〔见上，-ing 名词后缀〕记录，录音

recordist 〔见上，-ist 表示人〕录音员

concord 〔con- 共同，相同，合，cord 心，意；“同心合意”→〕和谐，同意，一致，协调

concordance 〔见上，-ance 名词后缀〕和谐，一致，协调

concordant 〔见上，-ant 形容词后缀，…的〕和谐的，一致的，协调的

discord 〔dis- 分，离，cord 心，意；“分心离意”→〕不一致，不协调，不和

discordance 〔见上，-ance 名词后缀〕不一致，不协调，不和

discordant 〔见上，-ant …的〕不一致的，不协调的，不和的

accord 〔ac- 表示 to，cord 心；“心心相印”〕一致，协调，符合，使一致

accordance 〔见上，-ance 名词后缀〕一致，协调，调和

accordant 〔见上，-ant …的〕一致的，协调的

cordate 〔cord 心，-ate 形容词后缀，…的〕心脏形的

core 〔cor = cord 心〕核心

16. corpor

仅仅识得 body，远远不够；
corpor 尚须苦记，甜在后头。

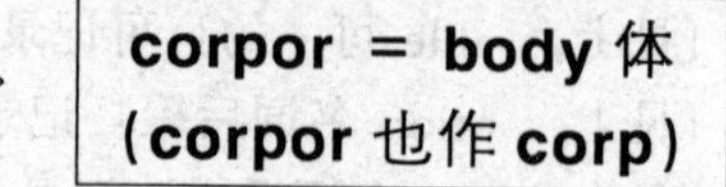

corporation 〔corpor 体，-ation 名词后缀；由众人组成的一个“整体”→〕团体，社团，公司

corporator 〔corpor 体→团体，-ator 表示人〕社团或公司的成员

corporate 〔corpor 体→团体，-ate …的〕团体的，社团的

incorporate 〔in- 做，作成，corpor 体，-ate 动词后缀；“结成一体”→〕合并，结合，组成

incorporation 〔见上，-ation 名词后缀〕合并；〔结合而成的组织→〕团体，公司，社团

incorporator 〔见上，-ator 人〕合并者，团体成员，社团成员

agricorporation 〔agri = agriculture 农业，corporation 公司〕农业综合公司

corporal 〔corpor 体→身体，肉体，-al …的〕身体的，肉体的

corporeal 〔corpor 体→形体，-eal …的〕形体的，有形的，物质的，肉体的

incorporeal 〔in- 无，非，corporeal 形体的〕无形体的，无实体的，非物质的

corporealize 〔见 corporeal，-ize …化，使…〕使具有形体，使物质化

corporeality 〔见上，-ity 名词后缀〕形体的存在，具体性

corps 〔corp 体→团体〕军团，军，队，团

corpse 尸体，死体

corpulent 〔corp 体，→肉体，-ulent = -lent 多…的；“多肉体的”→〕肥胖的

17. cred

识得 cred，众多词无须死记，
只识 believe，词汇量难以扩充。

☞ **cred = believe, trust 相信，信任**

credible 〔cred 相信，信任，-ible 可…的〕可信的，可靠的
credibility 〔cred 相信，信任，-ibility 表示性质〕可信，可靠，信用
incredible 〔in- 不，credible 可信的〕不可信的
incredibility 〔见上〕不可信，难信
credulous 〔cred 信任，-ulous 易…的〕易信的，轻信的
incredulous 〔in- 不，见上〕不轻信的
credit 信任，相信
creditable 〔见上，-able 可…的〕可信的，使人信任的
discredit 〔dis- 不，credit 信任〕不信任，丧失信用
accredit 〔ac- 表示 to，credit 信任〕相信，信任，委任
credence 〔cred 信任，-ence 名词后缀〕信任
credential 〔cred 信任，-ential 复合后缀（-ent + -ial）…的〕信任的；〔转为名词〕凭证；（复数）信任状，国书
creed 〔creed ← cred 相信，信任〕信条，教义，信念

18. cruc

见到 cruc，想到 cross，
读音有联系，原来是“十字”。

☞ **cruc = cross 十字**

crucial 〔cruc 十字，-ial 形容词后缀，…的〕十字形的；〔处在“十字路口”的→〕紧要关头的，决定性的，临于最后选择的

crusade 〔crus = cruc 十字，-ade 名词后缀，表示集体〕十字军

crusader 〔见上，-er 表示人〕十字军参加者

cruise 〔cruis = cruc 十字→纵横相交；在海洋上“纵横来往而行”→〕巡游，巡航

cruiser 〔见上，-er 表示物；在海洋上“纵横来往而行者”→〕巡洋舰

cruisette 〔见上，-ette 表示小〕小巡洋舰

crucifix 〔cruc 十字，-i-，fix 固定→钉〕耶稣钉在十字架上的图象

crucifixion 〔cruc 十字，-i-，-fix 固定→钉，-ion 动词后缀〕在十字架上钉死的刑罚，酷刑

crucify 〔cruc 十字，-i- -fy 动词后缀，做…事〕把…钉死在十字架上，折磨

crucifier 〔见上，-er 表示人〕钉罪人于十字架上者，施酷刑的人

cruciform 〔cruc 十字，-form 形容词后缀，有…形状的〕十字形的

excruciate 〔ex- 使…，做…，cruc 十字，-ate 动词后缀；“把…钉在十字架上”→〕使受酷刑，拷打，折磨

excruciation 〔见上，-ation 名词后缀〕惨刑，酷刑，拷问

19. cur

security 为什么是“安全”？
弄懂此问题并不算难，
只要知道 cur 是“关心”、“挂念”，
就能了解 security 的来源。

☞ **cur = care 关心，挂念，注意**

security 〔se- 分开，脱离，cur 挂念，担心，-ity 名词后缀；“脱离挂念”→不用挂念，无须担心→〕安全

secure 〔见上〕安全的，无忧的

insecure 〔in- 不，secure 安全的〕不安全的

insecurity 〔in- 不，security 安全〕不安全

curious 〔cur 关心，注意，-ious 形容词后缀，…的；“引人注意的”→〕新奇的，奇怪的；〔对…特别

“关心”的→〕好奇的，爱打听的

curiosity 〔见上，-osity 名词后缀〕好奇心，奇品，珍品，古玩

curio 〔curiosity 的缩写式〕珍品，古董，古玩

incurious 〔in- 不，无，curious 见上，新奇的，好奇的〕不新奇的，无好奇心的

incuriosity 〔in- 不，无，见上〕不新奇，无好奇心，不关心

cure 〔cur 关心，关怀→（对病人）照料，护理→〕医治，治疗

curable 〔见上，-able 可…的〕可医治的，可治好的

incurable 〔in- 不，见上〕不可医治的，不治的，医不好的

curative 〔cur 关心→医治，-ative …的〕治病的，治疗的，有效的

20. cur, curs, cour, cours

run 有替身四个，
个个你都必须认得。
在众多的单词里，
它们都担任重要角色。

☞ **cur, curs, cour, cours = run 跑**

occur 〔oc- 表示 to 或 towards，cur 跑；“跑来”→来临→〕出现，发生

occurrence 〔见上，-ence 名词后缀〕出现，发生，发生的事

occurrent 〔见上，-ent …的〕偶然发生的，正在发生的

current 〔cur 跑→行，-ent …的〕流行的，通行的，流通的，现行的，当前的，现在的；〔-ent 名词后缀〕流，水流，气流

undercurrent 〔under- 底下，current 流〕暗流，潜流

currency 〔cur 跑→行，-ency 名词后缀〕流行，流通，流通货币，通货

excurse 〔ex- 外，出，curs 跑→行走；"跑出去"，"出行"→〕远足，旅游，旅行

excursion 〔见上，-ion 名词后缀〕远足，旅行，游览

excursionist 〔见上，-ist 表示人〕远足者，旅游者

excursive 〔ex- 外，出，curs 跑→行走；"走出"→走离→走离正题；-ive …的〕离题的，扯开的

excursus 〔见上，-us 名词后缀；"离题"的话→〕离题语，附注，附记

course 〔cours 跑→行进〕行程，进程，路程，道路，课程

intercourse 〔inter- 在…之间，cours 跑→行走→来往；"彼此之间的来往"→〕交往，交际，交流

concourse 〔con- 共同，一起，cours 跑；"跑到一起来"→〕汇合，集合，合流

courser 〔cours 跑，-er 者；"善跑的人或动物"→〕跑者，追猎者，猎犬，骏马

courier 〔cour 跑，-ier 表示人，"跑路的人"→〕送急件的人，信使

succour 〔suc- 后，随后，cour 跑；"随后赶到"→〕救助，救援，援助

cursory 〔surs 跑→急行，-ory …的；“急行奔走的”→〕仓卒的，草率的，粗略的

cursorial 〔见上，-ial …的〕（动物）疾走的，善于奔驰的

cursive 〔curs 跑→速行，-ive …的，“疾行的”，“速走的”→〕（字迹）草写的；行书，草书，草写体

incursion 〔in- 内，入内，curs 跑→行走，-ion 名词后缀；“走入”，“闯入”→〕进入，侵入，入侵，侵犯

incursive 〔见上，-ive …的〕入侵的，进入的

precursor 〔pre- 先，前，curs 跑→行，-or 者〕先行者，先驱者，前任，前辈

precursory 〔pre- 先，前，curs 跑，-ory …的〕先行的，先驱的，先锋的，前任的，前辈的

antecursor 〔ante- 前，curs 跑，-or 者〕先行者，前驱者

concur 〔con- 共同，cur 跑；“共同跑来”→〕同时发生，同意

concurrence 〔见上，-ence 名词后缀〕同时发生，同意

concurrent 〔见上，-ent 形容词后缀，…的〕同时发生的

recur 〔re- 回，复，cur 跑；“跑回”→返回→重来〕再发生，（疾病等）复发，（往事等）重新浮现

recurrence 〔见上，-ence 名词后缀〕复发，再发生，重新浮现

transcurrent 〔trans- 越过，横过，cur 跑，-ent …的；“横跑过去”的→〕横过的，横贯的

corridor 〔cor = cour 跑→行走，“行走的地方”→〕走廊

curriculum 〔cur = couse；a course of study →〕课程

21. dent

tooth 虽然人人识，
dent 或恐无人知；
可怜天下学子心，
不重词根重单词。

☞ **dent = tooth 牙齿**

dentist 〔dent 牙，-ist 表示人；“医治牙病的人”〕牙科医生

dentistry 〔见上，-ry 表示…学、技术、职业〕牙科学，牙科，牙科业

dental 〔dent 牙，-al …的〕牙齿的，牙科的

denture 〔dent 牙，-ure 名词后缀〕假牙

dentiform 〔dent 牙，-i-，-form 有…形状的〕齿状的

dentate 〔dent 牙，ate …的〕有齿的，齿状的

dentoid 〔dent 牙，-oid 如…的〕如齿的，齿状的

bident 〔bi- 两个，二，dent 牙；“有两个齿形”的矛〕两叉矛，两尖器

trident 〔tri- 三，dent 牙；“有三叉齿形”的矛〕三叉戟，三叉尖器

indent 〔in- 使成…，作成…，dent 牙〕使成犬牙状，刻成锯齿形

multidentate 〔multi- 多，dent 牙，齿，-ate …的〕多齿的

interdental 〔inter- 中间，dent 齿，-al …的〕齿间的

denticle 〔dent 齿，-icle 表示小〕小齿；小齿状突起

edentate 〔e- 无，dent 齿，-ate …的〕（动物）无齿的，贫齿目的

22 . di

everyday 是"每日"，
人人都知 day 是"日"，
diary 是"日记"，
你能认出哪是"日"？

☞ **di = day 日**

diary 〔di 日，-ary 名词后缀，表示物〕日记，日记薄

diarist 〔见上，-ist 表示人〕记日记者

diarize 〔见上，-ize 动词后缀，做…〕记日记

diarial 〔见上，-ial …的〕日记体的，日记的

dial 〔di 日，-al 名词后缀，表示物〕日晷，电话机拨号盘（该物圆形似日晷）

meridian 〔meri 中间，di 日，-an 名词后缀〕日中，正午，子午线；〔-an …的〕日中的，正午的

antemeridian 〔ante- 前，meridian 日中，正午〕日中以前的，午前的

postmeridian 〔post- 后，meridian 日中，正午〕日中以后的，午后的

23. dict

问君能有几多愁？
苦记单词无止休。
下列字，更疾首，
试用 dict 来分析，
记忆无须皱眉头。

☞ **dict = say 言，说**
（dict 也作 dic）

contradict 〔contra- 相反，dict 言；说出“相反之言”→〕反驳，同…相矛盾，与…相抵触

contradiction 〔见上，-ion 名词后缀〕矛盾，抵触，对立

contradictory 〔见上，-ory …的〕矛盾的，对立的

dictate 〔dict 言，说→吩咐，命令，指示，-ate 动词后缀；“口授命令或指示”→〕口述而令别人记录，使听写，命令，支配

dictation 〔见上，-ion 名词后缀〕口授，命令，支配，口述，听写

dictator 〔见上，-or 者；“口授命令者”→支配者，掌权者〕独裁者，专政者，口授者

dictatorial 〔见上，-ial …的〕专政的，独裁的

dictatorship 〔见上，-ship 名词后缀〕专政，独裁

predict 〔pre- 前，先，预先，dict 言〕预言，预告

prediction 〔见上，-ion 名词后缀〕预言，预告

predictable 〔见上，-able 可…的〕可预言的，可预报的

malediction 〔male- 恶，坏，dict 言，-ion 名词后缀；“恶言”→〕咒骂，诽谤

maledictory 〔见上，-ory …的〕咒骂的

benediction 〔bene- 好，dict 言词，-ion 名词后缀；“好的言词”→〕祝福

benedictory 〔见上，-ory …的〕祝福的

indicate 〔in- 表示 at，dic 言，说→说明，表明，表示，-ate 动词后辍〕指示，指出，表明

indication 〔见上，-ion 名词后缀〕指示，指出，表示

indicator 〔见上，-or 表示人或物〕指示者，指示器

indicative 〔见上，-ive …的〕指示的，表示的

dictionary 〔dict 言，词，diction 措词，-ary 名词后缀，表示物；“关于措词的书”→〕字典，词典

diction 〔dict 言，词，-ion 名词后缀〕措词，词令

dictum 〔dict 言，词，-um 名词后缀〕格言，名言

edict 〔e- 外，出，dict 言，词→指示；“统治者发出的话”，“当局发出的指示”→〕法令，布告

dictaphone 〔dict 言，说，-a- 连接字母，phone 声音，电话〕口述录音机，录音电话机

indict 〔in- 表示 on，upon，against，dict 言，诉说〕控告，告发，对…起诉

indictment 〔见上，-ment 名词后缀〕控告，起诉，起诉书

indictor 〔见上，-or 表示人，主动者〕原告，起诉者（亦

作 indicter）

indictee 〔见上，-ee 表示人，被动者〕被告，被起诉者

interdict 〔inter- 中间，dict 言；“从中插言”→使停止→〕制止，禁止

interdiction 〔见上，-ion 名词后缀〕制止，禁止

interdictory 〔见上，-ory 形容词后缀，…的〕制止的，禁止的

verdict 〔ver（= very）真正的，绝对的，恰好的，dict 言〕裁决，判决，定论

24. dit

只识 give，难以举一反三，
识得 dit，方可闻一知十。

☞ **dit = give 给**

tradition 〔tra- = trans- 转，传，dit 给，-ion 名词后缀；“传给”→〕传统，传说，口传

traditional 〔见上，-al …的〕传统的，因袭的，惯例的

traditionalism 〔见上，-ism 主义〕传统主义

edit 〔e- 出，dit 给；“给出”→发表，出版；将稿件编好以备发表→〕编辑

editor 〔见上，-or 表示人〕编者，编辑

editorial 〔见上，-ial …的〕编者的，编辑的；〔编者写的文章→〕社论

editorship 〔见上，-ship 名词后缀〕编辑的职位，编辑工作

subeditor 〔sub- 副，editor 编辑〕副编辑

edition 〔edit 编辑，-ion 名词后缀，“编成的样本”〕版，版本

extradite 〔ex- = out 出，tra- = trans- 转，dit 给；“转给”，“转交出”→〕引渡（逃犯，战俘等），使（逃犯等）被引渡

extradition 〔见上，-ion 名词后缀〕（对逃犯等的）引渡

extraditable 〔见上，-able 可…的〕（逃犯等）可引渡的

25. don

donor，donee 不理解，
尚有 condone 记忆难；
君若知道 don 是“给”，
轻舟好过万重山。

☞ **don = give 给（don 也作 do）**

pardon 〔par-（= per-）完全，彻底，don 给，舍给→舍弃；“完全舍弃他人罪过”→〕原谅，宽恕，赦罪

pardoner 〔见上，-er 表示人〕原谅者，宽恕者

pardonable 〔见上，-able 可…的〕可以原谅的，可以宽恕的

donor 〔don 给，赠给，-or 表示人〕赠给者，捐献者

donee 〔don 给，赠给，-ee 表示人，被…者〕被赠给

者，受赠者

condone 〔con- 加强意义，don 给→舍给→舍弃；“舍弃他人罪过”→〕宽恕，不咎（罪过）

condonation 〔见上，-ation 名词后缀〕宽恕，赦免

donate 〔don 给，赠给，-ate 动词后缀〕捐赠，赠给

donator 〔见上，-or 者〕捐赠者，赠给者

donative 〔见上，-ive …的〕捐赠的，赠送的；〔-ive 名词后缀，表示物〕赠品，捐赠物

dose 〔do 给，被“给”的一次用药量→〕一剂药，一剂

dot 〔do 给，女子出嫁时，娘家所“给”之物→〕嫁妆，妆奁

dotal 〔见上，-al …的〕嫁妆的，妆奁的

anecdote 〔an- 不，未，ec- 外，向外，do 给，给出→发表；“未曾向外发表过的”事→〕轶事；奇闻，趣闻

anecdotist 〔见上，-ist 人〕收集轶事者；好谈轶事者

anecdotical 〔见上，-ical…的〕轶事的，奇闻的；爱谈奇闻轶事的

26. du

初学先识 two，人人都记住。
今朝遇见 du，知否也是 two？

du = two 二

dual 〔du 双，二，-al …的〕二重的，双的，二元的

dualism 〔见上，-ism 表示性质，…论〕双重性，二元性，二元论

dualist 〔见上，-ist 者〕二元论者

dualistic 〔见上，-istic …的〕二元论的，二元的

duality 〔见上，-ity 名词后缀，表示性质〕两重性，二元性

dualize 〔见上，-ize 动词后缀，使…〕使具有两重性，使二元化

duplicate 〔du 双，二，plic 重复，重，-ate 使…〕使成双，复制，复写；〔-ate …的〕二重的，二倍的，复制的，副的；〔转作名词〕复制品

duplication 〔见上，-ation 名词后缀〕成双，成倍，复制，复制品

duplicity 〔见上，-icity 表示性质〕二重性，口是心非，表里不一

duplex 〔du 双，plex（=fold）重〕双重的，二重的

duel 〔du 双，二〕两人决斗

duelist 〔见上，-ist 者〕决斗者

duet 〔du 双，二〕二重唱，二重奏

duettist 〔-ist 者〕二重唱者，二重奏者

27. duc

死记硬背何时了，
生词知多少？
duc 可使君聪明，
数十生词顷刻记心中。

☞ **duc, duct = lead 引导**

educate 〔e- 出，duc 引导，-ate 动词后缀；“引导出来”，“把…由无知状态中引导出来”→教导出来〕教育

education 〔见上，-ion 名词后缀〕教育

educable 〔见上，-able 可…的〕可教育的

introduce 〔intro- 入，duc 引；“引入”→〕引进，介绍

introduction 〔intro- 入，duct 引，-ion 名词后缀〕引进，介绍

introductory 〔见上，-ory …的〕介绍的，导言的

conduct 〔con- 加强意义，duct 引导，领导〕引导，指导，管理，经营

condutor 〔见上，-or 表示人〕指导者，管理者，（乐队等的）指挥，（电车等的）售票员；〔duct 引导→传导，-or 表示物〕导体

semiconductor 〔semi- 半，conductor 导体〕半导体

misconduct 〔mis- 误，错，conduct 指导→办理〕办错，对…处理不当

produce 〔pro- 向前，duc 引导；"向前引"→引出…来→制出，产生出〕生产，出产，制造，产生，引起

product 〔见上〕产品，产物，产量，出产

production 〔见上，-ion 名词后缀〕生产，制造

productive 〔见上，-ive …的〕生产的，生产性的

reproduce 〔re- 再，produce 生产〕再生产，再造，复制

abduct 〔ab- 离，去，duct 引；"引去"→〕诱拐，劫持

abduction 〔见上，-ion 名词后缀〕诱拐，劫持

abductor 〔见上，-or 表示人〕诱拐者，拐子

seduce 〔se- 离，去，duc 引；"引诱去"→〕诱惑，诱使…堕落，勾引

seducer 〔见上，-er 者〕引诱者，勾引者

seduction 〔见上，-ion 名词后缀〕勾引，诱惑

aqueduct 〔aque 水，duct 引导；"引导水流之物"〕导水管，引水渠，沟渠，高架渠

viaduct 〔via 道路，duct 引导；"把路引导过去"→〕高架桥，跨线桥，旱桥，栈道

ventiduct 〔venti 风，duct 引导；"引导风的"管道→〕通风管，通风道

reduce 〔re- 回，向后，duc 引；"引回"，"向后引"→退缩，减退〕减少，缩减

reduction 〔见上，-ion 名词后缀〕减少，减小，缩减

reductor 〔见上，-or 表示物〕减速器，减压器

induce 〔in- 加强意义，duc 引→引诱〕引诱，诱使，诱导

inducer 〔见上，-er 表示人〕引诱者，诱导者
inducement 〔见上，-ment 名词后缀〕引诱，劝诱
educe 〔e- 外，出，duc 引〕引出，推断出
educible 〔见上，-ible 可…的〕可引出的，可推断出的

28. ed

中学生已识 eat，这是初步，
大学生应识 ed，需要提高。

☞ **ed = eat 吃**

edible 〔ed 吃，-ible 形容词后缀，可…的〕可以吃的，食用的
edibility 〔ed 吃，-ibility 名词后缀，可…性〕可食性
inedible 〔in- 不，edible 可吃的〕不可吃的，不适合食用的
inedibility 〔见上〕不可食性
edacious 〔ed 吃，-acious 形容词后缀，表示有…性质的，好…的〕贪吃的，狼吞虎咽的
edacity 〔ed 吃，-acity 名词后缀，表示性质、情况〕贪吃，狼吞虎咽

29. equ

乍见 equ 实难懂，
后面加 -al 可悟省；
有 -al 无 -al 义不改，
equ, equal 皆“相等”。

☞ **equ = equal 等，均，平**

equal 〔equ 相等，-al …的〕相等的，平等的，相同的

equality 〔见上，-ity 名词后缀〕同等，平等，均等

equalitarian 〔见上，-arian …的〕平均主义的；〔-arian 表示人〕平均主义者

equalitarianism 〔见上，-ism 主义〕平均主义

equalize 〔见上，-ize 使…〕使相等，使均等，使平等

adequate 〔ad- = to, equ 相等，-ate …的；“equal to”，“与所需要的数量相等的”→能满足需要的→〕足够的，充分的，适当的

adequacy 〔见上，-acy 名词后缀〕足够，充分，适合

inadequate 〔in- 不，见上〕不充足的，不适当的

inadequacy 〔见上〕不充足，不适当

equable 〔equ 平，-able …的〕平稳的，平静的

equability 〔见上，-ability 名词后缀〕平稳，平静

equivalent 〔equ(i) 相等，val = value 价值，-ent …的〕等

价的，相等的；〔-ent 表示物〕相等物，等值物，等价物

equivalence 〔见上，-ence 名词后缀〕相等，均等，相当，等价，等值

equate 〔equ 相等，-ate 动词后缀，使…〕使相等，使等同

equation 〔equ 相等，-ation 名词后缀〕平衡，均衡，平均，相等；（数学）等式

equator 〔equ 相等，-ator 表示物；"均分地球为南北两半球的纬线"→〕赤道

equatorial 〔见上，-ial …的〕赤道（附近）的

equivocal 〔equ(i) 相等，等同→两者均可，voc 声音，语言，-al …的；"一语作两种解释均可的"→〕（语言）模棱两可的，双关的，多义的，含糊的，歧义的

equivocate 〔见上，-ate 动词后缀〕含糊其词，支吾

equiangular 〔equ(i) 相等，angular 角的〕等角的

equilateral 〔equ(i) 相等，later 边，-al …的〕等边的

equidistance 〔equ (i) 相等，distance 距离〕等距离

equity 〔equ 平，-ity 名词后缀〕公平，公道

equanimity 〔equ 平，anim 心神，-ity 名词后缀；"心神平静"→〕沉着，平静，镇定

30. ev

longevity 是“长寿”，
“长”字明显易瞅，
“寿”由哪些字母结构？
你须仔细研究。

☞ **ev = age 年龄，寿命，时代，时期**

longevity 〔long 长，ev 年龄，寿命，-ity 名词后缀〕长寿，长命

longevous 〔long 长，ev 寿命，-ous 形容词后缀，…的〕长寿的，长命的

medieval 〔medi 中，ev 时代，-al …的〕中古时代的，中世纪的

medievalism 〔见上，-ism 表示性质、状态、情况〕中世纪精神（或特征、状态、风俗、信仰等）

medievalist 〔见上，-ist 表示人〕中世纪史专家，中世纪文化研究者

primeval 〔prim 最初，ev 时期，-al …的〕早期的，原始的，远古的

coeval 〔co- 共同，ev 时代，-al …的〕同时代的，同年代的，同时期的；〔-al 名词后缀〕同时代的人

（或物）

coevality 〔见上，-ity 名词后缀〕同时代，同年代，同期性，同年龄

31. fact

factory 为什么是“工厂”？
哪是“工”，哪是“厂”？
刨根问底理应当；
虽是熟字须研究，
fact 里面有文章。

☞ **fact = do, make 做，作（fact 也作 fac）**

factory 〔fact 作，制作，-ory 名词后缀，表示场所、地点；“制作的场所”→〕工厂，制造厂

manufacture 〔manu 手，fact 作，制作；“用手制作”，古时生产全用手操作〕制造，加工

manufacturer 〔见上，-er 表示人〕制造者，制造商，工厂主

manufactory 〔见上，-ory 表示场所〕制造厂，工厂

benefactor 〔bene- 好，fact 做，-or 表示人；“做好事者”→〕施恩者，恩人，捐助者

benefaction 〔见上，-ion 名词后缀〕施恩，行善，善行，捐助物

malefactor 〔male- 恶，坏，fact 做，-or 者；“做坏事者”→〕作恶者，坏分子，犯罪分子

malefaction 〔见上，-ion 名词后缀〕犯罪（的行为），坏事

factitious 〔fact 做，-itious 形容词后缀，属于…的；“做作”出来的→〕人为的，做作的，不自然的

facsimile 〔fac 做，simil 相似；“作出相似的东西”，作出与原物相似之物→〕誊写，摹写，摹真本

facile 〔fac 做，-ile 形容词后缀，易…的〕易做到的，易得到的

facility 〔见上，-ity 名词后缀；“易做”→〕容易，便利

facilitate 〔见上，-ate 动词后缀，使…〕使容易做，使容易，使便利，促进

fact 〔fact 做；“已经做出”的事→〕事实

factual 〔见上，-ual …的〕事实的，实情的，真实的

facture 〔fact 作，制作，-ure 名词后缀〕制作，制作法

32. fer

识词根者为俊杰，
记忆无须寻秘诀；
fer 能解释众多字，
字字清晰难忘却。

☞ fer = bring, carry 带，拿

confer 〔con- 共同，一起，fer 拿；把意见“拿到一起来”→〕协商，商量，交换意见

conference 〔见上，-ence 名词后缀〕协商会，讨论会，会议，会谈，讨论

differ 〔dif- 分开，fer 拿，持；“分开拿”，“分取”，“各持己见”，“各执一词”→互异→〕不同，相异，意见不同

difference 〔见上，-ence 名词后缀〕相异，差别，差异，不同

different 〔见上，-ent …的〕不同的，相异的

differential 〔见上，-ial …的〕不同的，差别的，区别的

differentiate 〔见上，-ate 动词后缀，使…〕使不同，区分，区别

differentiation 〔见上，-ation 名词后缀〕区别，分别

offer 〔of- 向，向前，fer 拿；“拿到前面来”→〕提出，提供，奉献，贡献

offering 〔见上，-ing 名词后缀，表示行为、物〕提供，捐献物

prefer 〔pre- 先，fer 拿，取；对某物“先取”，“先选”，宁愿“先要”某事物→〕宁可，宁愿(选择)，更喜欢…，偏爱…

preferable 〔见上，-able 可…的〕更可取的，更好的

preference 〔见上，-ence 名词后缀〕优先，偏爱，优先权

preferential 〔见上，-ial …的〕优先的，优待的

transfer 〔trans- 越过，转过，fer 拿；“拿过去”→〕转

移，传递，传输，转让

transference 〔见上，-ence 名词后缀〕转移，传递，转让

floriferous 〔flor 花，-i-，fer 带有，-ous …的〕有花的，多花的

aquiferous 〔aqu 水，-i-，fer 带有，-ous …的〕含水的

cruciferous 〔cruc 十字形，-i-，fer 带有，-ous …的〕饰有十字形的，戴有十字架的

33. flor

flor 与 flower，二者音相近，
“本是同根生”，意义何须问？

☞ **flor = flower 花**
(flor 也作 flour)

florist 〔flor 花，-ist 表示人〕种花者，花商，花卉研究者

floral 〔flor 花，-al …的〕花的，如花的

florid 〔flor 花，-id 如…的〕如花的，鲜艳的，华丽的，绚丽的

floridity 〔见上，-ity 名词后缀〕绚丽，华丽

floriculture 〔flor 花，-i-，culture 培养〕养花，种花，花卉栽培，花艺

floriculturist 〔见上，-ist 表示人〕养花者，花匠，花卉栽培家

defloration 〔ed- 除去，去掉，毁掉，flor 花，-ation 名词后缀〕摘花，采花，奸污处女

uniflorous 〔uni 单独，一个，flor 花，-ous …的〕单花的

multiflorous 〔multi- 多，flor 花，-ous …的〕多花的

floret 〔flor 花，-et 表示小〕小花

floriferous 〔flor 花，-i-，fer 带有，-ous …的〕有花的，多花的

effloresce 〔ef 出→开出，flor 花，-esce 动词后缀〕开花

efflorescence 〔见上，-escence 名词后缀〕开花，开花期

flourish 〔flour 花，-ish 动词后缀；“如开花一样”→〕繁荣，茂盛，兴旺，昌盛

flourishing 〔见上，-ing …的〕茂盛的，兴旺的，欣欣向荣的

reflourish 〔re- 再，见上〕再繁荣，再兴旺

noctiflorous 〔nocti 夜，flor 花，-ous …的〕（植物）夜间开花的

34. flu

flu 与 flow，读音略相似，
应知都是“流”，记忆不费事。

☞ **flu = flow 流**

fluent 〔flu 流，-ent 形容词后缀，…的〕流动的，流畅的，（语言）流利的

fluency 〔flu 流，-ency 名词后缀〕流利，流畅

influence 〔in- 入，flu 流，-ence 名词后缀；“流入”→波及→对周围事物产生影响→〕影响，感动，势力；〔转为动词〕感化，影响，对…有作用，左右

influential 〔见上，-ial …的〕有影响的，施以影响的

uninfluential 〔un- 不，无，见上〕不产生影响的，没有影响的

influenza 〔见上，影响→感染〕流行性感冒

confluent 〔con- 共同，flu 流，-ent …的〕合流的，汇合的

confluence 〔见上，-ence 名词后缀〕合流，汇合，合流点，汇合处，汇流而成的河

fluid 〔flu 流，-id 形容词后缀，…的〕流动的，流体的，液体的；〔转为名词〕流体，液

fluidity 〔见上，-ity 名词后缀〕流动性，流度

refluent 〔re- 回，反，flu 流，-ent …的〕倒流的，退潮的

refluence 〔见上，-ence 名词后缀〕倒流，逆流，回流，退潮

defluent 〔de- 向下，flu 流，-ent …的〕向下流的

circumfluent 〔circum- 周围，flu 流，-ent …的〕周流的，环流的

effluent 〔ef- 外，出，flu 流，-ent …的〕流出的，发出的

superfluous 〔super- 超过→过多，flu 流，-ous …的〕过剩的，多余的

superfluity 〔见上，-ity 名词后缀〕过剩，多余，奢侈

superfluid 〔super- 超，fluid 流体〕超流体

interfluent 〔inter- 互相，flu 流，-ent …的〕交流的；

〔inter- 中间，flu 流，-ent …的〕流在中间的

flux 〔flux = flu 流〕流，流出，流动，变动

fluxion 〔见上，-ion 名词后缀〕流动，流出物，变动

fluxional 〔见上，-al …的〕流动的，变动的

afflux 〔af- 表示 to，flux 流〕流向，流入

reflux 〔re- 回，反，flux 流〕回流；倒流；逆流

influx 〔in- 入，flux 流〕流入

35. fus

refuse 为何是“拒绝”？
transfuse 为何是“输血”？
confuse 为何是“混乱”？
识得 fus 疑问都解决。

☞ **fus = pour 灌，流，倾泻**

refuse 〔re- 回，fus 流；“流回”→倒灌，倒流→退回→不接纳→〕拒绝，拒受

refusal 〔见上，-al 名词后缀〕拒绝

confuse 〔con- 共同，合，fus 流；“合流，“流到一处”→混在一起→〕使混杂，混乱，混淆，使迷乱

confusion 〔见上，-ion 名词后缀〕混乱，混乱状态，骚乱

transfuse 〔trans- 越过，转移，fus 流，注入；“转流过去”，“移注过去”→〕移注，灌输，输（血），

给…输血（将某人血液移注于另一人）

transfusion 〔见上，-ion 名词后缀〕移注，输血

infuse 〔in- 入，内，fus 流，灌注；“流入”〕（向…）注入，灌输

infuser 〔见上，-er 表示物〕注入器

infusion 〔见上，-ion 名词后缀〕灌输

diffuse 〔dif- 分开，散开，fus 流；“分开流”，“散开流”→到处流〕散开，传播，（使）散开，（使）扩散

diffusion 〔见上，-ion 名词后缀〕散开，扩散，弥漫，传布

interfuse 〔inter- 互相，fus 灌，流；“互灌”，“互流”→合流→〕（使）混合，（使）融合，渗透

interfusion 〔见上，-ion 名词后缀〕混合，融合，渗透

affusion 〔af- 表示 at，to，fus 灌，注〕注水，注水法，灌水法

perfuse 〔per- 贯穿，全，fus 流〕泼洒，灌注，使充满

profuse 〔pro- 向前，fus 流，泻；“随意倾泻了的”，“流走了的”，“流掉了的”→〕浪费的，挥霍的，过多的，充沛的

profusion 〔见上，-ion 名词后缀〕浪费，奢侈，挥霍，丰富，充沛

36. grad

gradual 是"逐步",
retrograde 是"退步",
"步"在何处,
你是否心中有数?

☞ **grad = step, go, grade 步,走,级**

gradual 〔grad 步,-ual 形容词后缀,…的〕逐步的,逐渐的

retrograde 〔retro- 向后,grad 步,行走;"向后走"〕→后退,退步,逆行

retrogradation 〔见上,-ation 名词后缀〕后退,退步,逆行

graduate 〔grad 步,级,-u-,-ate 动词后缀;"在学业上走完某一步","在学业上完成某一级"→〕毕业;〔转为〕毕业生

graduation 〔见上,-ation 名词后缀〕毕业

undergraduate 〔under- 低于,不够,不到,不足,graduate 毕业生〕尚未毕业者,大学肄业生

postgraduate 〔post- 后,在…之后,见上〕大学毕业后的;研究生

degrade 〔de- 下,向下,grad 步,走,级;"往下走","降级"〕下降,堕落,退化,使降级,贬黜

degradation 〔见上，-ation 名词后缀〕堕落，退化，降级，贬黜

grade 等级，年级，级别，阶段，程度

gradation 〔见上，-ation 名词后缀〕等级，分等，分级

upgrade 〔up 上，grad 步，级〕上升，升级，提升，上坡

downgrade 〔down 下，grad 步，级〕降低，贬低，降级，下坡

gradine 〔grad 步，级→阶梯，-ine 名词后缀〕阶梯的一级，阶梯座位的一排

37. gram

grammar 是语法，diagram 是图表，
这些词里都有 gram 的容貌，
它是什么意义？你应该知道。

gram = write, something written or drawn 写，画，文字，图形

grammar 〔gram 写，文字，m 重复字母，-ar 名词后缀；关于“文字”的法则→〕语法，文法

grammarian 〔见上，-ian 名词后缀，表示人〕语法学家，文法家

grammatical 〔见上，-atical 形容词后缀，…的〕语法的，属于语法上的

diagram 〔dia- 对穿，gram 画；“上下左右对穿画线”→〕

图解，图表

diagrammatic 〔见上，-atic …的〕图表的，图解的

telegram 〔tele 远，gram 写，文字；“从远方通过电波传来的文字”→〕电报

program 〔pro- 在前面，gram 写→书，表，单；“写在前面的说明文字”→〕节目单，戏单，说明书，大纲，方案

cryptogram 〔crypto 隐，秘密，gram 写，文字〕密码，密码文，暗记

parallelogram 〔parallel 平行的，gram 图形；“对边平行的图形”→〕平行四边形

gram 〔gram 写→刻写；在重量计上所“刻写”的一个符号→重量单位〕克（国际重量单位）

kilogram 〔kilo- 千，gram 克〕千克，公斤

gramophone 〔gram 写→记录，-o-，phon 声音；“记录声音”的仪器→〕留声机

phonogram 〔phon 声音，-o-，gram 文字〕音标文字，表音符号；唱片，录音片

hologram 〔holo 全，gram 画，图形〕全息图

seismogram 〔seismo 地震，gram 画，图形〕地震图

electrocardiogram 〔electro 电，cardi 心，-o-，gram 图〕心电图

38. graph

graph 含义容易记，
它与 gram 基本相同，
photograph, geography 你都认得，
每个词里都有它的身影。

☞ **graph =write, writing, an instrument for making records 写，画，文字，图形，记录器**

photograph 〔photo 光，影，graph 写→记录；“把实物的影像录下来”→〕照相，拍照，摄影，照片

photography 〔见上，-y 名词后缀〕摄影术

autograph 〔auto- 自己，graph 写；“自己写的”，亲自写的→〕亲笔，手稿

geography 〔geo 地，大地，graph 写→论述，-y 名词后缀；“关于大地的论述”→〕地理学，地理

biography 〔bio 生命，graph 写，文字→记录，-y 名词后缀；“一人生平的记录”→〕传记

autobiography 〔auto- 自己，biography 传记〕自传

ideograph 〔ideo 意，graph 写，文字〕表意文字，意符

historiography 〔histori 历史，-o-，graph 写，编写〕编史工作

orthography 〔ortho- 正，graph 写，写字〕正字法

monograph 〔mono- 单一，一种，graph 写，论述〕专题论文，专题著作

pseudograph 〔pseudo- 假，伪，graph 写，文字→作品〕伪书，冒名作品

polygraph 〔poly- 多，graph 写，写作，书写器〕多产作家，复写器

micrograph 〔micro- 微小，graph 图形〕显微图，微观图

macrograph 〔macro- 宏大，graph 图形〕宏观图，肉眼图

seismograph 〔seismo 地震，graph 记录器〕地震记录仪

barograph 〔baro 重，压→气压，graph 记录器〕气压记录器

chronograph 〔chrono 时，graph 记录器〕记时器，录时器

stereograph 〔stereo 立体，graph 画→图像→照片〕立体照片

telegraph 〔tele 远，graph 写，文字："从远方通过电波传来的文字"→〕电报；〔graph 书写机〕电报机

cyclograph 〔cyclo 圆，graph 画描器〕画圆器，圆弧规

holography 〔holo- 全，graphy 描画，描记法〕全息摄影(术)

graphics 〔graph 画，图，-ics …学〕制图学，制图法

39. gress

茫茫字海中，go 字君最熟，

若问 gress，或恐未曾识。

gress = go，walk 行走

progress 〔pro- 向前，gress 行走〕前进，进步

progressive 〔见上，-ive …的〕前进的，进步的

progressist 〔见上，-ist 表示人〕进步分子

retrogress 〔retro- 向后，gress 行走〕后退，退步，退化

retrogression 〔见上，-ion 名词后缀〕倒退，退步，退化

retrogressive 〔见上，-ive …的〕后退的，退步的，退化的

congress 〔con- 共同，一起，gress 走，来到；“大家走到一起来”→共聚一堂→开会→会议〕（代表）大会，国会，议会

congressional 〔见上〕（代表）大会的，国会的，议会的

congressman 〔见上〕国会议员

aggress 〔ag- = at，to 向，gress 走；“走向”→来到→逼近→闯来→进攻→〕侵略，侵入，攻击

aggression 〔见上，-ion 名词后缀〕侵略，入侵

aggressive 〔见上，-ive …的〕侵略的

aggressor 〔见上，-or 表示人〕侵略者

egress 〔e- 外，出，gress 行走〕出去，离去，外出

egression 〔见上，-ion 名词后缀〕出去，离去，外出

ingress 〔in- 入内，gress 行走〕进入

ingression 〔见上，-ion 名词后缀〕进入

transgress 〔trans- 超过，gress 行走〕超过(限度、范围等)，越界，违反，犯法

transgressor 〔见上，-or 表示人〕犯法者，违反者

digress 〔di- = dis- 离开，gress 行走；“离正道而行”→〕离开主题，入歧路

regress 〔re- 回，向后，gress 行〕退回，返回，退后，退步

40. habit

早知 habit 是“习惯”，
而今莫被习惯误；
同形异义本寻常，
此处 habit 是“居住”。

☞ **habit = dwell 居住**

habitable 〔habit 居住，-able 可…的〕可居住的
habitant 〔habit 居住，-ant 表示人〕居住者
habitation 〔habit 居住，-ation 名词后缀〕居住
inhabit 〔in- 表示 in，habit 居住〕居住于，栖居于
inhabitable 〔见上，-able 可…的〕可居住的，可栖居的
inhabitancy 〔见上，-ancy 表示情况、状态〕居住，有人居住的状态
inhabitant 〔见上，-ant 表示人〕居民，住户，常住居民
inhabitation 〔见上，-ation 名词后缀〕居住，栖居
cohabit 〔co- 共同，habit 居住〕（男女）同居，姘居
cohabitant 〔见上，-ant 表示人〕同居者
cohabitation 〔见上，-ation 名词后缀〕同居

41. hibit

exhibition 是"展览"，
你是否知道这字的来源？
懂得 hibit 的意义，
理解 exhibition 就不难。

☞ **hibit = hold 拿，持**

exhibit 〔ex- 外，出，hibit 拿，持；"拿出去"→摆出去给人看→〕展出，展览，陈列，展示，显示

exhibition 〔见上，-ion 名词后缀〕展览，展览会，展示

exhibitioner 〔见上，-er 表示人〕展出者

exhibitor 〔见上，-or 表示人〕展览会的参加者

inhibit 〔in- 表示 in，hibit 持，握；"to hold in"，"to maintain in"→〕阻止，禁止，抑制

inhibition 〔见上，-ion 名词后缀〕阻止，禁止，抑制

inhibitor 〔见上，-or 表示人或物〕阻止者，禁止者，抑制剂

prohibit 〔pro- 向前，hibit 持，握；"挡住"→〕阻止，禁止

prohibition 〔见上，-ion 名词后缀〕禁止，禁令

prohibitor 〔见上，-or 表示人〕禁止者，阻止者

42. hospit

hospital 为何是“医院”？
这个问题应钻研。
了解此字来源，
可识单词一片。

☞ **hospit = guest 客人**

hospital 〔hospit 客人，-al 名词后缀；原义为接待“客人”的地方→接待“病客”的地方→〕医院

hospitalize 〔见上，-ize 动词后缀〕把…送入医院治疗

hospitable 〔hospit 客人→待客，好客，-able …的〕好客的，招待周到的，殷勤的

hospitality 〔见上，-ality 名词后缀〕好客，殷勤

inhospitable 〔in- 不，hospitable 好客的〕不好客的，不殷勤的

inhospitality 〔见上〕不好客，不殷勤

43. idio

idiom 为什么是“成语”？
idiot 为什么是“傻子”？
若要弄清这个问题，
必须了解 idio 的底细。

☞ **idio = peculiar, own, private, proper**
特殊的，个人的，专有的

idiom 〔idio 特殊的，专有的；“特殊的语言”，“专用的语言”→〕惯用语，方言，习语，成语

idiomatic 〔见上，-atic 形容词后缀，…的〕惯用语的，成语的

idiot 〔idio 特殊的；“特殊的人”→异于正常人的人→〕傻子，痴人，白痴

idiotic 〔见上，-ic …的〕白痴的，愚蠢的

idiocy 〔见上，-cy 名词后缀〕白痴，极端愚蠢

idiograph 〔idio 个人的，专有的，graph 写，文字，图形〕个人的签名，商标

idiopathy 〔idio 特殊的，自己的，pathy 病〕特发病，自发病

idiochromatic 〔idio 个人的，自己的，chrom 色，-atic …的〕自色的，本色的

44. insul

你知道 island 是“岛”，
你也知道 peninsula 是“半岛”，
它俩之间的联系却是难找。
哪是“半”？哪是“岛”？
真叫你有点儿摸不着头脑。

☞ **insul = island 岛**

peninsula 〔pen- 相似，相近，似乎，insul 岛，-a 名词后缀；“和岛相似”，“似乎是一个岛”→不完全是一个岛→〕半岛

peninsular 〔见上，-ar …的〕半岛的；〔-ar 名词后缀〕半岛的居民

insular 〔insul 岛，-ar …的〕岛的，岛国的，岛民的，思想狭隘的，偏狭的

insularism 〔见上，-ism 表示特性〕岛国特性，狭隘性

insularity 〔见上，-ity 表示特性〕岛国性，孤立性，偏狭性

insulate 〔insul 岛→孤立→与外界隔绝，-ate 动词后缀，使…；“使成岛状”→使孤立，使与…隔绝→〕隔离，使孤立，使绝缘

insulation 〔见上，-ation 名词后缀〕隔绝，孤立，绝缘

insulator 〔见上，-ator 表示人或物〕隔绝者，绝缘体

insulin 〔insul 岛，-in 名词后缀，表示“素”〕胰岛素

45. it

exit 为何是“出口”？
原义本是“向外走”；
其中 it 并非“它”，
原来却是代替“go”。

☞ **it = go 行走**

exit 〔ex- 出，外，it 行走；“走出”，“向外走”→〕出口，太平门，退出

initial 〔in- 入，it 走，-ial 形容词后缀，…的；“走入”→进入→入门→开始〕开始的，最初的

initiate 〔见上，-ate 动词后缀，使…〕使入门，开始，创始

initiation 〔见上，-ation 名词后缀〕开始，创始

initiative 〔见上，-ative …的〕起始的，初步的

transit 〔trans- 越过，it 走；“to go across，to go over”→〕通过，经过，通行，运送，过渡，转变

transitory 〔见上，-ory …的；“走过的”，“经过的”→逝去的，消逝的→〕瞬息即逝的，短暂的

transition 〔见上，-ion 名词后缀〕过渡，转变

itinerary 〔it 行走→旅行，-ary …的〕旅行的，旅程的，

路线的；〔-ary 名词后缀〕旅程，路线，旅行指南

itinerate 〔it 行走，-ate 动词后缀〕巡游，巡回

circuit 〔circ- 圆，环，-u-，it 行〕环行，周线，电路，回路

circuitous 〔见上，-ous …的〕迂回的，绕行的

sedition 〔sed- = se- 离开，it 走，-ion 名词后缀；“走离”→离轨→越轨→越轨的言论或行动→〕叛乱，暴动，煽动性的言论或行动

seditionary 〔见上，-ary 表示人〕煽动叛乱者，煽动分子，

seditious 〔见上，-ious 形容词后缀，…的〕煽动性的，参与煽动的

46. ject

throw 是“投掷”，
有谁不曾识？
尚有 ject 用途大，
劝君莫忽视。

☞ **ject = throw 投掷**

project 〔pro- 向前，ject 掷〕抛出，投出，投掷，发射，射出；〔投出→拿出，“提出一种设想”→〕设计，计划，规划

projection 〔见上，-ion 名词后缀〕投掷，发射，投影，投影图，设计，规划

projector 〔见上，-or 表示人或物〕投射器，发射器，放映机，计划人，设计者

projectile 〔见上，-ile 表示物〕抛射体，射弹；〔-ile 形容词后缀，…的〕抛射的

inject 〔in- 入，ject 投；"投入"→射入〕注入，注射

injection 〔见上，-ion 名词后缀〕注射

injector 〔见上，-or 表示人或物〕注射者，注射器

reject 〔re- 回，反，ject 掷；"掷回"→不接受→〕拒绝，抵制，驳回

rejecter 〔见上，-er 表示人〕拒绝者

interject 〔inter- 中间，ject 投；"投入中间"→〕(突然)插入

interjection 〔见上，-ion 名词后缀〕插入，插入物；〔插入句子中间的词→〕感叹词，惊叹词

subject 〔sub- 在…之下，ject 投；"投于某种管辖之下"→〕使服从，使隶属，支配，统治；〔转为"被统治的人"→〕臣民，臣下；〔在句子中居于支配、统治地位的词→〕(句子的) 主语，主词

subjection 〔见上，-ion 名词后缀〕征服，臣服，隶属，服从

subjective 〔见上，-ive …的〕主语的，主词的，主观的

object 〔ob- 相对，相反，对面，ject 投；"投放在对面(前面) 之物"→〕对象，目标，物体；〔与主语(主词) 相对者→〕宾语，受词；〔投向对立面→〕反对，抗议

objection 〔见上，-ion 名词后缀〕反对

objective 〔见上，object 对象→客体→客观；-ive …的〕客观的

adjective 〔ad- 表示 to，ject 投，-ive 名词后缀；“投放在名词旁边的词”→〕形容词；〔-ive …的〕形容词的

eject 〔e- 出，ject 掷，抛〕逐出，喷射，吐出，发出

ejector 〔见上，-or 表示人或物〕逐出者，喷射器

abject 〔ab- 离开，ject 抛；“被抛弃的”→〕卑贱的，可怜的，凄惨的

deject 〔de- 下，ject 投，抛；“抛下”→落下→使低落→使情绪低落→〕使沮丧，使气馁

dejected 〔见上，-ed …的〕沮丧的，情绪低落的

47. juven

“年少”有时不称 young，
juven 用来最当行；
莫谓记忆辛苦事，
须知识字应成双。

☞ **juven = young 年轻，年少**

juvenile 〔juven 年少，-ile 形容词后缀，…的〕青少年的；〔转作名词〕青少年

juvenility 〔见上，-ility 名词后缀〕年少，年轻

juvenescence 〔juven 年少，年轻，-escence 名词后缀，表示逐渐形成某种状态〕变年轻，年轻

juvenescent 〔见上，-escent 形容词后缀，表示逐渐形成某种状态的〕由婴儿期向青年过渡的

juvenilia 〔juvenil(e) 少年，-ia 名词后缀〕少年文艺读物；少年时代的作品

rejuvenate 〔re- 再，juven 年轻，-ate 动词后缀；"再年轻"→〕返老还童，使返老还童，恢复活力

rejuvenation 〔见上，-ation 名词后缀〕返老还童

rejuvenesce 〔见上，-esce 动词后缀〕使返老还童，返老还童

rejuvenescence 〔见上，-escence 名词后缀〕返老还童

rejuvenescent 〔见上，-escent 形容词后缀，…的〕（使）返老还童的

rejuvenator 〔见上，-ator 表示人或物〕（使）恢复青春活力的人（或物）

48. lect

election 是"选举"，
selection 是"选集"，
lect 是它们的共同"因子"，
你是否了解它的意义？

☞ **lect = choose, gather 选，收**
(lect 也作 leg, lig)

elect 〔e- 出，lect 选；“选出”→〕选举
election 〔见上，-ion 名词后缀〕选举
elector 〔见上，-or 表示人〕选举者，有选举权的人
select 〔se- 离开，分开，lect 选〕挑选，选出，选择，选拔
selection 〔见上，-ion 名词后缀〕选择，选择物，选集，选品
intellect 〔intel- = inter- 中间，lect 选；“从中选择”→“能于其中择其善者”→选优择善的能力→〕智力，才智，智慧
intellectual 〔见上，-ual 形容词后缀，…的〕有智力的；〔转为名词〕有知识者，知识分子
intelligence 〔见 intellect，lig = lect 选，. -ence 名词后缀〕智力，理解力，聪明
intelligent 〔见上，-ent …的〕理解力强的，聪明的
intelligentsia 〔见上，-ia 表示集合名词，总称〕知识界，知识分子（总称）
collect 〔col- 共同，一起，lect 收集； “收到一起来”→〕收集，聚集，集合
collection 〔见上，-ion 名词后缀〕收集，集合，收集物
collective 〔见上，-ive …的〕聚集的，集合的，集体的
collectivism 〔见上，-ism 主义〕集体主义
elegant 〔e- 出，leg = lect 挑选，-ant 形容词后缀，…的；“挑选出来的”，“众里挑一的”→〕美好

的，漂亮的，优美的，高雅的

elegance 〔见上，-ance 名词后缀〕漂亮，优美，雅致

inelegant 〔in- 不，elegant 见上〕不雅的，粗俗的

inelegance 〔见上，-ance 名词后缀〕不雅，粗俗

eligible 〔e- 出，lig = lect 选，-ible 可…的〕有被选出资格的，符合被推选的条件的

ineligible 〔in- 不，无，见上〕无被选资格的，不合格的

neglect 〔neg- 不，未，lect 选，收；"未选收"，"未收取"→遗漏→〕疏忽，漏做，忽略，忽视

neglectful 〔见上，-ful …的〕疏忽的

negligence 〔见上，neglig = neglect（lig = lect）疏忽，-ence 名词后缀〕疏忽，忽视，忽略

negligent 〔见上，-ent …的〕疏忽的，忽视的，不小心的

49. lev

lev, lev，翻遍词典无寻处，
含义难领悟。
君且勿摇头，
自有 raise 来释注。

☞ **lev = raise 举，升**

elevate 〔e- 出，lev 举，-ate 动词后缀；"举出"→举起〕抬起，举起，使升高

elevator 〔见上，-or 表示人或物〕升降机，电梯，起卸机，举起者，起重工人

elevation 〔见上，-ion 名词后缀〕提升，提高，高度

elevatory 〔见上，-ory 形容词后缀，…的〕举起的，高举的

lever 〔lev 举，-er 表示物；“能举起重物之杆”→〕杠杆

leverage 〔见上，lever 杠杆，-age 表示抽象名词〕杠杆作用

relieve 〔re- 加强意义，liev ← lev 举；“把压在…上面的东西举起”→使…减轻负担→〕减轻，解除（痛苦等），救济

relievable 〔见上，-able 可…的〕可减轻的，可解除的

relief 〔见上，v → f〕（痛苦、压迫等的）减轻，解除，免除，救济

levitate 〔lev 举，升，-it-，-ate 动词后缀〕（使）升在空中，（使）飘浮在空中

levity 〔lev 举，升，-ity 名词后缀；“升起”→飘起→飘浮→〕轻浮，轻率

alleviate 〔al- 加强意义，lev 举，-i-，-ate 动词后缀；“把压在上面的东西举起”→使减轻→〕减轻（痛苦等），缓和

alleviation 〔见上，-ion 名词后缀〕减轻，缓和

alleviatory 〔见上，-ory …的〕减轻痛苦的，起缓和作用的

50. liber

不识 liber，却识 liberty，
寻根问底，原义是 free。

☞ **liber = free 自由**

liberate 〔liber 自由，-ate 动词后缀，使…；“使自由”〕解放，使获自由，释放

liberation 〔见上，-ion 名词后缀〕解放，释放

preliberation 〔pre- 前，以前，liberation 解放〕解放前的

postliberation 〔post- 后，以后〕解放后的

liberator 〔见上，-or 者〕解放者，释放者

liberty 〔liber 自由，-ty 名词后缀〕自由，自由权

liberticide 〔liberty（y → i）自由，cid 杀〕扼杀自由（者），扼杀自由的

liberal 〔liber 自由，-al 形容词后缀，…的〕自由的，自由主义的；Liberal（英国等的）自由党的

liberalism 〔见上，-ism 主义〕自由主义

liberalist 〔见上，-ist 者〕自由主义者；〔-ist …的〕自由主义的

liberalize 〔见上，-ize 使…化〕（使）自由化，（使）自由主义化

Liberia 〔liber 自由，-ia 名词后缀；意为“自由之国”〕

利比里亚（非洲一国家名）

51. lingu

language 截去词尾 -age 成 langu，
它与 lingu 只相差一个字母。
记忆单词必须善于联想，
lingu 的含义你是否可以由此领悟？

☞ **lingu = language 语言**

linguist 〔lingu 语言，-ist 表示人〕语言学者
linguistic 〔见上，-ic …的〕语言学的，语言的
linguistics 〔见上，-ics 名词后缀，…学〕语言学
bilingual 〔bi- 两，lingu 语言，-al …的〕两种语言的
bilingualist 〔见上，-ist 表示人〕通晓两种语言者
bilingualism 〔见上，-ism 表示行为或状况〕通晓两种语言，用两种语言
trilingual 〔tri- 三，lingu 语言，-al …的〕三种语言的
multilingual 〔multi- 多，lingu 语言，-al …的〕多种语言的，懂（或用）多种语言的
collingual 〔col- 同，lingu- 语言，al …的〕（用）同一种语言的
Linguaphone 〔lingu 语言，-a-，phon 声音〕灵格风（一种运用唱片进行的口语训练）

52. liter

liter，letter，都是文字；
音形相似，记忆省事。

☞ **liter = letter 文字，字母**

literate 〔liter 文字→识字，-ate 名词后缀，表示人〕识字的人；〔-ate 形容词后缀，…的〕识字的，有文化的

literacy 〔liter 文字→识字，-acy 表示情况、性质〕识字，有学问，有文化

illiterate 〔it- 不，literate 识字的（人）〕不识字的，文盲的；不识字的人，无文化的人

illiteracy 〔il- 不，literacy 识字〕不识字，文盲，未受教育，无知

semiliterate 〔semi- 半，literate 识字的〕半识字的，半文盲的

anti-illiteracy 〔anti- 反，反对，illiteracy 文盲〕扫除文盲

literature 〔liter 文字→由文字组成的→文章→文学，-ature = -ure 名词后缀〕文学（作品）

literary 〔liter 文字→文章→文学，-ary …的〕文学的

literator 〔见上，-ator 表示人〕文学家，文人，作家

uniliteral 〔uni- 单一，liter 字母，-al …的〕单字母的

biliteral 〔bi- 两个，见上〕两个字母（组成）的

triliteral 〔tri- 三个，见上〕三个字母的（词）

transliterate 〔trans- 转，换，liter 字母，-ate 动词后缀；"由一种字母转换成另一种字母"〕按照字母直译，音译

transliteration 〔见上，-ion 名词后缀〕按字母直译，音译

obliterate 〔ob- 离，去掉，liter 字，字母→字迹，-ate 动词后缀；"把字迹涂掉"〕涂抹，擦去，删除

obliteration 〔见上，-ion 名词后缀〕涂掉，涂抹，删除，灭迹

literal 〔liter 文字，-al …的〕文字的，文字上的，字面的

53. loc

要说你不认识 place，
那也许是和你开玩笑。
要问你 loc 是什么意义，
你也许真的不知道。

☞ loc = place 地方

local 〔loc 地方，-al …的〕地方的，当地的，本地的

localism 〔见上，-ism 表示主义，语言〕地方主义，方言，土语

localize 〔见上，-ize 使…〕使地方化，使局限

localization 〔见上，-ization …化〕地方化，局限

locomotive 〔loc 地方，-o-，mot 动，移动，-ive …的；“能由一个地方移动至另一个地方”〕移动的，运动的；〔转为名词，“能牵引他物，由一地方移动至另一地方的机器”→〕机车，火车头

locate 〔loc 地方→位置，-ate 动词后缀〕确定…的地点，使座落于

location 〔见上，-ion 名词后缀〕定位，场所，位置

collocate 〔col- 共同，并，loc 地方，位置，-ate 动词后缀〕并置，并列

collocation 〔见上，-ion 名词后缀〕并置，并列

co-locate 〔co- 同，loc 地方，地点，-ate 动词后缀，使…〕（使）驻扎在同一地点

dislocate 〔dis- 离，loc 地方，位置，-ate 使…〕使不在原来位置，使位置错乱，换位，脱臼

dislocation 〔见上，-ion 名词后缀〕离开原位，脱位，脱臼

translocate 〔trans- 转换，改变，loc 地方，位置，-ate 动词后缀〕改变位置，易位

relocate 〔re- 再，重新，locate 定位，安置〕重新定位，重新安置

54. log

与"言"有关字无数，
只识 speak 难记住；
试将 log 记心间，
记忆单词有近路。

☞ **log = speak 言，说**

dialogue 〔dia- 对，相对，log 言，说〕对话
dialogist 〔见上，-ist 表示人〕对话者
eulogy 〔eu- 美好，log 言，-y 名词后缀，"美言"→〕赞美之词，颂词，赞扬
eulogize 〔见上，-ize 动词后缀〕赞美，赞颂，颂扬
apology 〔apo- 分开，离开，脱开，log 言，说；"说开"→解说〕道歉，谢罪，辩解
apologize 〔见上，-ize 动词后缀〕道歉，谢罪，辩解
prologue 〔pro- 前，log 言〕前言，序言
epilogue 〔epi- 旁，外，log 言，话；"正文以外的话"→正文后面的话→〕结束语，后记，跋，闭幕词
epilogize 〔见上，-ize 动词后缀〕作结束语
monologue 〔mono- 单独，log 言，说〕（戏剧）独白
monologist 〔见上，-ist 表示人〕（戏剧）独白者
pseudology 〔pseudo- 假，log 言，话，-y 名词后缀〕假话

neologism 〔neo- 新，log 言，词，-ism 表示语言〕新语，新词

neologize 〔见上，-ize 动词后缀〕使用新词，创造新词

antilogy 〔anti- 反对，相反，log 言；"相反之言"→〕前后矛盾，自相矛盾

dyslogy 〔dys- 恶，不良，log 言；"恶言"→〕非难，非议，指责，咒骂

logic 〔log 语言→辩论→推理，论理，-ic 名词后缀，表示…学〕逻辑

logical 〔见上，-al …的〕逻辑的，符合逻辑的

illogical 〔il- 不，见上〕不合逻辑的

philologist 〔philo 爱好，log 语言，-ist 者〕语言学者

philology 〔见上，-y 名词后缀〕语言学

55. loqu

你自信已掌握单词不少，
但对 loqu 仍感到陌生、深奥。
在 eloquent，colloquial 等词中，
都藏有 loqu 的音容笑貌。

☞ **loqu = speak 言，说**

eloquent 〔e- 出，loqu 说，-ent …的；"说出的"，"道出的"→能说会道的→〕有口才的，雄辩的，善

辩的，有说服力的

eloquence 〔见上，-ence 名词后缀〕雄辩，善辩，有口才

colloquial 〔col- 共同，loqu 说，-ial …的〕口语的，会话的，白话的，用通俗口语的

colloquialism 〔见上，-ism 表示语言〕俗语，口语，口语词

multiloquent 〔multi- 多，loqu 言，-ent …的〕多言的

grandiloquent 〔grand 大，-i-，loqu 言，-ent …的〕夸大的，夸张的

magniloquent 〔magni 大，loqu 言，-ent …的〕大言的，夸张的

soliloquy 〔sol 单独，独自，-i-，loqu 言，-y 名词后缀〕独白，自言自语

somniloquy 〔somn 睡眠，-i-，loqu 说，-y 名词后缀；"睡梦中说话"〕梦语，梦呓，说梦话

obloquy 〔ob- 反对，loqu 言；"反对之言"→〕大骂，诽谤

loquacious 〔loqu 言，-acious 形容词后缀，多…的〕多言的，饶舌的

loquacity 〔见上，-acity 名词后缀，表示情况〕多话，过于健谈

56. lun

moon 虽易认，
lun 却难识别。
汉语“朦胧”是月色，
英语“moon，lun”都是月，
英汉对照难忘却。

☞ **lun = moon 月亮**

lunar 〔lun 月亮，-ar 形容词后缀，…的〕月亮的，太阴的，似月的，新月形的

semilunar 〔semi- 半，lun 月亮，-ar …的〕半月形的，月牙形的

demilune 〔demi- 半，lun 月亮〕半月，新月，弯月

plenilune 〔plen 满，全，-i-，lun 月亮〕满月，望月，月满之时

luniform 〔lun 月亮，-i-，-form 如…形的〕月形的

lunate 〔lun 月亮，-ate …的〕新月形的

lunet 〔lun 月亮，-et 名词后缀，表示小〕小月

lunitidal 〔lun 月亮，-i-，tidal 潮汐的〕月潮的，太阴潮的

superlunar 〔super- 上，在…之上，lun 月亮，-ar …的〕在月球上的，世外的，天上的

sublunar 〔sub- 下，在…之下，lun 月亮，-ar …的〕在月下的，地上的，尘世的

circumlunar 〔circum- 周围，环绕，lun 月亮，-ar …的〕环月的，绕月的

interlunar 〔inter- 中间，…之间，lun 月，-ar …的；“介于新月与旧月之间的”，旧月已没，新月尚未出现之时〕无月期间的，月晦的

translunar 〔trans- 超过〕超过月球的，月球外侧的

57. man

mansion 为何是“宅第”？
manor 难懂又难记；
费尽苦思终不解，
为此消得人憔悴。

☞ **man = dwell, stay** 居住，停留

mansion 〔man 居住，-sion 名词后缀；“居住的地方”→〕宅第，宅邸，大楼，大厦

manor 〔man 居住，-or 名词后缀〕庄园，庄园中的住宅

manorial 〔见上，-ial …的〕庄园的

permanent 〔per- 贯穿，从始至终，一直，man 停留，-ent …的；“一直停留下去的”→〕永久的，常驻

的，常设的

permanence 〔见上，-ence 名词后缀〕永久，永久性

remain 〔re- 再，main = man 停留〕留下，逗留，继续存在下去，剩下，余留

remainder 〔见上，-er 表示人或物〕留下的人；剩余物

remanent 〔见上，reman = remain 留下，-ent …的〕留下的，剩余的

immanent 〔im- 内，man 停留，留下；-ent …的；“留在内里的”→存在于内的〕内在的，固有的

immanence 〔见上，-ence 名词后缀〕内在（性），固有（性）

58. manu

初学方七日，
便知 hand 就是“手”。
寒窗虽十年，
问君是否识 manu？

☞ **manu = hand 手**
(manu 也作 man)

manuscript 〔manu 手，script 写〕手写本，手稿

manufacture 〔manu 手，fact 做，制作；“用手做”→〕制造，加工

manufacturer 〔见上，-er 表示人〕制造者，制造商

manual 〔manu 手，-al 形容词后缀，…的〕手的，手工做的，用手的；〔转为名词〕手册

manumit 〔manu 手，mit 送，放；“to send forth by (or from) the hand”，“以手放出”→〕释放，解放

manumission 〔见上，miss = mit 送，放，-ion 名词后缀〕释放，解放

manage 〔man = manu 手；“以手操纵”，“以手处理”→〕管理，掌管，处理

manager 〔见上，-er 表示人〕掌管者，管理人，经理

manner 〔man = manu 手→用手做→做事，行为；“the way of doing”〕举止，风度，方式，方法

manacle 〔man = manu 手，-acle 名词后缀，表示小；“束缚手的小器械”→〕手铐

maintain 〔main ← man 手，tain 持，握；“手持”，“握有”〕保持，保存，维持

maintainable 〔见上，-able 可…的〕可保持的，可维持的

maintenance 〔见上，ten = tain，-ance 名词后缀〕保持，保存，维持，保养，维修

59. mar

即使你未曾见过大海，
你也知道大海叫做 sea。
除了 sea 以外，
你是否知道
mar 也表示大海的意义？

☞ **mar = sea 海**

marine 〔mar 海，-ine 形容词后缀，…的〕海的，海上的，航海的

mariner 〔见上，-er 表示人〕海员，水手

submarine 〔sub- 在…下面，mar 海，-ine …的〕海面下的，海底的，〔转为名词："潜入海面下之物"→〕潜水艇

supersubmarine 〔super- 超，超级，submarine 潜水艇〕超级潜水艇

antisubmarine 〔anti- 反，见上〕反潜艇的

aeromarine 〔aero 空中，航空，飞行，marine 海上的〕海上飞行的

transmarine 〔trans- 越过，见上；"越过海的"→〕来自海外的，海外的

ultramarine 〔ultra- 以外，见上〕海外的，在海那边的

maritime 〔来自拉丁语 maritimus，英语写作 maritime〕海的，海上的，海事的，海运的，沿海的

mariculture 〔mar 海→水产，-i-，culture 培养，养殖〕水产物的养殖

marigraph 〔mar 海，-i-，graph 写，记录〕海潮记录仪，验潮计

60. medi

已识 middle，
犹苦生词无数，
无须搔头，
且将 medi 记住。

☞ **medi = middle 中间**

immediate 〔im- 无，medi 中间，-ate 形容词后缀，…的；"没有中间空隙时间的"，"当中没有间隔的"→〕立刻的，直接的

medium 〔medi 中间，-um 名词后缀〕中间，中间物，媒介；〔转为形容词〕中等的

medial 〔medi 中间，-al …的〕中间的，中央的，居中的

mediate 〔medi 中间，-ate 动词后缀〕居中调解，调停；〔-ate 形容词后缀，…的〕居间的，介于中间的

mediation 〔见上，-ion 名词后缀〕居中调停，调解

mediator 〔见上，-or 表示人〕居中人，调解者，调停者

mediacy 〔medi 中间，-acy 名词后缀〕中间状态，媒介，调停

intermediate 〔inter- 在…之间，medi 中间〕中间的，居间的，居中调解，起调解作用

medieval 〔medi 中间，ev 时代，-al …的〕中古时代的，中世纪的

mediterranean 〔medi 中间，terr 地，陆地，-anean = -an …的；"位于陆地中间的"〕地中的，被陆地包围的；〔Mediterranean 地中海〕

median 〔medi 中间，-an …的〕当中的，中央的；〔转为名词〕中部，当中

61. memor

immemorial 为何是"远古"?
memorandum 为何是"备忘录"?
欲知其中道理，
须将 **memor** 记住。

☞ **memor = memory 记忆**

memory 〔memor 记忆，-y 表示情况，状态，行为〕记忆，记忆力，回忆，纪念

memorize 〔memor 记忆，-ize 动词后缀，使…〕记住，熟记

memorable 〔memor 记忆，-able 可…的〕难忘的，值得纪念的

memorial 〔memor 记忆，-ial 形容词后缀，…的〕记忆的，纪念的；〔转为名词〕纪念物，纪念日，纪念碑，纪念仪式

immemorial 〔im- 不，无，memorial 记忆的；"无法记忆的"〕无法追忆的，太古的，远古的

memorandum 〔memor 记忆，回忆，-andum = -and（-end）名词后缀，表示物；"以备回忆之物"，"something to be remembered"→〕备忘录

commemorate 〔com- 加强意义，memor 记忆→纪念，-ate 动词后缀，做…事〕纪念

commemoration 〔见上，-ion 名词后缀，表示事物〕纪念，纪念会，纪念物

commemorable 〔见上，-able 可…的〕值得纪念的

commemorative 〔见上，-ative 表示有…性质的〕纪念性的

remember 〔re- 回，再，member←memor 记忆〕想起，回忆起，记得，记住

rememberable 〔见上，-able 可…的〕可记得的，可记起的，可纪念的

remembrance 〔见上，-ance 表示情况，状态，行为〕回忆，记忆，记忆力

misremember 〔mis- 错，remember 记住，记忆〕记错

disremember 〔dis- 不，remember 记得〕忘记

62. merg

应知 merg 是“没入水中”，
“merg”，“没”发音几乎相同；
中、英对照容易记忆，
无须 dip 来作说明。

☞ **merg = dip, sink 沉，没**
(merg 也作 mers)

emerge 〔e- 外，出，merg 沉，沉于水中；“由水中浮出”〕浮现；出现

emergence 〔见上，-ence 名词后缀〕浮现；出现

emergent 〔见上，-ent 形容词后缀〕浮现的；出现的；突然出现的；紧急的，意外的

emergency 〔见上，-ency 名词后缀〕突然出现的情况；突然事件，意外之变；紧急情况

emersion 〔见上，-ion 名词后缀〕浮现；出现

immerge 〔im- 入内，merg 沉〕沉入，侵入

immerse 〔im- 入内，mers 沉〕沉浸

immersible 〔见上，-ible 可…的〕可沉于水中的

immersion 〔见上，-ion 名词后缀〕沉浸，浸没

submerge 〔sub- 下，merg 沉〕沉下，沉于水中，没入水中

submergence 〔sub- 下，merg 沉，-ence 名词后缀〕沉没，浸

没

submergible 〔sub- 下，merg 沉，-ible 可…的〕可沉入水中的

submersed 〔sub- 下，mers 沉，-ed …的；“沉在水下的”〕在水下的；〔植物〕生于水下的，水生的

submersible 〔sub- 下，mers 沉，-ible 可…的〕可沉于水中的

submersion 〔见上，-ion 名词后缀〕沉没，没入，浸没

demersal 〔de- 向下，mers 沉，-al …的〕居于水底的

emersed 〔e- 外，出，mers 沉，-ed …的；“由水中浮出的”〕（水生植物等）伸出水面的

63. migr

迁移原是 remove，
更有 migr 多用途；
e- 与 im- 加前面，
便是“移出”和“移入”。

☞ **migr = remove, move 迁移**

migrate 〔migr 迁移，-ate 动词后缀〕迁移，移居

migration 〔migr 迁移，-ation 名词后缀〕移居外国；迁居

migrant 〔migr 迁移，-ant 表人与物〕迁移者；候鸟（随季节迁移的鸟）

emigrate 〔e- 外，出，migr 迁移，-ate 动词后缀〕移出，永久移居外国
emigration 〔见上，-ation 名词后缀〕移居；移民出境
emigrant 〔见上，-ant 表示人〕移居国外者，移民，移出者；〔-ant …的〕移出的，迁移的，移民的
immigrate 〔im- 入内，migr 迁移，-ate 动词后缀〕移居入境，(从外国）移来，移入
immigration 〔见上，-ation 名词后缀〕移入，移居；外来的移民
immigrant 〔见上，-ant 表示人〕移入国内者，侨民，外来的移民；〔-ant …的〕移入国内的
transmigrate 〔trans- 转，migr 迁移，-ate 动词后缀〕移居（从一国或一地移到另一国或另一地）
transmigration 〔见上，-ation 名词后缀〕移居
transmigrator 〔见上，-ator 者〕移居者，移民
intermigration 〔inter- 互相，migr 迁移〕互相迁移

64. milit

soldier 一词人人皆懂，
须知 milit 也是“士兵”。
它的意义还可引申，
既表“军事”又表“战争”。

☞ **milit = soldier 兵**

militia 〔milit 兵，-ia 表示集合名词〕民兵组织，民兵（总称）

military 〔milit 兵，军人→军事，-ary 形容词后缀，…的〕军事的，军用的，军队的

militarism 〔见上，-ism 主义〕军国主义

militarist 〔见上，-ist 表示人〕军国主义者，军事家

militaristic 〔见上，-istic = -ic …的〕军国主义的

militarize 〔见上，-ize 使…化〕使军事化，使军国主义化

demilitarize 〔de- 取消，非，见上〕使非军事化

antimilitarism 〔anti- 反对，militarism 军国主义〕反军国主义

militant 〔milit 兵→军事，战斗，-ant …的〕战斗（性）的，好战的，交战中的

militancy 〔见上，-ancy 名词后缀，表性质、状态〕战斗性，好战，交战状态

hypermilitant 〔hyper- 超，极度，见上〕极度好战的

65. mini

minister 是“部长”、“大臣”，
岂知原义却是“小人”。
mini 含义本是“小”，
凭它可记单词一群。

☞ **mini =small, little 小**
(mini 也作 min)

minister 〔mini 小, -ster 名词后缀, 表示人; "小人"→仆人→臣仆, 古时大臣对君王自称为"小人", 仆人→君王或元首的仆人, 转为现今的部长〕大臣, 部长

ministry 〔见上, minist(e) r + -y 名词后缀〕部, 内阁

administer 〔ad- 表示 to, "执行大臣或部长的任务"→〕管理, 治理, 执行, 施政

administration 〔见上, -ation 名词后缀, 表示行为或由行为而产生的事物〕管理, 行政, 行政当局, 行政机关

administrator 〔见上, -ator 表示人〕行政官员, 管理人

administrative 〔见上, -ative …的〕行政的, 管理的

minify 〔mini 小, -fy 动词后缀, 使…〕使缩小

minim 〔mini 小〕微物, 小量

minimum 〔见上, -um 名词后缀〕最小量

minimize 〔见上, -ize 动词后缀, 使…〕使缩到最小, 使减到最少

miniature 〔mini 小, -ature 名词后缀, 表示物〕小型物, 雏型, 缩样; 〔转为形容词〕小型的

minimal 〔见上, -al …的〕最小的, 最低限度的

diminish 〔di- (= dis-) 加强意义, min 小, -ish 动词后缀, 使…〕使缩小, 缩减, 减少, 减小

diminishable 〔见上, -able 可…的〕可缩小的, 可缩减的

undiminishable 〔un- 不, 见上〕不可缩小的

minor 〔直接来自拉丁语 minor，意为 smaller 或 less〕较小的，较少的，较年幼的，未成年人

minority 〔见上，-ity 名词后缀，表情况、性质〕少数，未成年

minus 〔min 小→减少，直接来自拉丁语 minus〕减去，减号，负号，减去的，负的

minute 〔min 小→小部分，“一小时分出的六十个小部分”，比小时“小”的时间单位→〕分，分钟，一分钟

minute 〔min 小，-ute …性质的〕微小的，细微的

66．mir

凝视着 mir，它像个迷，
你不解其义，紧锁双眉。
但你知道 wonder 是“惊奇”，
“惊奇”就是 mir 的谜底。

☞ **mir = wonder 惊奇，惊异**

mirror 〔mir 惊奇，-or 表示物；能映出影像，使人感到惊奇之物。最初人们对镜子能映出影像感到惊奇〕镜子

admire 〔ad- 加强意义，mir 惊奇，惊异→惊叹→〕赞赏，羡慕，赞美，钦佩

admirable 〔见上，-able 可…的〕令人赞赏的，可钦佩的

admirer 〔见上，-er 表示人〕赞赏者，羡慕者

admiration 〔见上，-ation 名词后缀，表示行为、情况〕赞赏，羡慕，钦佩

mirage 〔mir 奇异→奇观，-age 名词后缀，表示物〕奇景，幻景，海市蜃楼

miracle 〔mir 惊奇，奇异，-acle 表示事物〕奇事，奇迹

miraculous 〔见上，miracle + -ous（…的）→miraculous〕像奇迹一样的，令人惊叹的

67. miss

missile 为何是“导弹”？
mission 为何称“使团”？
不识 miss 为“送，发”，
记忆犹似蜀道难。

☞ **miss = send 投，送，发**
（miss 也作 mit）

missile 〔miss 投掷，发射，-ile 名词后缀，表示物〕投掷物，发射物，导弹，飞弹；〔-ile 形容词后缀，可…的〕可投掷的，可发射的

dismiss 〔dis- 离开，miss 送；“送出去”，打发走→〕开除，免职；解散

dismission 〔见上，-ion 名词后缀〕开除，免职；解散

mission 〔miss 送，派送，委派，-ion 名词后缀；“被派送（委派）出去者”→〕使团，代表团，使命

missionary 〔见上，-ary …的〕（被派遣出去）传教的；〔转为名词〕传教士

manumit 〔manu 手，mit 送出，放出；“以手放出”→〕释放，解放

manumission 〔见上，-ion 名词后缀〕释放，解放

remit 〔re- 回，mit 送；“送回”，“把钱发送回去”→〕寄钱，汇款

remittance 〔见上，t 重复字母，-ance 名词后缀〕汇款

remittee 〔见上，-ee 人〕（汇票的）收款人

transmit 〔trans- 转，传，mit 送，发〕传送；播送；发送

transmission 〔见上，-ion 名词后缀〕传送；发射，播送

transmitter 〔见上，-er 表人和物〕传送者；发射机，发报机

transmissible 〔见上，-ible 可…的〕能传送的；可发射的；可播送的

intermit 〔inter- 中间，mit 投，送；“投入中间”，“中间插入”→〕间歇，中断

intermission 〔见上，-ion 名词后缀〕中间休息；间歇，中断

emissive 〔e- 外，出，miss 发，投，-ive …的〕发出的，发射的

emission 〔e- 外，出，miss 发，-ion 名词后缀〕发出，发射，散发

emissary 〔e- 出，miss 送，派 -ary 表示人〕派出的密使；间谍

emit 〔e- 出，mit 发〕散发，放射；发行；发出

immit 〔im- 入内，mit 投〕投入，注入

immission 〔im- 入内，miss 投，-ion 名词后缀〕投入，注入

promise 〔pro- 前，先，mis（= miss）发，“事先发出”之言→〕诺言，允诺

compromise 〔见上，com- 共同，promise 诺言；a mutual promise to abide by a decision，“共同承诺”遵守一项决定→〕妥协，和解

commit 〔com- 加强意义，mit 送，委派〕委任，委派，把…交托给

committee 〔见上，-ee 表示人；“被委派的人”→被委派的一组人→〕委员会

commission 〔见上，-ion 名词后缀〕委任，委派；委员会

commissary 〔见上，-ary 人〕委员，代表

68. mob

朝记单词，暮记单词，
朝朝暮暮无停息；
move 已被人人知，
问谁能知 mob 义？

☞ **mob = move 动**

mobile 〔mob 动，-ile 形容词兼名词后缀〕活动的，可动的；运动的；汽车

mobility 〔mob 动，-ility 易…性〕易动性；运动性；变动性

mobilize 〔见上，-ize 动词后缀〕动员

mobilization 〔见上，-ization 名词后缀〕动员

demobilize 〔de- 相反；"与动员相反"→〕使复员

demobilization 〔见上〕复员

immobile 〔im- 不，mobile 动的〕不动的，固定的

immobility 〔见上〕不动性，固定性

automobile 〔auto- 自己，mob 动；"自动车"→〕汽车

mob 〔mob 动→动乱，暴动→暴动的人〕暴民；一群暴徒

mobbish 〔见上，mob 暴民，暴徒，-ish …的〕暴徒般的，暴乱的

mobocracy 〔见上，mob 暴民，暴徒，-o-，cracy 统治〕暴民政治，暴徒统治

mobocrat 〔见上，-crat 统治者〕暴民领袖，暴徒首领

mobster 〔mob 动→暴动，-ster 表示人〕暴徒，匪徒

69. mort

death 本是寻常字，尽人皆知，
乍见 mort 频搔头，未曾相识。

☞ **mort = death 死**

mortal 〔mort 死，-al …的〕终有一死的，死的，临死

的

mortality 〔见上，-ity 名词后缀，表示性质〕必死性，死亡率

immortal 〔im- 不，mort 死，-al …的〕不死的，永生的，不朽的

immortality 〔见上，-ity 表示性质、情况〕不死，不朽，永存

immortalize 〔见上，-ize 动词后缀，使…〕使不朽，使不灭，使永存

mortician 〔mort 死，-ician 做…职业的人〕承办殡葬的人

mortuary 〔mort 死→死尸，-u-，-ary 表示场所、地点〕停尸室，殡仪馆

postmortem 〔post- 以后，…之后，mort 死〕死后的

70. mot

mot 含义君牢记，
识字就容易，
只识 move，
怎能记住更多字？

☞ **mot = move 移动，动**

motion 〔mot 动，-ion 名词后缀，表示行为、情况〕运动，动

motive 〔mot 动，-ive …的〕发动的，运动的；〔转为名词〕动机

promote 〔pro- 向前，mot 移动；“使向前移动”→〕推进，促进，提升，升级

promotion 〔见上，-ion 名词后缀，表示行为〕促进，推进，提升，升级

promoter 〔见上，-er 表示人〕促进者，推进者

demote 〔de- 向下，mot 移动；“使向下移动”→〕使降级

demotion 〔见上，-ion 名词后缀，表示行为〕降级

remote 〔re- 回，离，mot 移动；“移走的”，“removed to a distance”，远离的→〕遥远的

commotion 〔com- 加强意义，mot 动，-ion 名词后缀，表示行为；“激烈的动荡→〕骚动，动乱

locomotive 〔loc 地方，-o-，mot 移动，-ive …的；“能由一个地方移动至另一个地方的”〕移动的，运动的；〔转为名词，“能牵引他物，由一地方移动至另一地方的机器”→〕机车，火车头

locomote 〔见上〕移动，行进

motor 〔mot 动，-or 表示物〕发动机，机动车

automotive 〔auto- 自己，mot 动，-ive …的〕自动的，机动的

motile 〔mot 动，-ile 形容词后缀，…的〕（生物）能动的，有自动力的

71. nomin

十年寒窗苦，name 岂能不识？
搔首问苍天，nomin 究竟何解？

☞ **nomin = name 名**

nominal 〔nomin 名，-al …的〕名义上的，有名无实的

nominate 〔nomin 名，-ate 动词后缀，做…事〕提名，任命

nomination 〔见上，-ation 名词后辍，表示行为〕提名，任命

nominator 〔见上，-ator …者〕提名者，任命者

nominee 〔见上，-ee 被…者〕被提名者

denominate 〔de- 加强意义，nomin 名，-ate 做…事〕给…命名

denomination 〔见上，-ation 名词后缀〕命名，名称

ignominious 〔ig- = in- 不，nomin 名→名声，-ious 形容词后缀，…的；"名声不好的"→〕不名誉的，不光彩的，耻辱的

ignominy 〔见上，-y 名词后缀，表示性质，情况〕不名誉，不光彩，耻辱

innominate 〔in- 无，nomin 名，-ate 形容词后缀，…的〕无名的，匿名的

72. nov

new 与 nov，它们俩并肩而立，
请你认认，你可能只识其一。

☞ **nov = new 新**

novel 〔nov 新，-el 名词后缀，表示物；新→新奇，“新奇的事”→故事→〕小说，长篇小说；新奇的

novelist 〔见上，-ist 表示人〕小说家，小说作者

novelette 〔见上，-ette 名词后缀，表示小；比长篇小说小（短）的→〕中篇小说

novelize 〔见上，-ize 使成…〕使成小说，使小说化

novelty 〔novel 新奇的，-ty 表示情况、事物〕新奇，新颖，新奇的事物

novice 〔nov 新，-ice 表示人〕新手，初学者

novation 〔nov 新，-ation 表示行为〕更新

innovate 〔in- 加强意义，nov 新，-ate 使…，作…〕革新，创新

innovator 〔见上，-or 者〕革新者，创新者

innovative 〔见上，-ive …的〕革新的，创新的

innovation 〔见上，-ion 名词后缀，表示行为〕革新，创新，改革

renovate 〔re- 再，nov 新，-ate 使…；“使再新”→〕更新，刷新，翻新，修复，革新

renovation 〔见上，-ion 名词后缀，表示行为〕更新，革新，翻新

renovator 〔见上，-or 者〕更新者，革新者，刷新者，修复者

73. numer

numer 含义难领悟，
博览群书未曾遇；
添 b 写成 number 后，
始见庐山真面目。

☞ **numer = number 数**

numeral 〔numer 数，-al …的〕数字的，示数的；〔转为名词〕数字，（语法）数词

numerable 〔numer 数，-able 可…的〕可数的，可计算的

numerous 〔numer 数，-ous …的〕为数众多的，许多的

numerate 〔numer 数，-ate 动词后缀，做…〕计算，计数，数

numerator 〔numer 数，-ator 表示人或物〕计算者，计算器

numerical 〔numer 数，-ical 形容词后缀，…的〕数字的，用数字表示的

enumerate 〔e- 出，numer 数，-ate 动词后缀，做…；“数

出”→〕数，点数，列举

enumerable 〔见上，-able 可…的〕可点数的，可列举的

enumeration 〔见上，-ation 表示行为及行为的结果〕计数，列举，细目

innumerable 〔in- 无，不，numer 数，-able 可…的〕数不清的，无数的

denumerable 〔de- 加强意义，numer 数，-able 可…的〕可数的

supernumerary 〔super- 超，超出，numer 数，-ary …的；“超出定数之外的”→〕额外的，多余的；〔-ary 表示人或物〕多余的人（或物）

74. onym

初学三日识 name，
岂知 onym 也是“名”；
细观下列单词里，
onym 默默显神通。

☞ **onym = name 名**

onymous 〔onym 名，-ous …的〕有名字的；署名的

anonym 〔an- 无，onym 名〕匿名者，无名氏

anonymous 〔an- 无，onym 名，-ous …的〕无名的，匿名的

anonymity 〔an- 无，onym 名，-ity 名词后缀〕无名，匿名

cryptonym 〔crypt 隐，匿，onym 名〕匿名

homonymous 〔hom(o) 同，onym 名，-ous …的〕同名的

matronymic 〔matr 母，onym 名，-ic …的〕取自母名的(名)

patronymic 〔patr 父，onym 名，-ic …的〕源于父名的(姓)

pseudonym 〔pseud- 假，onym 名〕假名

pseudonymous 〔pseud- 假，onym 名，-ous …的〕假名的；用假名的

pseudonymity 〔见上，-ity 名词后缀〕使用假名

synonym 〔syn- 同，相同，onym 名→单词的名称→单词；“意义相同的词”〕同义词，同义语

synonymic 〔见上，-ic …的〕同义的，同义词的

synonymous 〔见上，-ous …的〕同义的，同义词的

synonymity 〔见上，-ity 名词后缀〕同义

antonym 〔ant-（= anti-）相反，见上；“意义相反的词”〕反义词，反义字，反义语

75. oper

字到用时方恨少，
熟记词根方法好。
识得 oper 是“工作”，
众多单词忘不了。

☞ oper = work 工作

operate 〔oper 工作，-ate 动词后缀，做…〕工作，操作，运转，动手术

operation 〔oper 工作，-ation 表示行为〕工作，操作，运转，(外科)手术

operator 〔oper 工作，操作，-ator 者〕操作人员，(外科)施行手术者

operative 〔oper 工作，操作，-ative …的〕工作的，操作的，手术的

operable 〔oper 工作，操作，-able 可…的〕可操作的，能施行手术治疗的

operose 〔oper 工作→劳动，出力，-ose 形容词后缀，…的〕费力的，用功的，勤勉的

inoperable 〔in- 不，oper 工作，操作→动手术，-able 能…的〕不能施行手术的，不宜动手术的

cooperate 〔co- 共同，oper 工作，-ate 动词后缀，做…〕合作，协作

cooperation 〔见上，-ation 表示行为〕合作，协作

cooperator 〔见上，-ator 者〕合作者，合作社社员

cooperative 〔见上，-ative …的〕合作的，协作的，〔转为名词〕合作社

opera 〔oper 工作→动作→表演，作戏→戏→〕歌剧

operatic 〔见上，-tic 形容词后缀，…的〕歌剧的，歌剧式的

76. ori

谁都知道 east 是“东方”，
为什么 orient 的意义也与 east 一样？
你必须懂得 ori 含义怎讲，
你才能了解其中的文章。

☞ **ori = rise 升起**

orient 〔ori 升起；原义为“太阳升起的地方”→〕东方，东方的

oriental 〔见上，orient 东方，-al …的〕东方的

orientate 〔orient 东方，-ate 动词后缀，做…事〕指向东方，定方位，指示方向

orientation 〔见上，-ion 名词后缀，表示行为〕向东，定向，定位，指示方向

disorient 〔dis- 离开，orient 东方→方向〕使迷失方向（或方位）

disorientate 〔见上，-ate 动词后缀〕不辨方向，迷向

disorientation 〔见上，-ion 名词后缀〕不辨方向

reorientation 〔re- 再，orientation 定方向〕再定方向，重定方向

origin 〔ori 升起→发生，发起→起源〕原始，起源，由来，出身

original	〔见上，-al …的〕起源的，原始的，最初的
originate	〔见上，-ate 动词后缀〕发起，发生，起源

77. paci

peace 熟悉 paci 生，
二者原都是“和平”。
细嚼下列单词后，
paci 从此不陌生。

 **paci = peace 和平，平静**

pacific	〔paci 和平，-fic 形容词后缀，…的〕和平的，太平的，平静的
pacify	〔paci 和平，-fy 动词后缀，使…〕使和平，使平静，使平定，抚慰
pacifier	〔见上，-er 表示人〕平定者，平息者，抚慰者
pacification	〔见上，-fication 名词后缀，表示行为、情况〕平定，平息，绥靖，太平
pacificator	〔见上，-ator 者〕平定者
pacifism	〔见上，-ism …主义〕和平主义，不抵抗主义
pacifist	〔见上，-ist …主义者〕和平主义者，不抵抗主义者
repacify	〔re- 再，pacify 平定〕再平定，再平息

78. pel

自古擒贼先擒王，
欲记单词先记根。
若知 pel 是“推、逐”，
如许单词在瓮中。

☞ **pel = push, drive 推，逐，驱**

propel 〔pro- 向前，pel 推〕推进，推动

propeller 〔见上，-er 表示人或物〕推进者，推进器，螺旋桨

propellent 〔见上，-ent …的〕推进的；〔-ent 表示人或物〕推进物，推进者

expel 〔ex- 出，外，pel 驱逐〕逐出，赶出，驱逐，开除

expeller 〔见上，-er 者〕逐出者，驱逐者

expellee 〔见上，-ee 被…的人〕被驱逐（出国）者

expellable 〔见上，-able 可…的〕可逐出的

expellant 〔见上，-ant …的〕赶出的，驱除的

repel 〔re- 回，pel 逐；“逐回”→〕击退，反击，抵抗，防

repellence 〔见上，-ence 表示性质〕反击性，抵抗性

repellent 〔见上，-ent …的〕击退的，击回的，排斥的；

〔-ent 表示物〕防护剂，防水布

dispel 〔dis- 分散，pel 驱〕驱散

compel 〔com- 加强意义，pel 驱逐，驱使；“驱之使做某事”→〕强迫，迫使

compellable 〔见上，-able 可…的〕可强迫的

compeller 〔见上，-er 者〕强迫他人者，驱使别人者

impel 〔im- 加强意义，pel 推〕推动，激励

impeller 〔见上，-er 表示人或物〕推动者，推动器

79. pend

depend 是“依靠”，
expend 是“花费”，
这两词有何内在联系，
尚须仔细寻觅。

☞ (a) **pend，pens = hang 悬挂**

depend 〔de- 下，pend 悬挂；“挂在他物下面”→依附于另一物体→〕依靠，依赖

dependent 〔见上，-ent …的〕依靠的，依赖的，不独立的，从属的

dependence 〔见上，-ence 名词后缀〕依靠，依赖

dependency 〔见上，-ency 名词后缀〕依赖，从属，属地，属国

dependable 〔见上，-able 可…的〕可依赖的，可依靠的

independent 〔in- 不，depend 依靠，-ent…的〕独立的，自主的

independence 〔见上，-ence 名词后缀，表示行为、情况〕独立，自主

independency 〔见上，-ency = -ence〕独立，独立国

interdepend 〔inter- 互相，depend 依赖〕互相依赖

interdependence 〔见上，-ence 名词后缀〕互相依赖

interdependent 〔见上，-ent …的〕互相依赖的

pending 〔pend 悬挂，-ing …的〕悬而未决的

pendent 〔pend 悬挂，-ent …的〕悬空的，下垂的，悬而未决的；〔-ent 表示物〕悬垂物

suspend 〔sus- = sub-下，pend 悬，吊，挂，"挂起来"〕挂，悬，中止，暂停

suspension 〔见上，-ion 名词后缀，表示行为、情况〕悬挂，悬而不决，中止，暂停

suspensive 〔见上，-ive …的〕悬挂的，悬而不决的，暂停的

suspensible 〔见上，-ible 可…的〕可悬挂的，可吊的

append 〔ap- 表示 to，pend 悬挂〕挂上，附加

appendage 〔见上，-age 名词后缀，表示物〕附加物，附属物

impend 〔im-加强意义，pend 悬挂〕悬挂；〔悬在上面→悬在头上→事到临头→〕即将发生，即将来临，逼近

impending 〔见上，-ing …的〕即将来临的，迫近的

impendent 〔见上，-ent …的〕悬挂的；即将发生的，逼近的

(1) 称量物体的重量时，须将物体悬起，吊起，因此：悬挂（物体）→称量（物体的重量）
(2) 金、银等物作为钱币使用时，付钱须称量其重量，因此：称量（金银等的重量）→付钱、支出，花费
(3) 因此，pend，pens 由“悬挂”引申为“称量”，再引申为“付钱，支出，花费”

(b) pend，pens = weigh 称量

dispense 〔dis- 分散，pens 称量；“分开称量物品份量，进行分配”〕分配，分发，配发

dispensary 〔见上，-ary 表示场所、地点；“分配药品的地方”→〕药房，配药处

dispensation 〔见上，-ation 名词后缀〕分配，分给；分配物

dispenser 〔见上，-er 表示人〕分配者，施与者，配药者，药剂师；〔-er 表示物〕分配器，配出器，自动售货机

pensive 〔pen 称量→衡量，权衡→思考，-ive …的〕沉思的

perpend 〔per- 完全，十分，彻底，pend 称量→衡量；“仔细称量”→仔细衡量→〕细思，思考，考虑

ponder 〔pond ← pend 称量，-er 动词后缀；称量→衡量，权衡→思量，思考→〕深思，考虑，估量，衡量

ponderable 〔见上，-able 可…的〕可衡量的，可估量的

☞ (c) **pend, pens = pay 付钱，支出，花费**

expend 〔ex- 出，pend 付钱；“把钱付出”〕花费，消费，用款

expenditure 〔见上，-ture = -ure 表示行为或行为的结果〕支出，消费，花费

expendable 〔见上，-able 可…的〕可消费的

expense 〔ex- 出，pens 付钱〕支出，花费，消费

expensive 〔见上，-ive …的〕花费的，花钱多的，昂贵的

spend 〔s- 为 ex- 或 dis- 的缩形，pend 花费〕花钱，花费，消耗（时间）

pension 〔pens 付钱，-ion 名词后缀，表示物；每年“付出的钱”→〕年金，养老金，退休金

pensioner 〔见上，-er 者〕领取养老金者

80. pet

已知 seek 是“追求”，
学无止境勿停留；
若能再知 pet 义，
才能更上一层楼。

☞ pet = seek 追求

compete 〔com- 共同，pet 追求；“共同追求”→〕竞争，角逐，比赛

competition 〔见上，-ition 名词后缀，表示行为〕竞争，角逐，比赛

competitive 〔见上，-itive 形容词后缀，…的〕竞争的，比赛的

competitor 〔见上，-itor 表示人〕→竞争者，比赛者

appetite 〔ap- 表示 to 向，pet 追求→渴求，渴望→〕欲望，食欲

appetence 〔见上，-ence 表示情况〕强烈的欲望，渴望

appetent 〔见上，-ent …的〕渴望的，有欲望的

appetizing 〔见上，-iz（e）+-ing …的〕促进食欲的，开胃的

petition 〔pet 追求→请求，寻求，-ition 表示行为〕申请，请求，请愿，请愿书

petitionary 〔见上，-ary …的〕请求的，申请的，请愿的

petitioner 〔见上，-er 者〕请求者，请愿者

centripetal 〔centr 中心，-i-，pet 追求→趋向，-al …的；“趋向中心的”→〕向心的

81. phon

microphone，麦克风，
phone 非“风”，实乃“声”，
音译意译不相同，
劝君须分清。

☞ **phon = sound 声音**

microphone 〔micro- 微小，phon 声音；“把微小声音放大”的仪器→〕扩音器，麦克风，话筒

telephone 〔tele 远，phon 声音；“由远处（通过电波）传来的声音”→〕电话

phone 〔telephone 的缩略形式〕电话

videophone 〔video 电视，phone 电话〕电视电话

otophone 〔oto 耳，phon 声音〕助听器

symphony 〔sym- 共同→互相，phon 声音，音响，-y 名词后缀，表示事物〕交响乐

symphonic 〔见上，-ic …的〕交响乐的

phonetic 〔phon 声音→语音，-etic …的〕语音的

phonetics 〔见上，-ics …学〕语音学

phonetist 〔见上，-ist 表示人〕语音学家

electrophone 〔electro 电，phon 声音〕电子乐器

stereophone 〔stereo 立体，phon 声音〕立体音响

gramophone 〔gram 写→记录，-o-，phon 声音；“记录声音”的仪器→〕留声机

phonology 〔phon 音→音韵，-o-，logy …学〕音韵学

euphonious 〔eu- 优美，好，phon 音，-ious …的〕声音好听的

cacophonous 〔caco 恶，phon 音，-ous …的〕音调不和谐的

phonic 〔phon 声音，-ic …的〕声音的，语音的

phonics 〔phon 声音，-ics …学〕声学

aphonia 〔a- 无，phon 声音，-ia 名词后缀〕失音（症）

dysphonia 〔dys- 困难，phon 声音→发音〕发音困难

polyphone 〔poly- 多，phon 声音〕多音字母，多音符号

polyphonic 〔见上，-ic …的〕多音的

megaphone 〔mega 大，“把声音扩大”的仪器→〕扩音器，喇叭筒

82. pict

picture 与 painting，
两个都是熟“面孔”。
除去字尾 -ure 与 -ing，
paint 熟悉 pict 生。

☞ **pict = paint 画，描绘**

picture 〔pict 绘，-ure 名词后缀〕绘画，图画；画像；

图片

picturesque 〔见上，-esque 如…的〕如画的

picturize 〔见上，-ize 动词后缀〕用图画表现

pictograph 〔pict 绘→图形，-o-，graph 写→文字〕象形文字

pictographic 〔见上，-ic …的〕象形文字的

depict 〔de- 加强意义，pict 绘〕描绘，描述

depicture 〔见上〕描绘，描述

pictorial 〔pict 画，-or-，-ial …的〕绘画的，图片的；〔转为名词〕画报

pictorialize 〔见上，-ize 动词后缀〕用图画表示

83. plen

你最先认识 full 是“满”，
却未曾和 plen 见过面，
虽然它不是一个单词，
也应把它当作单词来念。

☞ **plen = full 满，全**

plenty 〔plen 满→丰足，-ty 表示情况、状态〕丰富，充足，大量

plentiful 〔见上，-ful …的〕丰富的，充足的，大量的

plenitude 〔plen 满，全，-itude 表示情况、状态〕丰富，

充足，完全，充分

plenary 〔plen 全，-ary …的〕完全的，全部的，全体的

plenum 〔plen 满，全，-um 表示抽象名词〕充满，充实，全体会议

plenipotentiary 〔plen 全，-i-，potent 权力，权能，-i-，ary 表示人〕全权大使；〔-ary …的〕有全权的

plenilune 〔plen 满，-i-，lun 月亮〕满月，望月，月满之时

deplenish 〔de- 非，相反，plen 满，充满，-ish 动词后缀，做…事；"与充满相反"的动作→〕倒空，弄空，使空

replenish 〔re 再，plen 满，-ish 动词后缀，使…〕(再) 填满，(再) 装满

replenisher 〔见上，-er 者〕(再) 装满者，补充者

84. plic

explication 为何是"解释、说明"?
complication 为何是"复杂、纠纷"?
plic 犹如一把钥匙，
助君打开解惑之门。

☞ **plic = fold 折，重叠**

complicate 〔com- 加强意义，plic 重叠，重复→多层，复杂，-ate 动词后缀〕使复杂，变复杂；〔-ate 形

容词后缀，…的〕复杂的

complication 〔见上，-ation 名词后缀〕复杂，混乱，纠纷

complicated 〔见上，-ed …的〕复杂的，难解的

complicacy 〔见上，-acy 名词后缀〕复杂，复杂性，复杂的事物

explicate 〔ex- 出，plic 折叠→包藏→深藏→深奥；"揭出深奥之处"，"to unfold the meaning of"〕解释，说明

explicable 〔见上，-able 可…的〕可解释的，可说明的

explication 〔见上，-ation 名词后缀〕解释，说明

explicatory 〔见上，-atory …的〕解释的，说明的

supplicate 〔sup- 下，plic 折，-ate 动词后缀；"向下折"→折下腰→弯下身→曲膝而求→〕恳求，哀求

supplication 〔见上，-ation 名词后缀〕恳求，哀求

supplicatory 〔见上，-atory 形容词后缀，…的〕恳求的，哀求的

implicate 〔im- = in 内，plic = fold，-ate 动词后缀；"to fold in"〕含有…意思；使卷入，使牵连

implication 〔见上，-ation 名词后缀〕含蓄；牵连

duplicate 〔du 双，二，plic 重叠，重复，-ate 使…〕使成双，复制，复写；〔-ate …的〕二重的，二倍的，复制的；〔转为名词〕复制品

duplication 〔见上，-ation 名词后缀〕成双，成倍，复制，复制品

duplicity 〔见上，-ity 表示性质〕二重性，表里不一，口是心非

multiplicate 〔multi- 多，plic 重叠，-ate …的〕多重的，多倍的，多样的

multiplicity 〔见上，-ity 表示性质〕多重性，多倍，多样，复杂

85. pon

记住 pon 的意义
对于识字有利，
众多词的结构，
就可容易分析。

☞ **pon = put 放置**

postpone 〔post- 后，pon 放；"往后放"→〕推后，推迟，延期

antepone 〔ante- 前，pon 放；"往前放"→〕移前

component 〔com- 共同，一起，pon 放，-ent …的；"放在一起的"→合在一起的→〕合成的，组成的；〔-ent 表示物〕组成部分

compound 〔com- 共同，一起，poun = pon 放；"放在一起的"→〕混合的，化合的，混合物，化合物

opponent 〔op- = ob- 相反，相对，pon 放置，-ent …的；"置于相反位置上的"→〕对立的，对抗的；〔-ent 表示人〕对手，敌手

propone 〔pro- 向前，pon 放；"向前放"→向前呈出→〕提出，提议，建立

proponent 〔见上，-ent 表示人〕提出者，提议者

exponent 〔ex- 出，外，pon 放，摆，-ent …的；"摆出来的"→摆明的→〕说明的，讲解的；〔-ent 表示人〕说明者

exponible 〔见上，-ible 可…的〕可说明的

86. popul

试看 popul，people，
两者"相貌"相似。
本来就是"同胞"，
意义非常好记。

☞ **popul = people 人民**

population 〔popul 人民→居民，-ation 名词后缀〕全体居民，人口

populous 〔popul 人民→居民，-ous …的〕人口稠密的

populate 〔popul 人民，-ate 动词后缀，使…，做…〕使人民居住于…中，使人口集中在…之中，移民于…

repopulate 〔re- 再，重新，见上〕使人民重新居住于…

depopulate 〔de- 除去，去掉，popul 人民→人口，-ate 使…〕使（某地）人口减少，减少人口

depopulation 〔见上，-ation 表示行为、情况〕人口减少

popular 〔popul 人民，民众→大众，-ar …的〕人民的，大众的，大众化的，通俗的，大众喜欢的

popularity 〔见上，-ity 名词后缀，表示性质〕大众性，通俗性

popularize 〔见上，-ize …化，使…〕（使）大众化，（使）普及，推广

popularizer 〔见上，-er 者〕普及者，推广者

popularization 〔见上，-ation 表示行为〕普及，推广，通俗化

unpopular 〔un- 不，popular 大众的，通俗的〕不通俗的，不流行的

populace 〔popul 人民→平民，-ace 名词后缀〕平民，大众

87. port

import，export —— 进口，出口
port 怎解，问君知否？

☞ **port = carry 拿，带，运**

portable 〔port 拿，带，-able 可…的〕可携带的，手提的

import 〔im- 入，port 拿，运；“拿进，运入”→〕输入，进口

importation 〔见上，-ation 名词后缀，表示行为〕输入，进口

reimport 〔re- 再，见上〕再输入，再进口

export 〔ex- 出，port 运，拿；“运出去”→〕输出，出口

exportation 〔见上，-ation 名词后缀，表示行为〕输出，出口

reexport 〔re- 再，见上〕再输出，再出口

transport 〔trans- 转移，越过，由…到…，port 运〕运送，运输

transportation 〔见上，-ation 名词后缀，表示行为〕运送，运输，客运，货运

deport 〔de- 离开，port 运，送；“送离”，“送出去”→〕驱逐出境，放逐

deportation 〔见上，-ation 表示行为〕驱逐出境，放逐

deportee 〔见上，-ee 被…的人〕被驱逐出境的人

report 〔re- 回，port 拿，带；“把消息、情况等带回来”→〕报告，汇报

reportage 〔见上，-age 表示行为、事物〕新闻报道，报告文学

portage 〔port 运，-age 表示行为、费用〕运输，搬运，运费

porter 〔port 运→搬运，-er 表示人〕搬运工人

support 〔sup- = sub- 下，port 拿，持；“由下支撑”→使不倒下〕支撑，支持，支援

supporter 〔见上，-er 表示人〕支持者，支援者

portfolio 〔port 拿，持，folio 对折纸，对开本；“手持的对开本形之物”→〕公文夹，文件夹，公事包

sport 〔s- = dis- 分开，离，port = carry；“to carry (or remove) oneself away from (one’s) work”，自己由工作中分身出来，把自己从工作中解脱

出来→使自己轻松一下→〕娱乐，玩，运动

88. pos

put 虽熟，pos 犹应牢记；
下列单词，望文可以生义。

☞ **pos = put 放置**

expose 〔ex- 出，外，pos 放，摆；“摆出来”→把…亮出来→〕揭露，揭发，使暴露

exposure 〔见上，-ure 名词后缀〕揭露，揭发，暴露

compose 〔com- 共同，一起，pos 放；“放在一起→组合在一起→〕组成，构成，创作

composition 〔见上，-ition 表示物；“构成的东西”，“创作出来的东西”→〕作文，作品，乐曲

composer 〔见上，-er 者〕创作者，作曲者

preposition 〔pre- 前，-pos 放置，-ition 表示物；“放在（名词）前面的词”→〕前置词，介词

oppose 〔op- 相反，相对，pos 放置；“置于相反位置或立场”→〕反对，反抗，对抗

opposition 〔见上，-ition 表示作为、情况〕反对，反抗，对立，相反

opposite 〔见上，-ite 形容词后缀，…的〕相反的，对立的，对面的

dispose 〔dis- 分开，pos 放；“分开放置”，“分别摆设”

→〕布置，安排，配置，处理

disposal 〔见上，-al 名词后缀，表示行为、事情〕布置，安排，处理

disposition 〔见上，-ition 名词后缀〕布置，安排，处理

propose 〔pro- 向前，pos 放置→呈；“向前呈”，“呈出”→〕提出，提议，建议

proposal 〔见上，-al 名词后缀，表示事物、行为〕建议，提议；（建议等的）提出

proposition 〔见上，-ition 名词后缀〕建议，提议，提出

pose 〔pos 放置→摆放〕摆（好）姿势，摆样子，装腔作势

posture 〔pos 放置→摆放，-ture 名词后缀；“摆出的姿势”〕姿势，姿态

reposit 〔re- 回，pos 放；“放回去”〕保存，贮藏；〔“放回原处”〕使复位，使返回原处

reposition 〔见上，-ion 名词后缀〕贮藏；复位，回原处

purpose 〔pur-（pro- 的变体）前面，pos 放；“放在自己前面的…”，“that which one places before himself as an object to be attained”→intention〕目的，意图，打算，意向

position 〔pos 放置，-ition 名词后缀；“放置的地方”〕位置

interpose 〔inter- 中间，pos 放置；“置于其中”→〕插入，介入其中，干预

transpose 〔trans- 转换，改变，pos 放置〕使互换位置，调换位置

deposit 〔de- 下，pos 放；“放下”→存放〕寄存，存放，存款，储蓄

depose 〔de- 下，pos 放；“往下放”→使降下→〕罢…

的官，废黜，免职

deposition 〔见上，-ition 名词后缀〕免职，罢官，废黜

89. preci

你虽不识 preci，
但却认识 price，
音、形略相似，
意义不难记。

☞ **preci = price 价值**

precious 〔preci 价值，-ous 有…的；“有价值的”→〕宝贵的，珍贵的

appreciate 〔ap- 表示 at 或 to，preci 价值，-ate 动词后缀；“论价”→〕评价，鉴赏，欣赏

appreciation 〔见上，-ion 名词后缀，表示行为〕评价，鉴赏，欣赏

appreciative 〔见上，-ive …的〕有评价能力的，有欣赏力的

appreciator 〔见上，-or 表示人〕评价者，欣赏者，鉴赏者

depreciate 〔de- 下→降下，preci 价值，-ate 动词后缀〕降低…的价值，跌价，贬值，轻视

depreciation 〔见上，-ion 名词后缀〕跌价，贬值，轻视

depreciatory 〔见上，-ory …的〕跌价的，贬值的，轻视的

praise 〔prais = preci = price 价值，评价；“称其有很

高价值”，“给以很高评价”→〕称赞，赞美，赞扬，颂扬

90. punct

苦恨年年记单词，
犹有 punct 未曾遇。
它与 point 音近似，
原来是“点”又是“刺”。

☞ **punct = point，prick 点，刺**

punctuate 〔punct 点，-u-，-ate 动词后缀〕加标点于，点标点

punctuation 〔见上，-ation 名词后缀〕点标点，标点法，标点符号

punctate 〔punct 点，-ate 形容词后缀，…的〕缩成一点的，点状的

punctual 〔punct 点，-ual …的；“着于一点的”→限于一点的→不偏不差的→〕精确的；准确的，准时的

punctuality 〔见上，-ity 名词后缀〕准时，严守时刻

punctum 〔punct 点，-um 名词后缀〕班点

puncture 〔punct 刺，-ure 名词后缀〕刺，穿刺，刺痕；〔转为动词〕（用针）刺，刺破，刺穿

puncturable 〔见上，-able 可…的〕可刺穿的

acupuncture 〔acu 针，puncture 刺〕针刺，针刺疗法，针灸治疗

compunction 〔com- 加强意义，punct 刺，-ion 名词后缀；“良心受到刺痛”〕内疚，良心的责备，后悔

compunctious 〔见上，-ious …的〕内疚的，使内疚的，后悔的

pungent 〔pung = punct（g ← ct）刺，-ent …的〕（气味等）刺鼻的，刺激性的，辣的；（语言等）尖刻的，辛辣的

pungency 〔见上，-ency 名词后缀〕（气味等的）辛辣，刺激性；（语言等的）尖刻，辛辣

91. pur

pur 是什么你可能回答不了，
pure 的意义你却早已知道。
须知在许多派生词中，
字母 e 常常被省略掉。

☞ **pur = pure 清，纯，净**

purify 〔pur 纯净，-i-，-fy 使〕使纯净，使洁净

purifier 〔pur 纯净，-i-，-fier 使成…的人或物〕使洁净的人（或物）

purification 〔pur 纯净，-i-，-fication 名词后缀，…化，化成

…〕纯化，净化

purity 〔pur 纯净，-ity 名词后缀，表示性质〕纯净，洁净，纯正

impurity 〔im- 不，见上〕不纯，不洁

depurate 〔de- 加强意义，pur 洁净，-ate 动词后缀，使成…〕使净化，净化，提纯

depuration 〔见上，-ation 名词后缀，表示行为，情况〕净化，提纯

depurative 〔见上，-ative …的〕净化的

depurator 〔见上，-ator 表示物〕净化剂，净化器

depurant 〔见上，-ant 表示物〕净化剂，净化器

purism 〔pur 纯净，-ism 表示主义、流派〕（艺术上的）纯粹派，纯粹主义

Puritan 〔purit (y)清净，纯，-an 表示人〕清教徒（基督教新教的一派），〔-an …的〕清教徒的

Puritanism 〔见上，-ism 主义〕清教主义，清教徒的习俗和教义

puritanize 〔见上，-ize 使成…，变成…〕（使）变成清教徒

92. rect

你对 correct 当然心中了然，
rectify, rectitude 你能否分辨？
“秀才认字认半边”，
认得 rect 可认单词一串。

☞ rect = right, straight 正，直

correct 〔cor- 表示加强意义，rect 正，直〕改正，纠正，正确的

correction 〔见上，-ion 名词后缀，表示行为、行为的结果〕改正，纠正，矫正，校正

corrective 〔见上，-ive …的〕改正的，纠正的，矫正的

corrector 〔见上，-or 者〕改正者，矫正者，校正者

correctitude 〔见上，-itude 名词后缀，表示情况、状态〕(行为的)端正

incorrect 〔in- 不，correct 正确的〕不正确的

rectify 〔rect 正，直，-i-，-fy 使…；"使正"→〕纠正，整顿

rectification 〔见上，-fication 名词后缀，表示行为〕纠正，整顿

rectifier 〔见上，-fier 使成…者〕纠正者，整顿者，矫正器

rectitude 〔rect 正，直，-itude 名词后缀，表示情况，状态、性质〕正直，正确，笔直

rectilineal 〔rect 直，-i-，line 线，-al …的〕直线的，直线运动的

rectangle 〔rect 直，angle 角；"直角的图形"〕矩形，长方形

erect 〔e- 出→向上，rect 直〕直立的，垂直的，使竖直，使竖立

erectile 〔见上，-ile 可…的〕可竖直的

erection 〔见上，-ion 名词后缀〕直立，竖直

erective 〔见上，-ive …〕直立的，竖起的

erector 〔见上，-or 者〕树立者，建立者

rectum 〔rect 直，-um 名词后缀，表示物〕直肠

direct① 〔di- = de- 加强意义，rect 正→矫正，纠正→指正，指导→〕指示，指引，指挥，命令

direction 〔见上，-ion 名词后缀〕指示，指引，说明，指导〔指引的方位→〕方向，方位

directional 〔见上，-al …的〕方向的，定向的

director 〔见上，-or 表示人〕指导者，处长，局长，主任，指挥，导演

directress 〔见上，-ress 表示女性〕女指导者，女指挥，女导演

directive 〔见上，-ive 名词后缀，表示物〕指令，指示，命令；〔-ive …的〕命令的，指导的

direct② 〔di- = de-加强意义，rect 直→直接→〕直接的

directly 〔见上，-ly 副词后缀，…地〕直接地

indirect 〔in- 不，非，direct 直接的；"非直接的"〕间接的，迂回的

indirectly 〔见上，-ly …地〕间接地

indirection 〔见上，-ion 名词后缀〕间接，迂回，兜圈子

93. rupt

乍见 rupt，知否是"破碎"？
只识 break，众多单词难记忆。

☞ rupt = break 破

rupture 〔rupt 破，-ure 名词后缀，表示情况，状态〕破裂，裂开，决裂；〔转为动词〕使破裂，裂开

interrupt 〔inter- 在…中间，rupt 破→断〕中断，打断

interruption 〔见上，-ion 名词后缀〕中断，打断

disrupt 〔dis- 分开，rupt 破裂〕分裂，瓦解，使崩裂

disruptive 〔见上，-ive …的〕分裂的，瓦解的

disruption 〔见上，-ion 名词后缀〕分裂，瓦解

bankrupt 〔bank = bench 长凳，原指钱商用的长凳或台板，最初是作为钱商的柜台，rupt 破，断；“钱商的柜台断了”→生意破产了→〕破产的，破产者，使破产

bankruptcy 〔见上，-cy 名词后缀，表示状态〕破产

corrupt 〔cor- 表示加强意义，rupt 破→坏→败坏，腐坏→〕腐坏，腐烂，败坏，堕落，腐败，使败坏；贪污的，腐败的

corruption 〔见上，-ion 名词后缀〕败坏，腐坏，腐化，贪污

corruptible 〔见上，-ible 易…的〕易腐坏的

corruptive 〔见上，-vie 有…作用的〕引起腐坏的

incorrupt 〔in- 不，未，见上〕未腐蚀的，未败坏的，廉洁的

incorruptible 〔见上，-ible 易…的〕不易败坏的，不易腐蚀的

irrupt 〔ir- = in- 入，内 rupt 破；“破门而入”→〕闯入，侵入

irruption 〔见上，-ion 名词后缀〕侵入，闯入，闯进

irruptive 〔见上，-ive 的〕侵入的，闯进的

erupt 〔e- 外，出，rupt 破裂；“爆裂出来”→〕爆发，喷出，冒出，喷发

eruption 〔见上，-ion 名词后缀〕爆发，喷发，喷出物

eruptive 〔见上，-ive …的〕爆发的，喷出的，喷发的

94. sal

未解 sal 义，君且莫为难；
加 t 成 salt，当知它是“盐”。

sal = salt 盐

salary 〔sal（salt）盐，-ary 名词后缀，表示物；原为古罗马士兵所领取的“买盐的钱”，作为生活津贴，由此转为“工资”〕薪金，工资

salaried 〔见上，salary（y → i）+ -ed 有…的〕有工资的，拿薪水的

salad 〔sal 盐，-ad 名词后缀，表示物〕色拉，沙拉，一种用盐调拌的凉菜

salify 〔sal 盐，-i-，-fy 使成…〕使成盐，使变咸

salification 〔见上，-fication 名词后缀〕（化学）成盐作用

saline 〔sal 盐，-ine 形容词后缀，…的〕含盐的，咸的；〔转为名词〕盐湖，盐渍地，盐碱滩

salinity 〔见上，-ity 表示性质、情况〕含盐量，盐浓度，咸度

salina 〔见上，-a 名词后缀，表示物〕盐碱滩，盐沼区
salt 盐
saltish 〔salt 盐，-ish 略…的〕略有咸味的
salty 〔salty 盐，-y …的，有…的〕盐的，含盐的，咸的
saltern 〔salt 盐，-ern 表示场所，地点〕(制)盐场
desalt 〔de- 除去，salt 盐〕除去…的盐分，脱盐

95. scend

descend 是“下降”，
ascend 是“上升”。
莫愁记忆无妙术，
心有 scend 一点通。

☞ **scend，scens = climb 爬，攀**

ascend 〔a- = ad- 表示 to，scend 爬；“爬上”〕上升；登高；攀登
ascendent 〔见上，-ent …的〕上升的；向上的
ascendency 〔见上，-ency 名词后缀；“升到高处”→〕优势；支配地位
ascension 〔见上，-ion 名词后缀〕上升，升高
ascensive 〔见上，-ive …的〕上升的，使上升的
ascent 〔见上，由 ascend 转成的名词〕上升，升高，登

高

reascend 〔re- 再，ascend 上升〕再上升，再升高

descend 〔de- 下，向下，scend 爬〕下降；传下，遗传

descender 〔见上，-er 表人和物〕下降者；下降物

descendent 〔见上，-ent 表人；“传来下的人”〕子孙，后代，后裔

descent 〔见上，由 descend 转成的名词〕下降，降下

redescend 〔re- 再，decend 下降〕再下降

condescend 〔con- 表加强意义，descend 下降→卑→谦〕谦逊，俯就，屈尊

condescension 〔见上，-ion 名词后缀〕屈尊

transcend 〔tran- = trans- 越过，超，scend 爬，攀行〕超出，超过；超越

transcendency 〔见上，-ency 名词后缀〕超越，卓越

transcendent 〔见上，-ent 形容词及名词后缀〕卓越的；卓越的人

96. sci

我对 sci 的印象一直很浅，
记得在 science 中似曾相见，
在 conscious 里它也躲躲闪闪，
它的相貌为何令人难辨？
只因它出现时，
“犹抱琵琶半遮面”。

☞ sci = know 知

science 〔sci 知→知识，-ence 表示抽象名词；“系统的知识”→〕科学

scientist 〔见上，字母拼写改变：ce→t，-ist 表示人〕科学家

scientific 〔见上，-i-，-fic …的〕科学（上）的，符合科学规律的

conscious 〔con- 加强意义，sci 知，知道，-ous …的；“知道的”，“感觉到的”，“觉悟到的”→〕意识到的，有意识的，自觉的

consciousness 〔见上，-ness 表示抽象名词〕意识，觉悟，知觉

unconscious 〔un- 无，不，见上〕无意识的，不知不觉的，不知道的，未发觉的，失去知觉的，不省人事的

subconscious 〔sub- 下，见上〕下意识的，潜意识的

conscience 〔con- 共同，完全，sci 知，-ence 名词后缀；“完全知道善恶是非之分”→〕良心，道德心

conscientious 〔见上，字母拼写改变：ce→t，-ious …的〕凭良心的，诚心的，认真的

scient 〔sci 知→知识，-ent …的〕有知识的

sciential 〔见上，-ial …的〕知识的，产生知识的，有充分知识的

omniscient 〔omni- 全，sci 知，-ent …的〕全知的，无所不知的

nescient 〔ne- 无，sci 知，-ent …的〕无知的，缺乏知识的

nescience 〔ne- 无，sci 知，-ence 名词后缀〕无知，缺乏知识

prescient 〔pre- 先，预先，sci 知，-ent …的〕预知的，有先知之明的

prescience 〔见上，-ence 名词后缀〕预知，先见

pseudoscience 〔pseudo- 假，science 科学〕假科学，伪科学

geoscience 〔geo 地，地球，science 科学〕地球科学

97. sec, sequ

second 既是“第二”也是“秒”，
这字是否奇怪？
persecute 为何是“迫害”，
试问道理何在？
这些词都来源于 follow，
但 follow 常被 sec，sequ 所取代。

☞ **sec，sequ = follow 跟随**

second 〔sec 跟随；“跟随第一个之后”→〕第二；〔一小时第一次分为六十分，“第二次”再各分为六十秒→〕秒

secondary 〔见上，-ary …的〕第二的，第二位的，第二次的

persecute 〔per- 从头到尾，一直，sec 跟随；“一直跟随”

→追踪→追捕→〕迫害

persecution 〔见上，-ion 名词后缀〕迫害

persecutor 〔见上，-or 者〕迫害者

consecution 〔con- = together，sec 跟随→相随，相连〕连贯，连续，一致

consecutive 〔见上，-ive …的〕连贯的，连续的

sequence 〔sequ 跟，随，随其后→接着，相连接，-ence 名词后缀〕继续，连续，一连串

sequent 〔见上，-ent …的〕连续的，相继的

sequential 〔见上，-ial …的〕连续的，相继的

consequence 〔con- = together，sequ 跟随，随后，-ence 名词后缀，表示事物；"随后发生的事"→〕后果，结果

consequent 〔见上，-ent …的；"随后发生的"〕随之发生的，必然的

subsequence 〔sub- 下面，后面，sequ 跟随，-ence，表示事物〕随后，后果，随后发生的事情

subsequent 〔见上，-ent …的〕随后的，继…之后的，后来的

sequacious 〔sequ 跟随，随从，-acious 形容词后缀，…的〕盲从的

sequacity 〔见上，-acity 名词后缀，表示情况、性质〕盲从

98. sect

处处生词阅读中，
不胜记忆恼煞人。
劝君勿打退堂鼓，
记住 sect 添信心。

☞ sect = cut 切割

insect 〔in- 入内，sect 切，割；"切入"，"切裂"→昆虫躯体分节，节与节之间宛如"切裂"、"割断"之状，故名→〕昆虫

insectology 〔见上，-o-，-logy …学〕昆虫学

section 〔sect 切，-ion 名词后缀，表示行为及行为的结果〕切开，切断，切下的部分，一部分；〔由大机关中"分割"出来的小机关〕科，处，组，股

sectional 〔见上，-al …的〕部分的

sectile 〔sect 切，-ile 易…的，可…的〕可切开的

bisect 〔bi- 两，二，sect 切；"切成两份"→〕二等分，平分

bisection 〔见上，-ion 名词后缀〕二等分，平分

trisect 〔tri- 三，sect 切〕把…分成三份，三等分

trisection 〔见上，-ion 名词后缀〕三等分，分成三份

dissect 〔dis- 分开，sect 切〕切开，解剖，仔细分析

dissection 〔见上，-ion 名词后缀〕解剖，分析

transect 〔tran- 横越，sect 切〕横切，切断，横断

transection 〔见上，-ion 名词后缀〕横切面，横切

vivisect 〔viv (i)活→活体，sect 切→解剖〕解剖动物活体

vivisection 〔见上，-ion 名词后缀〕活体解剖

resect 〔re- 再，sect 切〕切除

resectable 〔见上，-able …的〕可切除的

resection 〔见上，-ion 名词后缀〕切除，切除术

intersect 〔inter- 中间，sect 切；“从中间切”→〕横切，横断，和…交叉

intersection 〔见上，-ion 名词后缀〕横断，交叉，交叉点，交叉路口

secant 〔sec = sect 割，-ant 名词后缀〕（数学）割线，正割

cosecant 〔co- 余，见上〕（数学）余割

99. sent

“学生难过生词关”，
或恐此言未尽然。
试将 sent 作引导，
下列单词并不难。

☞ sent, sens = feel 感觉

sentiment 〔sent 感觉→感情，情绪，-i-，-ment 名词后缀〕感情，情绪，思想感情，意见

sentimental 〔见上，-al …的〕情感（上）的，伤感的，多愁善感的

consent 〔con- 同，共同，sent 感觉→意识，意见；“共同的意见”→〕同意，赞同

consenter 〔见上，-er 者〕同意者，赞同者

consentient 〔见上，-i-，-ent …的〕同意的，赞成的，一致的

consentaneous 〔见上，consent 同意，-aneous 形容词后缀，…的〕同意的，一致的

consensus 〔con- 同，共同，sens 感觉，认识，意见，-us 名词后缀；“共同的认识”→〕共识，意见一致

consensual 〔见上，-ual …的〕（法律）经双方同意的

dissent 〔dis- 分开→不同，sent 感觉→意见〕不同意，持不同意见，持异议

dissension 〔见上，t→s，-ion 名词后缀〕意见分歧，不和，争论，纠纷

dissenter 〔见上，-er 者〕不同意者，反对者，持异议者

dissentient 〔见上，-i-，ent …的〕不同意的

resent 〔re- 相反，sent 感觉，感情；“反感”→〕对…不满，怨恨

resentful 〔见上，-ful …的〕不满的，忿恨的

resentment 〔见上，-ment 名词后缀〕不满，忿恨，怨恨

presentiment 〔pre- 先，预先，sent 感觉，-i-，-ment 名词后

缀〕预感

sense 感觉，意识

sensible 〔sens 感觉，-ible 可…的〕能感觉到的，可觉察的

sensibility 〔sens 感觉，-ibility 名词后缀，…性〕敏感性，感受性，感觉(力)，触觉

sensitive 〔sens 感觉，-itive …的〕敏感的，神经过敏的

sensation 〔sens 感觉，-ation 名词后缀〕感觉，知觉

sensational 〔见上，-al …的〕感觉的

sensory 〔sens 感觉，-ory …的〕感觉的

senseless 〔sense 感觉，-less 无…的〕无感觉的，无知觉的，无意义的

nonsense 〔non- 无，sense 感觉，意识→意义；“无意义”的话〕胡说，废话，胡闹

insensible 〔in- 无，不，sensible 感觉的〕无感觉的，失去知觉的

insensitive 〔in- 无，sens 感觉，-itive …的〕感觉迟钝的

hypersensitive 〔hyper- 过于，sens 感觉，-itive …的〕过敏的

oversensitive 〔over- 过于〕过分敏感的

sensitize 〔sens 感觉，-it-，-ize 使…〕使敏感，变敏感

desensitize 〔de- 除去，消除，见上〕使不敏感，使脱敏

desensitization 〔见上，-ation 名词后缀，表示情况，状态〕脱敏（现象）

desensitizer 〔见上，-er 表示物〕脱敏药，脱敏剂

extrasensory 〔extra- 超，sens 感觉，-ory …的〕超感觉的

assent 〔as- = to，sent 感觉→意识，意见；“to join one's sentiment or opinion to another's”(使自己的意见与别人的意见统一起来）→〕同意，

赞同，赞成

assentation 〔见上，-ation 名词后缀〕赞同，随声附和

assentor 〔见上，-or 表示人〕同意者，赞成者

assentient 〔见上，-i-，-ent …的〕同意的，赞成的

sentence 〔sent 感觉，-ence 名词后缀；表达一种感觉或意义的一组单词→〕句子

sensual 〔sens 感觉，-ual …的〕感觉的，肉感的

sensuous 〔sens 感觉，-uous …的〕感官方面的，感觉上的

100. sid

sit 天天见，不费记忆功；
sid 不露面，藏在单词中。

☞ **sid = sit 坐**

preside 〔pre- 前，sid 坐；开会时“坐在前面主要位置上”→主持会议〕作会议的主席，主持，指挥，统辖

president 〔见上，-ent 表示人；“指挥者”，“统辖者”→首脑→〕总统，大学校长，会长，总裁

presidential 〔见上，-ial …的〕总统（或校长）的，总统（或校长）职务的

presidium 〔见上，-ium 名词后缀〕主席团

reside 〔re- 后，sid 坐；“to sit back”→to stay behind,

留下来，安顿下来→住下→〕居住

resident 〔见上，-ent 表示人〕居民；〔-ent …的〕居住的，居留的

residence 〔见上，-ence 名词后缀〕居住，住宅，住处，公馆

residential 〔见上，-ial …的〕居住的，住宅的

subside 〔sub-下，sid 坐；"坐下"→沉下〕沉降，沉淀；〔"坐下"→落下→沉静下来，平静下来→〕平息

subsidence 〔见上，-ence 名词后缀〕沉降，沉淀，平息

dissidence 〔dis- 分开，sid 坐，-ence 名词后缀；"与别人分开坐"→与别人不一致→持相反意见→〕意见不同，不一致，不同意，异议

dissident 〔见上，-ent 表示人〕不同意的人，持异议者；〔-ent …的〕不同意的，持异议的

assiduous 〔as- = ad- 表示 at，sid 坐，-uous …的；"能坐下来坚持工作的"→〕刻苦的，勤奋的

101. sist

识字已数千，未见 sist 面。
欲与它相识，stand 来引见。

☞ **sist = stand 站立**

resist 〔re- 相反，反对，sist 立； "to stand against"

→〕反抗，抵抗，对抗

resistance 〔见上，-ance 名词后缀〕抵抗，反抗

resistant 〔见上，-ant …的〕抵抗的；〔-ant 表示人〕抵抗者

resistible 〔见上，-ible 可…的〕可抵抗的，抵抗得住的

consist 〔con- 共同，一起，sist 立；“立在一起”→组合在一起→共同组成→〕由…组成

assist 〔as- 表示 at，sist 立，“立于一旁”→〕帮助，援助，辅助

assistance 〔见上，-ance 名词后缀〕帮助，援助，辅助

assistant 〔见上，-ant 表示人〕助手，助教，助理；〔-ant …的〕辅助的，助理的

exist 〔ex- 外，出，(在 x 后省略 s) ist = sist 立；“to stand forth”→to emerge，to apear→〕存在

existence 〔见上，-ence 名词后缀〕存在，存在物

existent 〔见上，-ent …的〕存在的

insist 〔in- 加强意义，sist 立；“坚立不移”〕坚决主张，坚持

insistence 〔见上，-ence 名词后缀〕坚决主张，坚持

persist 〔per- 贯穿，从头到尾，自始至终，sist 立〕坚持，持续

persistence 〔见上，-ence 名词后缀〕坚持，持续

persistent 〔见上，-ent …的〕坚持的，持续的

102. son

莫认 son 为“儿子”，
它与 sound 同义；
读音近似，记忆容易。

☞ **son = sound 声音**

sonic 〔son 声音，-ic …的〕声音的，音速的

supersonic 〔super- 超，son 声音，-ic …的〕超音速的

subsonic 〔sub- 亚，次，son 声音，-ic …的〕亚音速的

stereosonic 〔stereo- 立体，son 声音，-ic …的〕立体声的

unison 〔uni 单一，son 声音；“同一声音”→〕同音，齐唱，一致，调和

unisonant 〔见上，-ant …的〕同音的，一致的

dissonant 〔dis- 分开→不同，son 声音，-ant …的；“不同声音的”〕不和谐的，不一致的

dissonance 〔见上，-ance 铭词后缀〕不和谐，不一致

resonant 〔re- 回，son 声音，-ant …的〕回声的，反响的

resonance 〔见上，-ance 名词后缀〕回声，反响

resonate 〔见上，-ate 动词后缀〕回声，反响，共鸣，共振

resonator 〔见上，-or 表示物〕共鸣器，谐振器

ultrasonic 〔ultra- 超，son 声音，-ic …的〕超声的，超音

速的;〔转作名词〕超声波

sonics 〔son 声音, -ics …学〕声能学

103. spect

look 常相见, spect 难相逢,
君且牢记住, 二者义相同。

☞ **spect = look 看**

spectacle 〔spect 看, -acle 名词后缀, 表示物; "观看的东西" →〕光景, 景象, 奇观, 壮观

prospect 〔pro- 向前, spect 看; "向前看" →〕展望, 期望, 前景

prospective 〔见上, -ive …的〕盼望中的, 未来的

retrospect 〔retro- 向后, spect 看; "向后看" →〕回顾, 追溯

retrospection 〔见上, -ion 名词后缀〕回顾, 追溯

retrospective 〔见上, -ive …的〕回顾的, 追溯的

inspect 〔in- 内, 里, spect 看; "向里面仔细看" →〕检查, 审查

inspection 〔见上, -ion 名词后缀〕检查, 审查

inspector 〔见上, -or 表示人〕检查员

expect 〔ex- 外, (在 x 后省略 s) pect = spect 看; "向外望" →〕盼望, 期待, 期望

expectation 〔见上, -ation 名词后缀〕盼望, 期待, 期望

expectant 〔见上，-ant …的〕盼望的，期待的；〔-ant 者〕期待者

respect 〔re- 再，重复，spect 看；“再看”，“重复地看”→重视，看重→〕尊重，尊敬

respectable 〔见上，-able 可…的〕可敬的，值得尊敬的

respectful 〔见上，-ful …的〕尊敬人的，恭敬的

suspect 〔sus- = sub- 下，(s)pect 看；“由下看”→偷偷地看，斜眼看→〕怀疑，猜疑，疑心

suspectable 〔见上，-able 可…的〕可疑的

suspicious 〔见上，spect → spic，-ious …的〕多疑的，可疑的，疑心的

suspicion 〔见上，-ion 名词后缀〕怀疑，疑心，猜疑

introspect 〔intro- 向内，spect 看〕内省，进行自我反省

conspectus 〔con- 共同，全，spect 看，-us 表示物；“全看到”→总览→〕一览表，大纲，概况

circumspect 〔circum- 周围，四周，spect 看；“向四周细看”→〕谨慎的，小心的，慎重的，仔细的

circumspection 〔见上，-ion 名词后缀〕谨慎，小心，慎重

aspect 〔a- = ad- 表示 to，spect 看→外观〕面貌，外表

spectate 〔spect 看，-ate 动词后缀〕出席观看

spectator 〔spect 看，-ator 表示人〕旁观者，观众

conspicuous 〔con- 共同，spic（= spect）看，-uous …的；“共同看见的”→大家都能看见的，有目共睹的→〕明显的，显著的，惹人注目的

specious 〔spec（= spect）看，-ious …的，“中看的”→〕外表美观的，华而不实的

perspective 〔per- 透过，spect 看〕透视，透视的，透视图，透镜

special 〔spec（= spect）看→外观，形状，形象；-ial …的；容易被“看”出的，外观显明的，形状特别醒目的→〕特殊的，特别的

speciality 〔见上，-ity 名词后缀〕特性，特质，特长，专业

specialist 〔见上，-ist 表示人；“特殊的人”有特别专长的人→〕专家

specialize 〔见上，-ize 动词后缀〕特别指出；专门研究，专攻

specially 〔见上，-ly 副词后缀〕特别地，专门地

specific 〔见上，-ific = -fic …的〕特有的，特定的，明确的

specifically 〔见上，-ally 副词后缀，…地〕特别地，尤其

especial 〔e- 加强意义，special 特别的〕特别的，特殊的

especially 〔见上，-ly 副词后缀，…地〕特别地，尤其，格外

speculate 〔spec（= spect）看，-ul-，-ate 动词后缀；看→观察，观测→推测→思考→〕思索，沉思，推测，投机

speculation 〔见上，-ation 名词后缀〕思索，沉思，推测；投机

speculator 〔见上，-or 表示人〕思索者，推测者，投机者

specimen 〔spec（= spect）看，-i-，-men 名词后缀；“给人看的东西”→〕样品，样本，标本

104. spir

spir 是何义？
查遍词典无此字，
劝君莫急，
且与 breathe 一同记。

☞ **spir = breathe 呼吸**

conspire 〔con- 共同，spir 呼吸；“共呼吸”→互通气息→〕共谋，同谋，阴谋，密谋策划

conspirator 〔见上，-ator 表示人〕共谋者，阴谋家

conspiracy 〔见上，-acy 名词后缀，表示行为〕共谋，同谋，阴谋，密谋

inspire 〔in- 入，spir 呼吸；“吸入”，吸气，注入→注入勇气，注入生气→〕鼓舞，激励，激起，吸入，使生灵感

inspiration 〔见上，-ation 名词后缀，表示行为及行为结果〕鼓舞，激励，吸气，灵感

expire 〔ex- 出，(s)pir 呼吸，“呼出气体”〕呼气，吐气；〔呼出最后一口气→〕断气，死亡，终止

expiration 〔见上，-ation 名词后缀，表示行为〕吐气，断气，死亡，告终

respire 〔re- 再，spir 呼吸〕（尤指连续地）呼吸

respiration 〔见上，-ation 名词后缀〕呼吸，呼吸作用
respirator 〔见上，-ator 表示物〕呼吸器，防毒面具，防尘口罩
spirit 〔spir 呼吸，-it 名词后缀；呼吸→气息，the breath of life→〕精神，心灵，灵魂
spiritual 〔见上，-ual …的〕精神（上）的，心灵的
dispirit 〔di- = dis- 取消，除掉，spirit 精神；“使失去精神”→使失去勇气→〕使气馁，使沮丧
perspire 〔per- 贯穿，透过，spir 呼吸；“呼透”→由毛孔呼出〕出汗，排汗
perspiration 〔见上，-ation 名词后缀〕排汗
perspiratory 〔见上，-atory 形容词后缀，…的〕排汗的
aspirate 〔a- 加强意义，spir 呼吸，-ate 动词后缀；“呼气”→送气→〕发送气音；〔转作名词〕送气音

105. tail

“尾巴”叫 tail，
此处 tail 非“尾巴”；
究竟是何义，
须由 cut 来解答。

☞ **tail = cut 切割**

tailor 〔tail 切割→剪裁，-or 表示人；“剪裁者”→〕

裁缝，成衣工，成衣商

tailoress 〔见上，-ess 表示女性〕女裁缝，女成衣工

detail 〔de- 加强意义，tail 切；"切碎的"，由整体切碎细分而成的部分→〕细节，细目，详情，零件

detailed 〔见上，-ed …的〕细节的，详细的

retail 〔re- 再，tail 切；"再切"→切碎→细分→由整变零→〕零售，零卖，零售的

retailer 〔见上，-er 表示人〕零售商

106. tain, ten, tin

在 hold 的后面，
隐藏着 tain, ten, tin 三个身影，
在众多的场合中，
hold 的"任务"都由它们三个执行。

☞ **tain, ten, tin = hold 握，持，守**

contain 〔con- 共同，tain 握，持"to hold together, to hold within fixed limits"→〕容纳，包含，内装

container 〔见上，-er 表示物〕容器，集装箱

obtain 〔ob- 加强意义，tain 握，持；"to get hold of by effort"→〕取得，获得，得到，买到

obtainable 〔见上，-able 可…的〕可获得的，可取得的，可

买到的

sustain 〔sus- = sub- 下，tain 握，持；“在下面支持”→〕支持，支撑，维持，供养

sustenance 〔见上，ten = tain，-ance 名词后缀〕支持，维持，供养，粮食，食物

tenant 〔ten 持，握→握有，占有，-ant 者；“房屋、田地等的占有者”→〕房客，承租人，租户，佃户

tenancy 〔见上，-ancy 表示行为、情况〕，租赁，租用，租佃

maintain 〔main = man 手，tain 握，持；“to hold in the hand，to keep up，to uphold”→〕保持，保存，维持，坚持，供养

maintainable 〔见上，-albe 可…的〕可保持的，可维持的

maintenance 〔见上，ten = tain，-ance 名词后缀〕保持，维持，坚持

tenable 〔ten 持，握，守，保有，-able 可…的〕可保持的，可防守的，守得住的

tenacious 〔ten 握，持，执，守，-acious 形容词后缀，…的〕紧握的，坚持的，固执的，顽强的

tenacity 〔见上，-acity 名词后缀，表示性质〕紧握，坚持，固执，顽强

abstain 〔abs- = ab- 离 (from)，tain 握，持，守；“to hold (or keep) oneself from”→〕戒，避免，避开

abstention 〔见上，ten = tain，-tion 名词后缀〕戒，避免，避开

continue 〔con- 共同，一起，tin 握，持；“把前后各种事

物保持在一起”→使连在一起，使相连→〕连续，继续，使连续，使继续

continuation 〔见上，-ation 名词后缀〕连续，继续，持续，继续部分

continued 〔见上，-ed …的〕连续的，继续的

continent 〔con- 共同，一起，tin 握，持，-ent 表示物；“保持连在一起的陆地”→〕大陆，陆地，大洲

continental 〔见上，-al …的〕大陆的，大陆性的

107. tect

cover 一词，尽人皆识，
tect 何解，鲜为人知。

☞ **tect = cover 掩盖**

detect 〔de- 除去，取消，tect 掩盖；“除去掩盖”→揭露秘密→查明真相→〕侦查，侦察，发觉

detection 〔见上，-ion 名词后缀〕侦查，侦察，察觉

detective 〔见上，-ive …的〕侦探的，侦察的；〔-ive 表示人〕侦探

detectaphone 〔detect 侦察，-a-，phone 电话〕侦听电话机，侦听器，窃听器

protect 〔pro- 前面，tect 掩盖；“在前面掩护”→〕保护

protection 〔见上，-ion 名词后缀〕保护，护卫，防护物

protectionism 〔见上，-ism 主义〕保护（贸易）主义

protective 〔见上，-ive …的〕保护的，防护的

protector 〔见上，-or 表示人或物〕保护者，保护器

unprotected 〔un- 无，protect 保护，-ed …的〕无掩护的，没有防卫的，未设防的

108. tele

你早知道 far 是"遥远"，
你也应把 tele 记心间。
在现代科技词汇中，
tele 经常出头露面。

☞ **tele = far 远**

（**tele** 现多用以表示与电波有关的事物，如"电视"、"电信"、"电传"等）

telecontrol 〔tele 远，control 控制〕远距离控制，遥控

telescope 〔tele 远，scop 镜〕望远镜

telephone 〔tele 远，phon 声音；"由远处通过电波传来的声音"→〕电话

telegram 〔tele 远，gram 写，文字；"由远处通过电波传来的文字"→〕电报

telegraph 〔见上，graph 写，文字〕电报，电报机

television 〔tele 远，vis 看，-ion 名词后辍；"由远处通过电波传来可观看的图象"→〕电视

televisor 〔见上，-or 表示人或物〕电视广播员，电视接收机

teleview 〔见上，-view 看〕收看电视

telecourse 〔tele 电视，course 课程〕电视课程

telecast 〔tele 电视，cast 播〕电视广播

telefilm 〔tele 电视，film 影片〕电视影片

teleplay 〔tele 电视，play 剧〕电视（广播）剧

telescript 〔tele 电视，script 稿〕电视广播稿，电视剧本

teleset 〔tele 电视，set 装置，设备〕电视机

telepaper 〔tele 电传，paper 报纸〕电视传真报纸

teleprinter 〔tele 电传，printer 印字机〕电传打字电报机

teletype 〔tele 电传，type 打字机〕电传打字电报机，电传打字电报

telephoto 〔tele 远，photo 相片〕远距离照相的，传真照片

teleswitch 〔tele 远，switch 开关〕遥控开关，遥控键

telemeter 〔tele 远，meter 测量仪〕遥测仪，测远仪

109. tempor

问君能识 tempor 否？
只识 time 未足奇。

☞ tempor = time 时

temporary 〔tempor 时，-ary …的；"lasting for a time only"→〕暂时的，临时的

contemporary 〔con- 同，tempor 时→时代，-ary …的〕同时代的，同龄的，当代的；〔-ary 表示人〕同时代的人，同年龄的人

contemporize 〔con- 同，tempor 时，-ize 动词后缀〕同时发生，使同时发生

contemporaneous 〔con- 同，tempor 时，-aneous 形容词后缀，…的〕同时期的，同时代的，同时发生的

contemporaneity 〔见上，-aneity 名词后缀，表示性质〕同时代性，同时发生性，同时期性

extempore 〔ex- 外，tempor 时，时间；"在规定时间之外的"→不在计划时间之内的→〕临时的，即席的，当场的，无准备的

extemporize 〔见上，-ize 动词后缀，作…〕临时作成，即席发言，即席演奏

extemporization 〔见上，-ization 名词后缀，表示行为〕即席创作，即席发言

extemporaneous 〔见上，-aneous 形容词后缀，…的〕临时的，当场的，无准备的

extemporary 〔见上，-ary …的〕= extemporaneous

temporal 〔tempor 时间，-al …的〕时间的，（语法）时态的；短暂的

temporize 〔tempor 时，-ize 动词后缀，做…〕顺应时势，迎合潮流；（为争取时间而）拖延，应付

110. tend

你若只认识 stretch，
这表示你的词汇量太小。
你再把 tend 的意义记牢，
你的识字能力才可能提高。

☞ **tend（tens，tent）= stretch 伸**

extend 〔ex- 外，出，tend 伸〕伸出，伸开，扩大，扩展，扩张

extension 〔见上，tens = tend，-ion 名词后缀〕伸展，扩大，扩展

extensible 〔见上，-ible 可…的〕可伸展的，可扩大的，可扩张的

extensive 〔见上，伸展→面积扩大→广阔，-ive …的〕广阔的，广泛的

attend 〔at- 表示 to 向，tend 伸；"to stretch one's mind to"，"把精神或心思伸向…"→〕注意，关心，出席

attention 〔见上，tent = tend，-ion 名词后缀〕注意，关心，注意力

attentive 〔见上，-ive …的〕注意的

contend 〔con- 共同，一起，tend 伸→伸取→追求；"与

…一起伸取某物”，“与…共同追求某物”→〕竞争，斗争

contention 〔见上，-ion 名词后缀〕竞争，斗争

tendency 〔tend 伸，-ency 名词后缀，表示情况、性质；“伸向”→倾向〕趋向，倾向，趋势，倾向性

tendentious 〔见上，-entious（=-ent+-ious）…的〕有倾向性的

tent 〔tent 伸；能够“伸开（张开）”的东西（如皮革、帆布等），用作掩盖、庇护之用→〕帐篷，帐棚

extent 〔ex- 出，tent 伸；伸开→广阔〕广度，宽度，长度，一大片（地区）

intense 〔in- 加强意义，tens 伸；伸展→拉紧，绷紧→〕紧张的，强烈的，剧烈的

intensify 〔见上，-fy 动词后缀，使…〕加剧，加强

intensification 〔见上，-fication 名词后缀，…化〕强化，增强，加紧

intension 〔见上，-ion 名词后缀，表示情况、性质〕紧张，强度

intensive 〔见上，-ive …的〕加强的，深入的

tension 〔tens 伸→绷紧，-ion 名词后缀〕拉紧，绷紧，紧张，张力

hypertension 〔hyper- 超过，tension 张力，压力；“血的压力过高”→〕高血压

tense 〔tens 伸，伸开→拉紧〕拉紧的，绷紧的，紧张的

tensible 〔见上，-ible 可…的〕可伸展的，可拉长的

tensity 〔见上，-ity 表示情况、性质〕紧张，紧张度

distend 〔dis- 散开，tend 伸，扩〕(使)扩张，(使)膨胀，(使)肿胀

distension 〔见上，-ion 名词后缀〕扩张，膨胀(作用)

tend① 〔tend 伸；“把注意力伸向某人或某事”→〕照料，照管，护理，服侍

tendance 〔见上，-ance 名词后缀〕服侍，照料，看护

tend② 〔tend 伸；“伸向”→〕走向，趋向，倾向

protend 〔pro- 向前，tend 伸；“向前伸”→〕(使)伸出，(使)伸展，(使)延伸

protensive 〔见上，protens = protend，-ive …的〕伸长的，延长的，延长时间的

portend 〔por- = pro- 前，tend 伸；“伸到前面”→出现在前面，(某种情况或事物)出现在…之前→〕预示，预兆，作为…的兆头

portent 〔见上，tent = tend；出现在…之前的情况或事物→〕预兆，不祥之兆

portentous 〔见上，-ous …的〕预兆的，不祥之兆的

pretend 〔pre- 前，tend 伸→伸开→摆开；“在别人面前摆出某种姿势或样子”→〕假装，佯装，装作

pretense 〔见上，名词〕假装，做作，藉口

intend 〔in- 入，tend 伸；“把心思伸向某事”→打算做某事→〕想要，打算

intention 〔见上，-ion 名词后缀〕意图，打算，目的，意向

tender 〔tend 伸→伸出；“刚伸出(长出)的嫩芽”→〕嫩的，柔软的，温柔的

111. terr

earth，land 早熟悉，
犹有 terr 表示“地”；
一根带出数十字，
字字易懂又易记。

☞ **terr = earth，land 土地，陆地**

territory 〔terr 土地，-it-，-ory 名词后缀〕领土；领地

territorial 〔见上，-al …的〕领土的

exterritorial 〔ex- 外，见上；“领土之外的”〕治外法权的

exterritoriality 〔见上，-ity 名词后缀〕治外法权

terrace 〔terr 土地，-ace 名词后缀〕台地；地坪；平台，阳台

mediterranean 〔medi 中间，terr 土地，陆地〕（海等）在陆地中的，被陆地包围的

Mediterranean 〔见上〕地中海

terrestrial 〔terr 土地→地球，-ial …的〕地球（上）的，陆上的

extraterrestrial 〔extra- 外，见上〕地球外的

inter 〔in- 入，内，ter = terr 土；“入土”，“埋入土内〕埋葬

interment 〔见上，-ment 名词后缀〕埋葬，葬礼

disinter 〔见上，dis- 不，相反；“与埋葬相反”→〕挖出，发掘出

disinterment 〔见上，-ment 名词后缀〕挖出，掘出物

subterrane 〔sub- 下，terr 土地，-ane 名词后缀〕地下洞穴；地下室

subterraneous 〔sub- 下，terr 土地，-aneous 形容词后缀〕地下的

superterrene 〔-super 上面，见上〕地面上的，地上的

terrain 〔terr 土地，-ain 名词后缀〕地面；地带，地域；地形

terraneous 〔terr 土地，-aneous 形容词后缀〕地上生长的，陆生的

terramycin 〔terr 土，-a-，myc 菌→霉，-in 素〕土霉素

112. text

textile 是“纺织品”，
context 是“上下文”，
这两字有何联系？
你不妨动动脑筋。

☞ **text = weave 编织**

textile 〔text 编织，-ile 名词后缀，表示物〕纺织品，〔-ile 形容词后缀，…的〕纺织的

texture 〔text 编织，-ure 名词后缀，表示行为的结果〕（织物的）组织，结构，织物；（文章的）结构

intertexture 〔inter- 互相，交，text 编织，-ure 名词后缀〕交织，交织物

text 〔text 编织→编写；"编写成的东西"→〕课文，本文，正文

textual 〔见上，-ual …的〕本文的，正文的，原文的

context 〔con- 共同，一起，text 编织→编写→文字，本文；"相连在一起的文字"→〕（文章的）上下文

contextual 〔见上，-ual …的〕上下文的，按照上下文的

pretext 〔pre- 先，预先，text 编织→编造；"预先编造的话"→〕借口，托词

113. tract

tractor 是"拖拉机"，
人人都熟悉。
哪是"拖拉"哪是"机"？
你是否会分析？

☞ **tract = draw 拉，抽，引**

tractor 〔tract 拉，-or 名词后缀，表示物〕拖拉机

attract 〔at- = ad- 表示 to，tract 抽，引→〕吸引，诱

惑

attractive 〔见上，-ive …的〕有吸引力的，有诱惑力的

attraction 〔见上，-ion 名词后缀〕吸引，吸引力，诱惑力

protract 〔pro- 向前，tract 拉；“向前拉”→拉长〕延长，伸长，拖延

protraction 〔见上，-ion 名词后缀，表示行为〕延长，拖延

protractile 〔见上，-ile 可 …的〕(爪、舌等）可伸长的，可伸出的

protractor 〔见上，-or 表示人〕延长者，拖延者

protracted 〔见上，-ed …的〕延长的，拖延的

contract 〔con- 共同，一起，tract 拉；“把二者拉在一起”→使二者结合在一起→〕订约，缔结，契约，合同；〔“共同拉紧”→〕收缩，(使)缩小，收缩了的

contracted 〔见上，-ed …的〕收缩的，缩小的；已定约的，已订婚的

contractible 〔见上，-ible 可…的〕可缩的，会缩的

contractile 〔见上，-ile 可…的〕可收缩的，有收缩力的

contractive 〔见上，-ive …的〕收缩的，有收缩力的

contracture 〔见上，-ure 名词后缀〕(医）挛缩，痉挛

contractual 〔见上，contract 契约，-ual …的〕契约(性)的

contraction 〔见上，-ion 名词后缀〕订约，收缩

abstract 〔abs- = ab- 离开，去，出，tract 抽；“抽去”，“抽出”→〕抽象，抽象的，抽取，提取，摘要

abstraction 〔见上，-ion 名词后缀〕抽象(化)，提取，抽出，分离

extract 〔ex- 出，tract 抽〕抽出，拔出，取出

extraction 〔见上，-ion 名词后缀〕抽出，抽出物，摘要

extractor 〔见上，-or 表示人或物〕抽取者，抽出器
retract 〔re- 回，tract 抽〕缩回，缩进，收回，撤回
retraction 〔见上，-ion 名词后缀〕缩回，收回，撤销
retractive 〔见上，-ive …的〕缩回的
subtract 〔sub- 下，tract 抽；"抽下"→抽去→〕减，减去，去掉
subtraction 〔见上，-ion 名词后缀〕减，减法
subtrahend 〔见上，subtrah = subtract，-end 名词后缀〕减数
distract 〔dis- 分开，离开，tract 抽，引；"把注意力引开"→〕分散（注意力），使(人)分心，弄昏，迷惑
distraction 〔见上，-ion 名词后缀〕心神烦乱，精神错乱
distracted 〔见上，-ed …的〕心烦意乱的，发狂的
traction 〔tract 拉，拖，引，-ion 名词后缀〕拖，牵引(力)
tractive 〔见上，-ive …的〕拖的，牵引的

114. un

one 乃最熟之字，
本是你喻我晓，
应知 un 亦 one 也，
不可"目不识一"。

☞ un = one 一（un 也作 uni）

unite 〔un = one 一，单一，-ite 动词后缀，使成…；“使成为一个整体”→〕统一，联合，团结

united 〔见上，-ed …的〕统一的，联合的

unitive 〔见上，-itive …的〕统一的，联合的

unity 〔un 单一，-ity 名词后缀，表示情况、性质〕统一，单一，整体，团结

disunity 〔dis- 不，见上〕不统一，不团结

union 〔un 单一，-ion 名词后缀，表示行为或行为的结果；“联成一体”→〕联合，联合会，工会，联盟

reunion 〔re- 再，见上〕再联合，再结合

disunion 〔dis- 不，见上〕不统一，不联合，不团结，分裂

unit 〔un 单一，-it 名词后缀，表示物〕单位，单元

unitize 〔见上，-ize 动词后缀，使成…〕使成一个单元

unique 〔un = one 一，单一，-ique（= -ic）…的〕唯一的，独一无二的

unify 〔uni = one 一，单一，-fy 动词后缀，使成…〕统一，使成一体，使一元化

unification 〔见上，-fication 名词后缀〕统一，联合

uniform 〔uni 单一，form 形式，式样〕一样的，相同的；制服

uniformity 〔见上，-ity 名词后缀，表示情况、性质〕一样，一律

unanimous 〔un 单一，一个，anim 心神，意志→意见，-ous

…的；“一个意志的”，“一个意见的”→〕一致的，一致同意的

unanimity 〔见上，-ity 名词后缀，表示情况〕全体一致，一致同意

triune 〔tri- 三，un 单一，一个〕三位一体的，三人一组

triunity 〔见上，-ity 名词后缀〕三位一体

unison 〔uni 单一，son 声音；“同一声音”→〕同音，齐唱，调和，一致

unisonous 〔见上，-ous …的〕同音的，一致的

unilateral 〔uni 单一，later 边，-al …的〕单边的，一边的，单方面的

unicycle 〔uni 单一，cycle 轮〕独轮脚踏车

unidirectional 〔uni 单一，direction 方向，-al …的〕单向性的

115. urb

“城市”本称 city，
suburb 却是“城外”。
哪是“城”？哪是“外”？
真令人不明白。

☞ **urb = city 城市**

suburb 〔sub- 下，靠近，urb 城市；“城下”，“靠近城”

→城外→〕郊区，郊外，近郊，城外

suburban 〔见上，-an …的〕郊区的；〔-an 表示人〕郊区居民

suburbanite 〔见上，-ite 表示人〕郊区居民

suburbanize 〔见上，-ize 使…化〕（使）市郊化

urban 〔urb 城市，-an …的〕城市的，都市的

urbanite 〔见上，-ite 表示人〕城市居民

urbane 〔urb 城市，-ane（=-an）形容词后缀，表示有…性质的，原义来自"城市的人比乡村的人文雅"→〕文雅的，有礼貌的

urbanity 〔见上，-ity 名词后缀，表示性质〕文雅，温文尔雅

inurbane 〔in- 不，见上〕不文雅的，粗野的，不礼貌的

inurbanity 〔见上，-ity 名词后缀〕不文雅，粗野

urbanize 〔见上，-ize 使…化〕使都市化

urbanization 〔见上，-ization …化〕都市化

urbanology 〔urban 城市，-o-，-logy …学〕城市学，都市学

exurb 〔ex- 外，urb 城市；"远在城市之外"→〕城市远郊地区

exurban 〔见上，-an …的〕城市远郊的

exurbanite 〔见上，-ite 表示人〕城市远郊区居民

interurban 〔inter- 在…之间，urb 城市，-an …的〕城市与城市之间的

conurbation 〔con- 共同，urb 城市，-ation 名词后缀；"几个城市共同组成的大城市"〕集合城市（拥有卫星城市的大都市，如伦敦等）

116. vac

vacant 是“空的”，
vacation 是“假期”，
它俩似乎风马牛不相及。
可是你不能表面看问题，
vac 却是它俩的内在联系。

☞ **vac = empty 空**
(vac 也作 vacu)

vacation 〔vac 空，-ation 名词后缀，表示情况、状态；“空闲的状态”→无课业，无工作→〕休假，假期

vacationist 〔见上，-ist 表示人〕休假者，度假者

vacant 〔vac 空，-ant …的〕空的，空白的，未被占用的

vacancy 〔vac 空，-ancy 表示情况、状态〕空，空白，空处，空虚

vacate 〔vac 空，-ate 动词后缀，使…〕使空出，腾出，搬出

evacuate 〔e- 外，出，vacu 空，-ate 动词后缀，使…；“使某地方空出来”→〕撤走，撤空，疏散居民，撤离（某地）

evacuation 〔见上，-ation 名词后缀〕疏散，撤走，撤空

evacuee 〔见上，-ee 被…的人〕被疏散的人员

vacuous 〔vacu 空，-ous …的〕空的，空洞的，空虚的

vacuity 〔vacu 空，-ity 名词后缀，表示情况、状态〕空，空白，空虚

vacuum 〔vacu 空，-um 名词后缀〕真空，真空状态，真空度

vacuumize 〔见上，-ize 动词后缀，使…〕使成真空，真空包装

117. vad

walk，go 是“行走”，
这两字常在口。
若问 vad 作何解，
瞠目结舌十有九。

☞ **vad（vas）= walk，go 行走**

invade 〔in- 入，vad 走；“走入”→闯入→〕侵入，侵略，侵犯

invader 〔见上，-er 表示人〕入侵者，侵略者，侵犯者

invasion 〔见上，vad → vas，-ion 名词后缀，表示行为〕入侵，侵略

invasive 〔见上，-ive …的〕入侵的，侵略的

evade 〔e- 外，出，vad 走；“走出”→逃出→〕逃避，躲避

evasion 〔见上，-ion 名词后缀〕逃避，躲避，回避

evasive 〔见上，-ive …的〕逃避的，躲避的

pervade 〔per- = throughout 全，遍，vad 走；“走遍”→〕遍及，弥漫，渗透，充满

pervasion 〔见上，-ion 名词后缀〕遍布，弥漫，渗透，充满

pervasive 〔见上，-ive …的〕遍及的，遍布的，弥漫的，充满的

wade 〔w ← v，wad ← vad 行走〕蹚，跋涉，费力地前进

waddle 〔见上，wad = vad 行走，d 重复字母，-le 动词后缀，表示反复、连续动作〕摇摇摆摆地走，蹒跚

118. vari

changeable 早相识，
variable 可曾知？
原来造字多变化，
却把 vari 换 change。

☞ **vari = change 变化**

variable 〔vari 变化，-able 可…的，易…的〕可变的，反

复不定的

invariable 〔in- 不，见上〕不变的，恒定的

various 〔vari 变化→多样，-ous …的〕各种各样的，不同的

variety 〔vari 变化，-ety 名词后缀，表示情况、性质〕变化，多样化，种种

vary 〔vari 变化，i → y〕改变，变化，变更

varied 〔-ed …的〕多变化的，各种各样的，不同的

unvaried 〔un- 不，见上〕不变的，经常的，一贯的

variant 〔vari 变化，-ant …的〕变异的，不同的，有差别的

invariant 〔in- 不，见上〕不变的，恒定的

variance 〔vari 变化，-ance 名词后缀，表示性质〕变化，变动，变异

invariance 〔in- 不，见上,〕不变性

variation 〔vari 变化，-ation 名词后缀〕变化，变动，变更

varicoloured 〔vari 变化→多样，colour 颜色，-ed …的〕杂色的，五颜六色的

variform 〔vari 变化→多样，form 形状〕有各种形状的，形形色色的

varisized 〔vari 变化→多样，size 大小，-ed …的〕各种大小的，不同尺寸的

119. ven

学无止镜，
识得 come 只等闲；
天外有天，
表示“来”字尚有 ven。

☞ **ven = come 来**

intervene 〔inter- 之间，中间，ven 来；“来到其间”→介入其中→〕干预，干涉，介入

intervention 〔见上，-tion 名词后缀，表示行为〕干预，干涉，介入

intervenient 〔见上，-ient = -ent …的〕干预的，干涉的，介入的

intervenor 〔见上，-or 表示人〕干涉者，介入者

convene 〔con- 共同，一起，ven 来；“召唤大家来到一起”→〕召集（会议），集合

convention 〔见上，-tion 名词后缀，表示行为的结果〕集会，会议，大会

conventioneer 〔见上，-eer 表示人〕参加会议的人，到会的人

convener 〔见上，-er 表示人〕会议召集人

prevent 〔pre- 前，先，ven 来；“先来”→赶在前面→预先应付→提前准备→〕预防，防止

prevention 〔见上，-ion 名词后缀，表示行为〕预防，防止，阻止

preventive 〔见上，-ive …的〕预防的，防止的

event 〔e- = out 出，ven 来；"出来"→出现→发生→发生的事情→〕事件，大事，事变，偶然事件

eventful 〔见上，-ful 多…的〕多事的，充满大事的，多变故的

avenue 〔a- = ad- 表示 to，ven 来；"来时所经由的路"→〕道路，林荫道，大街

revenue 〔re- 回，ven 来；"回来"→收回→从…收回的东西→收入〕（国家的）岁收，税收，收入

revenuer 〔见上，-er 表示人〕税务官

circumvent 〔circum- 周围，四周，ven 来，"从四周来"→〕包围，围绕

circumvention 〔见上，-ion 名词后缀，表示行为〕包围，围绕

circumventer 〔见上，-er 者〕包围者，用计取胜者

supervene 〔super- 上面，ven 来；"由上面来"→降临→突然发生→〕意外发生

supervention 〔见上，-tion 名词后缀，表示情况、事情〕意外发生，意外发生的事件

contravene 〔contra- = against 反对，相反，ven 来；"to come against"→contrary to→〕违反，触犯，抵触，与…相冲突，反驳

contravention 〔见上，-tion 名词后缀〕违反，触犯，抵触，反驳

120. vert

识得 turn，仅仅是初步，
尚有 vert 须记住。
记住，记住，
众多单词易领悟。

☞ **vert，vers = turn 转**

advertise 〔ad- 表示 to 向，vert 转，-ise 动词后缀，使…；“使（人的注意力）转向…”→使人注意到…→引起人注意→〕登广告，为…做广告，大肆宣扬

advertisement 〔见上，-ment 名词后缀，表示行为、行为的结果〕广告，登广告

anniversary 〔ann 年，-i- 连接字母，vers 转，-ary 名词后缀；“时间转了一年”〕周年纪念日，周年纪念；〔-ary …的〕周年纪念的，周年的

subvert 〔sub- 下，由下，vert 转，翻转；“由下翻转”→〕推翻，颠覆

subversion 〔见上，vert → vers，-ion 名词后缀〕推翻，颠覆

subversive 〔见上，-ive …的〕颠覆性的

divert 〔di- = dis- 分开，离，vert 转；“由学习或工作

中转移开”→〕娱乐，使消遣；〔转离→〕转向，使转移

diversion 〔见上，-ion 名词后缀〕娱乐，消遣，转向，转移

adverse 〔ad- 表示 to，vers 转；“转过来”→反转→相反→敌对→〕（在位置或方向上）逆的，相反的（引申为）敌对的

adversity 〔见上，advers(e)逆的，-ity 表示情况、状态〕逆境，不幸，苦难

adversary 〔见上，advers(e)敌对的，-ary 表示人〕对手，敌手

divorce 〔di- = dis- 分开，散，vorc = vers 转；“to turn apart”→〕离婚，分离，脱离

reverse 〔re- 回，反→倒，vers 转〕倒转，翻转，回转，逆转

reversion 〔见上，-ion 名词后缀〕倒转，翻转，回复，反向

reversible 〔见上，-ible 可…的〕可倒转的，可逆的

irreversible 〔ir- 不，见上〕不可倒转的，不可逆的

introvert 〔intro- 向内，vert 转〕使（思想）内向，内省，使内弯，内向性格的人

introversion 〔见上，-ion 名词后缀〕内向，内省，内弯

extrovert 〔extro- = extra-外，vert 转，转向〕外向性格的人

convert 〔con- 加强意义，vert 转→转变〕变换，转变

conversion 〔见上，-ion 名词后缀〕变换，转化

versatile 〔vers 转，-atile 形容词后缀，可…的〕可转动的，多方面的，多才多艺的

controvert 〔contro- (=contra-) 相反，相对，vert 转；"to turn against"，针锋相对→〕争论，辩论，论战，反驳

controversy 〔见上，-y 名词后缀〕争论，论战，争吵

controversial 〔见上，-ial 形容词后缀，…的〕争论的，好争论的

invert 〔in- 内，vert 转；"内转"→翻转→〕倒转，使倒转，使反向，倒置，转换

inverse 〔见上〕相反的，倒转的

inversion 〔见上，-ion 名词后缀〕反向，倒转，转换

inversive 〔见上，-ive …的〕反向的，倒转的

diverse 〔di- (=dis-) 离，分开，分数，vers 转；"转离原样"，"转为多样的"→〕(和…) 不一样的，多种多样的，形形色色的

diversify 〔见上，-i-，-fy 使…〕使不同，使多样化

diversified 〔见上，-ed …的〕多样化的

diversification 〔见上，-fication 名词后缀 …化〕多样化

diversiform 〔见上，-form 有…形状的〕各种形状的，各式各样的

diversity 〔见上，-ity 名词后缀，表性质、情况〕多样性，变化，异样

retrovert 〔retro- 向后，vert 转；"转向后"→〕使向后弯曲，使反转，使后倾

retroversion 〔见上，-ion 名词后缀〕后转，后倾，倒退，回顾

avert 〔a- = away，vert = turn；"to turn away"，"转移"→移开→〕避开 (灾难等)，避免 (危险等)，转移 (目光、思想等)

version 〔vers 转，-ion 名词后缀；“转”→转换→由一种文字转换为另一种文字→转译→转译的文字〕译文，译本，翻译

vertigo 〔vert 转→旋转，-igo 名词后缀，表示疾病；头“旋转”→〕头晕，晕眩，晕头转向

121. vi, via

way 是“道路”，
尽人皆知，毋庸赘述。
你知否
vi 和 via 也是“道路”？

☞ **vi, via = way 路**

obvious 〔ob- 表示 in (or on)，vi 路，-ous …的；“摆在大路上的”→大家都看得见的→〕明显的，显而易见的，显著的

obviously 〔见上，-ly 副词后缀，…地〕明显地，显著地

previous 〔pre- 先，前，vi 路→走路，行走，-ous …的；“going before” → foregoing〕以前的，先前的

trivial 〔tri- 三，vi 路，-al …的；“三岔路口上的”→随处都可见到的→极普通的→〕平凡的，平常的，不重要的，轻微的，琐细的

triviality 〔见上，-ity 名词后缀〕琐事，琐碎，平凡

deviate 〔de- 离开，vi 道路→正道，-ate 动词后缀〕背离(正道)，偏离

deviation 〔见上，-ion 名词后缀〕背离，偏离，偏向，偏差

deviationist 〔见上，-ist 表示人〕叛离正道者，(政党的)异端分子

devious 〔de- 离开，vi 道路→大道，正道，-ous …的〕远离大路的，偏远的，偏僻的，离开正道的，误入歧途的

via 〔via 道路→经过…道路，by the way of→〕取道，经由

viatic 〔via 道路，-tic 形容词后缀，…的〕道路的，旅行的

viameter 〔via 道路→路程，meter 测量仪，计，仪表〕路程计，车程表

viaduct 〔via 道路，duct 引导；"把路引导过去"→使路跨越过去→〕高架桥，跨线线，旱桥，栈桥

122. vis

"用眼"的字知多少，
一个 see 字难代庖；
若知 vis 也是"看"，
众多单词能记牢。

☞ vis, vid = see 看

visible 〔vis 看，-ible 可…的〕看得见的，可见的

invisible 〔in- 不，见上〕看不见的，无形的

visit 〔vis 看，观看→参观〕参观，游览，访问

visitor 〔见上，-or 表示人〕参观者，观光者，游客，访问者

revisit 〔re- 再，见上〕再参观，再游览，重游

advise 〔ad- 表示 to 向，vis 看→看法，意见；"to give one's opinion to"，"向别人提出自己的看法"→〕向…提意见，建议，作顾问，劝告

adviser, advisor 〔见上，-er 或-or 表示人〕顾问，劝告者

advisory 〔见上，-ory …的〕顾问的，劝告的，咨询的

advice 〔见上，字母变换：s → c〕（医生、顾问的）意见，劝告，忠告

revise 〔re- 再，vis 看；"再看"→审阅→重新审查→〕修订，修改，修正，

revision 〔见上，-ion 名词后缀，表示行为、行为的结果〕修订，修改，修正，修订本

previse 〔pre- 前，先，预先，vis 看见〕预见，预知

prevision 〔见上，-ion 名词后缀〕预见，预知，预测

supervise 〔super- 上，上面，vis 看；"从上面往下看"→〕监视，监督，管理

supervisor 〔见上，-or 表示人〕监视者，监督（人），管理人

supervision 〔见上，-ion 名词后缀，表示行为〕监督，管理

supervisory 〔见上，-ory …的〕监督的，管理的
visual 〔vis 看，-ual …的〕看的，视觉的，视力的
visage 〔vis 看，-age 表示物〕外观，脸，面容，外表
vision 〔vis 看，-ion 名词后缀〕视，视力，视觉
television 〔tele 远，vis 看，-ion 名词后缀；“由远处通过电波传来可观看的图像”→〕电视
televise 〔见上〕电视播送
televisual 〔见上，-ual …的〕电视的
visa 〔vis 看→审视，审查→审查后的签字→〕签证，签准
evident 〔e- 出，vid 看，-ent 形容词后缀，…的；“看得出来的”→〕明显的，明白的
evidence 〔见上，-ence 名词后缀〕明显，明白，迹象，证据
provide 〔pro-前，先，预先，vid 看见；“预先见到而作准备”→〕作准备，预防，提供，装备，供给
provision 〔见上，-ion 名词后缀〕预备，防备，供应，供应品
provident 〔pro- 前，先，vid 看见，-ent …的〕有远见的
improvident 〔im- 无，见上〕无远见的
video 〔vid 看；“可观看的图像”〕电视；电视的
videophone 〔见上，phone 电话〕电视电话，可视电话
videocast 〔见上，cast 广播〕电视广播

123. vit

开卷常遇 life，
此字人人熟；
只恐你对 vit 还陌生，
尚须将它熟记勿疏忽。

☞ **vit = life 生命**

vital 〔vit 生命，-al …的〕生命的，有生命的，充满活力的，致命的，生命攸关的

vitality 〔见上，-ity 名词后缀，表示情况、性质〕生命力，生气，活力

vitalize 〔见上，-ize 动词后缀，使…〕给与…生命力，使有生气

revitalize 〔re- 再，见上〕使再生，使新生，使恢复元气

devitalize 〔de- 除去，取消，去掉，见上〕使失去生命(力)，使伤元气

vitamin(e) 〔vit 生命，amine 胺（一种化合物）；“维持生命之物”→〕维生素，维他命

vitaminology 〔见上，-logy …学〕维生素学

avitaminosis 〔a- 无 vitamin 维生素，-osis 表示疾病名称〕维生素缺乏症

devitaminize 〔de- 除去，去掉，vitamin 维生素，-ize 动词后缀〕

使(食物)失去维生素

124 . viv

live 很熟，相见常在朝夕，
viv 何解？相逢未必相识。

☞ viv = live 活

survive 〔sur- 超过，viv 活；"活得比别人长"，"寿命超过别人"→〕比…活得长，后死，幸存，残存

survival 〔见上，-al 名词后缀，表示情况、状态〕幸存，残存，尚存

survivor 〔见上，-or 表示人〕幸存者，逃生者

revive 〔re- 再，viv 活〕再生，复活，复苏

revival 〔见上，-al 名词后缀，表示情况、状态〕再生，复活，复苏

vivid 〔viv 活，-id 形容词后缀，…的〕活泼的，有生气的

vivacious 〔viv 活，-acious 形容词后缀，…的〕活泼的，有生气的

vivacity 〔viv 活，-acity 名词后缀，表示情况、状态〕活泼，有生气

vivify 〔vivi = viv 活，-fy 使…〕使活跃，使有生气

vivarium 〔viv 活→活物，生物，动植物，-arium 表示场所〕(造成自然环境状态的) 动物(或植物)园

revivify 〔re- 再，viv(i) 活，-fy 使…〕(使)再生，(使)复活，(使)复苏

vivisect 〔viv(i) 活→活体，sect 切，割→解剖〕解剖（动物活体），进行动物活体解剖

vivisection 〔见上，-ion 名词后缀，表示行为〕活体解剖

(二)多认词根,多识单词

125. aer(o)空气,空中,航空

aerial 〔aer 空气,-ial 形容词后缀〕空气的,大气的;航空的

aeriform 〔aer 空气,-i-,-form 如…形状的〕气状的,气体的

aerify 〔aer 空气,-i-,-fy 动词后缀,使成为〕使成为气体,使气体化

aerification 〔aer 空气,-i-,-fication 名词后辍,化为〕气化

aerodrome 〔aero 空中,航空→飞机,drom 跑,行;“飞机滑行的地方”→〕飞机场

aerodynamics 〔aero 空中,dynam 力,-ics …学〕空气动力学

aerogram 〔aero 空中,gram 书写→信;“空中信”→〕无线电报;航空信件

aerolith 〔aero 空中,天空,lith 石;“由天空落下的石头”→〕陨石

aerolithology 〔见上,-logy …学〕陨石学

aerology 〔aero 空气,-logy …学〕大气学,气象学

aeroscopy 〔aero 空气,scopy 观看〕大气观测

aerometer 〔aero 空气,meter 测量器〕气体测量器,气体

比重计

aerobiology 〔aero 空气，biology 生物学〕大气生物学

aeromedicine 〔aero 天空，航空，medicine 医学〕航空医学

aeromechanics 〔acro 航空，mechanics 力学〕航空力学

126. alt 高

altitude 〔alt 高，-itude 名词后缀〕高，高度

alto 〔alt 高，-o 表示音乐术语〕（音乐）男声最高音

exalt 〔ex- 使…，alt 高〕提高，举高，升高，提升

exaltation 〔见上，-ation 名词后缀〕升高，提高，晋升

exalted 〔见上，-ed …的；地位"升高的"〕高贵的，高尚的，崇高的

altar 〔alt 高，-ar 表示物；"一块高地"，"一个高台"→〕祭坛

altarage 〔见上，-age 表示物或费用〕供于祭坛的祭品；香火钱

altimeter 〔alt高，-i-，meter测量器，计〕测高计，高度表

altimetry 〔alt 高，-i-，metry 测量法〕测高法

127. am 爱

amateur 〔am 爱，-ateur = -ator 表示人〕业余爱好者

amateurish 〔见上，-ish …的〕业余的

amatory 〔an 爱→爱情，恋爱，-atory = -ory …的〕恋爱的；色情的

amour 〔am 爱→爱情，-our 名词后缀〕不正当的男女爱情

amorous 〔见上，-ous …的〕恋爱的；多情的；色情的

amorist 〔见上，-ist 人〕好色之徒；专写恋爱的作家

enamour 〔en- 使，amour 恋爱〕使迷恋，使倾心

128. ambul 行，走

ambulance 〔ambul 走，-ance 名词后缀；跟随军队在野外"到处行走流动"的医院→〕野战医院，流动医院，救护车

ambulant 〔ambul 走，-ant 形容词后缀〕走动的，流动的

ambulate 〔ambul 走，-ate 动词后缀〕行走，移动

ambulation 〔ambul 走，-ation 名词后缀〕巡行，周游

ambulator 〔ambul 走，-ator 名词后缀，表示人〕周游者

circumambulate 〔circum- 周围，ambul 行走，-ate 动词后缀〕绕…而行，环行

circumambulation 〔见上，-ation 名词后缀〕绕行

noctambulant 〔noct 夜，ambul 走，游，-ant …的〕夜游的，梦行的

noctambulation 〔见上，-ation 名词后缀〕梦行；梦行症

noctambulist 〔见上, -ist 人〕梦行者

perambulate 〔per- 穿过, ambul 走, 游, -ate 动词后缀〕走过, 步行穿过; 游历, 徘徊; 漫步

perambulation 〔见上, -ation 名词后缀〕游历, 徘徊, 巡行; 漫步, 闲荡

perambulator 〔见上, -ator 人〕游历者, 巡行者; 漫步者, 闲荡者

preamble 〔pre- 前, ambl ← ambul 行走; "走在前面"→〕序言, 前言, 前文, 绪论

preambulate 〔见上, -ate 动词后缀〕作序言

somnambulate 〔somn 睡, 梦, ambul 走, 行, -ate 动词后缀〕梦游, 梦行

somnambulation 〔见上, -ation 名词后缀〕梦游, 梦行

somnambulist 〔见上, -ist 人〕梦游者, 梦行者

somnambulistic 〔见上, -istic 形容词后缀〕梦游者的; 梦游的

129. anim 生命, 活, 心神, 意见

animal 〔anim 生命, 活的, -al 名词兼形容词后缀〕动物; 动物的

animalcule 〔animal 动物, -cule 名词后缀, 表示小〕小动物, 微生物

animalize 〔-ize 动词后缀, 使…〕使动物化

animality 〔-ity 抽象名词后缀〕动物性, 兽性

animalism 〔-ism 表性质〕动物性，兽欲

animate 〔anim 生命，生气，-ate 动词后缀〕使生气勃勃；使有生命

animation 〔anim 生命，生气，-ation 名词后缀〕生气；活跃

animator 〔anim 生命，生气，-ator 人〕赋与生气者；鼓舞者

animative 〔anim 生命，生气，-ative 形容词后缀〕有生气的

disanimate 〔dis- 取消，除去，anim 生命，生气→勇气〕挫其勇气，使沮丧

equanimity 〔equ 平，anim 心神，-ity 名词后缀〕沉着，平静，镇定

exanimate 〔ex- 无，anim 生命，生气，-ate …的〕无生命的；已死的；无生气的

exanimation 〔见上，-ation 抽象名词后缀〕无生命，死；意志消沉

inanimate 〔in- 无，anim 生命，生气，-ate …的〕无生命的；无生气的，不活泼的

inanimation 〔见上，-ation 抽象名词后缀〕无生命；无生气，不活泼

longanimous 〔long 长，持久，anim 心神→意志，-ous …的；“意志能持久的”→〕坚忍的，忍耐的

longanimity 〔见上，-tiy 名词后缀，表性质状态〕坚忍，忍耐

reanimate 〔re- 再，复，anim 生命，活，-ate 动词后缀〕使再生，使复活，使重振精神，使重新活跃

reanimation 〔见上，-ation 抽象名词后缀〕再生，复活；重

振精神

unanimous 〔un = uni，一个，anim 心神，意见，-ous …的；“一个意见的”→〕一致的；一致同意的

unanimity 〔见上，-ity 名词后缀〕全体一致；一致同意

magnanimous 〔magn 大，anim 心神→气量，-ous …的〕宽宏大量的，大度的，

130．anthrop（o）人，人类

anthropology 〔anthropo 人类，-logy …学〕人类学

anthropologist 〔anthropo 人类，-logist …学者〕人类学者

anthropoid 〔anthrop 人，-oid 似…的〕似人的；类人猿

anthroposcopy 〔anthropo 人，scopy 看；“观人面相”→〕观相学

anthroposociology 〔anthropo 人类，sociology 社会学〕人类社会学

anthropotomy 〔anthropo 人→人体，tomy 切，割→解剖〕人体解剖（学）

philanthropy 〔phil 爱，anthrop 人类，-y 表抽象名词；“爱人类”〕仁爱，慈善；博爱主义

philanthropist 〔见上，-ist 表示人〕博爱主义者，慈善家

philanthropic 〔见上，-ic …的〕博爱的，慈善的

misanthropy 〔mis = miso 厌，恨，恶，anthrop 人类〕厌世，厌恶人类

misanthropist 〔见上，-ist 表示人〕厌世者，厌恶人类者

misanthropic 〔见上，-ic …的〕厌世的，厌恶人类的

131. aqu 水

aquarium 〔aqu 水，-arium 表示场所地点；“放养水生动物的地方”〕水族馆，养鱼池

aquatic 〔aqu 水，-atic 形容词后缀，…的〕水的，水中的

aqueduct 〔aqu 水，-e-，duct 引导；“引导水”→〕引水槽，水道，沟渠，导水管

aqueous 〔aqu 水，-eous …的〕水性的，多水的，含水的，水状的

aquosity 〔aqu 水，-osity 名词后缀，表示状态〕多水状态，潮湿

aquiculture 〔aqu 水，-i-，cult 养育，-ure 名词后缀〕饲养水栖动物，养鱼，水产养殖

aquiferous 〔aqu 水，-i-，fer 带有，-ous …的〕带有水的，含水的

aquiform 〔aqu 水，-i-，-form 有…形状的〕水状的

subaqueous 〔sub-下，aqu 水，-eous …的〕水下的，用于水下的

superaqueous 〔super-上，aqu 水，-eous …的〕水上的，水面上的

aqualung 〔aqua = aqu 水，lung 肺〕（潜水员背的）水中呼吸器

aquashow 〔aqua = aqu 水，show 表演〕水上技艺表演

132. arch 统治者，首脑 archy 统治

anarchy 〔an- 无，archy 统治→政府〕无政府状态
anarchism 〔见上，-ism 主义〕无政府主义
anarchist 〔见上，-ist 者〕无政府主义者
monarch 〔mon- 独→一人，arch 统治者〕君主，最高统治者；国王
monarchy 〔mon- 独→一人，archy 统治〕君主政体，君主制度
monarchic 〔见上，-ic …的〕君主的，君主政体的
monarchism 〔见上，-ism 主义，制度〕君主制度；君主主义
polyarchy 〔poly- 多，archy 统治→政治〕多头政治
oligarchy 〔olig 少，寡，archy 统治→政治〕寡头政治，寡头统治
plutarchy 〔plut 财富→财阀，富豪，archy 统治〕富豪统治，财阀统治
gynarchy 〔gyn 妇女，archy 统治→政治〕妇人政治
patriarch 〔patri 父，arch 首脑，长〕家长；族长
patriarchy 〔patri 父，archy 统治〕父权制；父权制社会
matriarch 〔matri 母，arch 首脑，长〕女家长；女族长
matriarchy 〔matri 母，archy 统治〕母权制，母系氏族制

133. avi 鸟

avian 〔avi 鸟，-an 形容词后缀〕鸟的；鸟类的，鸟纲的

aviary 〔avi 鸟，-ary 名词后缀，表示场所；“鸟的场所”→〕养鸟房，鸟槛，鸟舍

aviculture 〔avi 鸟，culture 培养〕养鸟，养鸟法

aviate 〔avi 鸟→飞行，-ate 动词后缀〕飞行；驾驶飞机

aviation 〔avi 鸟→飞行，-ation 名词后缀〕飞行，航空；飞行术，航空学

aviator 〔avi 鸟→飞行，-ator 名词后缀，表示人〕飞行员，飞机驾驶员

aviatrix 〔见上，-trix 名词后缀，表示女性〕女飞行员

134. bat 打

combat 〔com- 表示 with，bat 打；“to fight with，to fight against”→〕战斗，格斗，竞争，反对

combatant 〔见上，-ant 表示人〕战斗员；〔-ant 形容词后缀，…的〕战斗的

combative 〔见上，-ive 形容词后缀，…的〕好斗的

battle 〔bat 打，-le 动词后缀〕战斗，斗争；〔转为名词〕战役，会战

batter 〔bat 打，-er 动词后缀，表示连续动作〕连打，连续猛击

debate 〔de- 加强意义，bat 打；“打击”对方→驳倒对方→〕争论，辩论

debatable 〔见上，-able 可…的〕可争论的，可争辩的

debater 〔见上，-er 表示人〕争论者

135. biblio 书

bibliographer 〔biblio 书，graph 写，-er 人〕书目提要编著人

bibliographic 〔见上，-ic 形容词后缀〕属于书目提要的

bibliographize 〔biblio 书，graph 写，-ize 动词后缀〕编写书目提要

bibliography 〔见上，-y 名词后缀〕书目提要；文献目录

bibliolatry 〔biblio 书，latry 崇拜〕书籍崇拜

bibliolater 〔biblio 书，later 崇拜者〕书籍崇拜者

bibliolatrous 〔biblio 书，latr 崇拜，-ous …的〕崇拜书籍的

bibliomania 〔见上，-mania 狂〕书狂，藏书癖

bibliophilist 〔biblio 书，phil 爱，-ist 人〕书籍爱好者

bibliopole 〔biblio 书，pol 卖〕书商

Bible 圣经

136. brig 战斗，打

brigade 〔brig 战斗，-ade 名词后缀；“战斗的单位”→〕旅；队

brigadier 〔见上，-ier 表示人〕旅长

brigand 〔brig 打→劫掠，抢劫，-and 名词后缀〕土匪，强盗

brigandism 〔见上，-ism 表示行为〕土匪行为，掠夺

brigandish 〔见上，-ish …的〕土匪般的

brigandage 〔见上，-age 表示行为〕强盗行为，行劫

brigantine 〔见上，-ine 名词后缀；土匪，强盗→海盗；原义为海盗船→〕双桅帆船

137. cad, cas 降落，降临

decadence 〔de- 下，cad 落，-ence 名词后缀〕堕落，衰落，颓废

decadent 〔见上，-ent 形容词后缀，…的〕颓废的

case 〔cas 降；“突然降临的”、“偶然发生的”情况→〕情况，情形，状况

casual 〔cas 降，-ual 形容词后缀；“突然降临的”→〕偶然的，未意料到的

casualty 〔见上，-ty 名词后缀；“偶然之事”，“突然”→〕

伤亡

occasion 〔oc- 加强意义，cas 降，-ion 名词后缀；“偶然降临的”→〕时机，机会；场合

occasional 〔见上，-al …的〕偶然的，非经常的

occasionalism 〔见上，-ism …论〕偶因论

occasionality 〔见上，-ity 名词后缀，表性质〕偶然性

138. cert 确实，确信

certify 〔cert 确实，-i-，-fy 动词后缀，使…〕证实，证明

certifier 〔见上，-er 者〕证实者，证明者

certified 〔见上，-ed …的〕被证实了的，被证明了的

certification 〔见上，-fication 名词后缀〕证明；证明书

certifiable 〔见上，-able 可…的〕可证实的，可证明的

certificate 〔见上，-ate 名词后缀〕证明书

certitude 〔cert 确实，-itude 名词后缀〕确实性，确信，必然性

incertitude 〔in- 不，见上〕不确定，不肯定，无把握

certain 〔cert 确实，-ain 形容词后缀〕确实的，确信的，一定的

certainly 〔见上，-ly 副词后缀，…地〕确实地，一定地，当然地

certainty 〔见上，-ty 名词后缀〕确实，必然，肯定；必然的事

ascertain 〔as- 加强意义，certain 确实〕确定，查明（真

实情况）

ascertainable 〔见上，-able 可…的〕可确定的，可查明的

ascertainment 〔见上，-ment 名词后缀〕确定，查明

uncertain 〔un- 不，见上〕不确定的，靠不住的

uncertainty 〔见上，-ty 名词后缀〕不确定，靠不住

139. chron 时

chronic 〔chron 时间，-ic …的；“拖长时间的”〕长时间的，长期的，（疾病）慢性的

chronicity 〔见上，-icity 名词后缀〕长期性，慢性

synchronal 〔syn- 同，chron 时，-al …的〕同时发生的，同步的，同时以同速进行的

synchronism 〔见上，-ism 表示情况、性质〕同时发生，同步

synchronize 〔见上，-ize 动词后缀〕同时发生，同步，使同步，使在时间上一致

synchronoscope 〔见上，scope 观测仪器〕同步指示仪，同步示波器

chronometer 〔chron 时间，-o-，meter 计，表，仪器〕精密时计

chronicle 〔chron 时间，-icle 名词后缀；“按时间顺序记载的史实”→〕编年史，年代记，年代史

chronicler 〔见上，-er 者〕年代史编者

chronology 〔chron 时间→年代，-o-，-logy …学〕年代学，年表

140. cid 降落，降临

accident 〔ac- 加强意义，cid 降；“偶然降临的事”→〕偶然的事，意外的事

accidental 〔见上，-al …的〕偶然的，意外的

incident 〔in- 加强意义，cid 降；“突然降临的事”→〕事变；事件

incidental 〔见上，-al …的〕偶然碰到的

coincide 〔co- 共同，in- 加强意义，cid 降；“同时降临”→〕同时发生，相合，符合，重合，一致

coincident 〔见上，-ent …的〕同时发生的，重合的，一致的

coincidence 〔见上，-ence 名词后缀〕巧合；巧合的事物；符合，一致

Occident 〔oc- 加强意义，cid 降；“太阳降落的地方”→〕西方

Occidental 〔见上，-al …的〕西方的

Occidentalism 〔见上，-ism 表特性〕西方人（或西方文化）的特征

Occidentalist 〔见上，-ist 人〕西方文化爱好者

deciduous 〔de- 表示加强意义，cid 落，-uous …的〕脱落的；（植物）每年落叶的

141. clin 倾

decline 〔de-加强意义，clin 倾〕倾斜，下倾；衰落

declension 〔de-加强意义，clen←clin 倾，（音变：i→e），-sion 抽象名词后缀〕倾斜；衰落，衰退

declinal 〔见-decline，-al…的〕倾斜的，下倾的

declinate 〔见上，-ate…的〕倾斜的，下倾的

declination 〔见上，-ation 抽象名词后缀〕倾斜，下倾；衰落

incline 〔in-加强意义，clin 倾〕倾斜；倾向于；偏爱，喜爱

inclination 〔见上，-ation 抽象名词后缀〕倾斜；倾向；爱好，偏爱

inclinable 〔见上，-able…的〕倾向于…的；赞成…的

disincline 〔dis-不，incline 倾向，偏爱〕使不爱，使不愿

disinclination 〔见上，-ation 抽象名词后缀〕不喜爱，不愿；厌恶

recline 〔re-向后，clin 倾斜〕使向后靠；斜倚；躺

reclination 〔见上，-ation 抽象名词后缀〕斜倚；躺

142. cosm(o) 世界，宇宙

cosmic 〔cosm 宇宙，-ic…的〕宇宙的

cosmism 〔cosm 宇宙，-ism 论〕宇宙论，宇宙进化论

cosmics 〔cosm 宇宙，-ics …学〕宇宙学

cosmology 〔cosmo 宇宙，-logy …学〕宇宙学，宇宙论

cosmologic 〔cosmo 宇宙，-logic …学的〕宇宙学的，宇宙论的

cosmologist 〔cosmo 宇宙，-logist …学者〕宇宙论学者

cosmonaut 〔cosmo 宇宙，naut 船→航行者〕宇宙航行员

cosmonautics 〔见上，-ics …学〕宇宙航行学；宇宙航行术

cosmopolis 〔cosmo 世界，polis 城市；“世界城市”→〕国际都市

cosmopolitan 〔cosmo 世界，polit ← polis 城市〕全世界的；世界主义的；世界主义者

cosmopolitanism 〔见上，-ism 主义〕世界主义

cosmos 宇宙

microcosm 〔micro 微，小，cosm 世界；“小世界”→〕微观世界

microcosmic 〔见上，-ic …的〕微观世界的，小宇宙的

macrocosm 〔macro 大，cosm 世界；“大世界→〕宏观世界

macrocosmic 〔见上，-ic …的〕宏观世界的，宏观宇宙的

143. cracy 统治
crat 支持（或实行）…统治的人

democracy 〔demo 人民，cracy 统治；“人民统治”→人民做

主→〕民主，民主主义，民主政治，民主政体

democrat 〔demo 人民，crat 主张…统治的人〕民主主义者

democratic 〔见上，-ic …的〕民主的，民主主义的；民主政体的

democratism 〔见上，-ism 主义〕民主主义

autocracy 〔auto- 自己，独自，cracy 统治；“独自统治”→〕独裁政治；专制，独裁；专制制度

autocrat 〔auto- 自己，独自，crat 统治者〕独裁者；暴君；专制君主

autocratic 〔见上，-ic …的〕独裁的，专制的

bureaucracy 〔bureau 办公桌→办公处→衙门，官府→官僚，cracy 统治〕官僚政治，官僚主义

bureaucrat 〔见上，crat 统治者〕官僚

bureaucratic 〔见上，-ic …的〕官僚政治的，官僚主义的

bureaucratese 〔见上，-ese 语言〕官僚语言，官腔

bureaucratism 〔见上，-ism 主义〕官僚主义

bureaucratize 〔见上，ize …化〕使官僚主义化

plutocracy 〔pluto 财，财富，cracy 统治〕财阀统治，富豪统治

plutocrat 〔pluto 财，财富，crat 统治者〕富豪，财阀

plutocratic 〔见上，-ic …的〕富豪统治的，财阀政治的；富豪(般)的

theocracy 〔theo 神，cracy 统治〕神权政治，僧侣政治

theocratic 〔见上，-ic …的〕神权政治的

monocracy 〔mono- 单一，独，cracy 统治〕独裁政治

monocrat 〔mono- 单一，独，crat 统治者〕独裁统治者，独裁者

monocratic 〔见上，-ic …的〕独裁政治的

polycracy 〔poly- 多，cracy 统治；“多人统治”→〕多头政治

144. cub 躺，卧

cubicle 〔cub 卧，-icle 名词后缀，表示小；“睡觉”的地方〕小卧室，小室

incubate 〔in- 加强意义，cub 卧，伏，-ate 动词后缀；“伏卧于卵上”→〕孵卵，伏巢，孵化

incubation 〔见上，-ation 名词后缀〕孵卵，伏巢，孵化

incubative 〔见上，-ative …的〕孵卵的；潜伏期的

incubator 〔见上，-ator 表示人或物〕孵卵器，孵化员

incubus 〔见上，-us 名词后缀；“伏卧于睡眠者身上的“恶魔”→〕梦魔

concubine 〔con- 共同，cub 卧；卧居，-ine 表示人；“共同卧居者”→非法与男人同居的女人〕姘妇，情妇，妾

145. cult 耕，培养

cultivate 〔culti 耕，培养，-ate 动词后缀〕耕作；养殖；培养

cultivable 〔见上，-able 可…的〕可耕作的；可栽培的；可

教养的；可教化的

cultivation 〔见上，-ation 抽象名词后缀〕耕作；栽培；教养

cultivator 〔见上，-ator 人〕耕作者，栽培者

culture 〔cult 培养，教养，-ure 名词后缀；“由教养所形成的”→〕文化

cultural 〔见上，-al …的〕文化的，文化上的

aquiculture 〔aqu 水，-i-，cult 养，-ure 名词后缀〕水产养殖

agriculture 〔agri 田地，cult 耕，-ure 抽象名词后缀；“耕种田地”→〕农业；农艺；农学

agricultural 〔见上，-al 形容词后缀〕农业的；农艺的；农学的

agriculturist 〔见上，-ist 人〕农学家

apiculture 〔api 蜜蜂，cult 养，-ure 名词后缀〕养蜂，养蜂业

apiculturist 〔见上，-ist 人〕养蜂者，养蜂家

arboriculture 〔arbor 树木，cult 培养，-ure 名词后缀〕树木栽培（学）

arboriculturist 〔见上，-ist 人〕树木栽培家

aviculture 〔avi 鸟，cult 培养，-ure 名词后缀〕养鸟

floriculture 〔flori 花，cult 培养，-ure 抽象名词后缀〕养花，种花，花卉栽培，花艺

floricultural 〔见上，-al …的〕养花的，花卉栽培的

floriculturist 〔见上，-ist 人〕养花者，花匠；花卉栽培家

146. cycl(o) 圆，环，轮

unicycle 〔uni 单一，独，cycl 轮〕独轮脚踏车

bicycle 〔bi- 两，二，cycl 轮；“两轮车”→〕自行车

tricycle 〔tri- 三，cycl 轮〕三轮脚踏车；三轮摩托车

autocycle 〔auto- 自己→自动，cycl 轮→车〕摩托车，机器脚踏车

hemicycle 〔hemi- 半，cycl 圆〕半圆形；半圆形结构

cycle 〔cycl 圆→圆周→〕周期；循环；一转

cyclical 〔见上，-ical 形容词后缀〕周期的；循环的；轮转的

cyclometer 〔cyclo 圆，meter 测量器〕圆弧测定器；车轮转数记录器

cyclograph 〔cyclo 圆，graph 写，画〕圆弧规

cyclone 〔cycl 圆→旋转，-one 名词后缀〕旋风；气旋

tetracycline 〔tetra- 四，cycl 环，-ine 表药物名称〕〔药〕四环素

147. dem(o) 人民

democracy 〔demo 人民，cracy 统治；“人民统治”→人民做主→〕民主；民主政治，民主政体；民主主义

democrat 〔见上，crat 主张…统治的人〕民主主义者

democratism 〔见上，-ism 主义〕民主主义

democratize 〔见上，-ize …化〕民主化；使民主化

democratic 〔见上，-ic …的〕民主的，民主主义的，民主政体的

demagogue 〔dem 人民→群众，agog 引导→鼓励，煽动；“煽动群众者”→〕煽动者，蛊惑民心的政客

demagogism 〔见上，-ism 表示主义或行为〕煽动；煽动主义

demagogic 〔见上，-ic …的〕煽动的，蛊惑的

demography 〔demo 人民→人数，人口，graphy 写，记录→统计〕人口统计学

demographic 〔见上，-ic …的〕人口统计的

endemic 〔en- 表示 in，dem 人民，-ic …的；“属于某种人的”，“属于某地人的”→〕某地人（或某种人）特有的；（疾病等）地方性的

epidemic 〔epi- 在…之间，dem 人民，-ic …的“流行于人民之中的”→〕流行性的，传染的；流行病，时疫

epidemiology 〔见上，-io- 连接字母，-logy …学〕流行病学

epidemiologist 〔见上，-logist …学者〕流行病学者

epidemiological 〔见上，-logical …学的〕流行病学的

pandemic 〔pan- 全，遍，dem 人民，-ic …的；“遍行于人民之中的”→〕（疾病）大流行的；大流行病

148. dexter 右

dexter 左边的，右侧的

dexterous 〔dexter 右，-ous 形容词后缀，…的，右手比左手灵巧敏捷→〕灵巧的，敏捷的；伶俐的

dexterity 〔见上，-ity 抽象名词后缀〕灵巧，敏捷；聪明；伶俐

ambidexter 〔ambi- 二，两，dexter 右→右手；"两只右手"→使用左手和使用右手同样灵巧方便〕左右手都善用的（人）；两面讨好的（人）

ambidexterous 〔见上，-ous …的〕左右手都善用的；非常灵巧的；两面讨好的

ambidexterity 〔见上，-ity 抽象名词后缀〕左右手都善用的能力；两面讨好

dextral 〔dextr ← dexter 右，-al …的〕右边的；用右手的

dextrorotation 〔dextr ← dexter 右，-o- 连接字母，rotation 旋转〕向右旋转，顺时针方向旋转

dextrorotatory 〔见上，rotatory 旋转的〕向右旋转的

dextrose 〔dextr ← dexter 右，-ose 名词后缀，表示糖〕右旋糖，葡萄糖

149. doc 教

doctor 〔doc 教→指教，-or 人；"指教者"→〕医生；博士

doctoral 〔见上，-al …的〕博士的

doctorate 〔见上，-ate 名词后缀〕博士衔，博士学位

doctrine 〔见上，-ine 名词后缀〕教义，教旨，教条；主

义

doctrinal 〔见上，al …的〕教条的，教义的

doctrinaire 〔见上，-aire 名词后缀，表示人〕教条主义者

document 〔doc 教，指教→指示，-u- 连接字母，-ment 名词后缀，表示物；“指示性的文件”→〕公文，文件；文献

documental 〔见上，-al …的〕公文的；文献的

documentary 〔见上，-ary …的〕公文的，文件的；记录的，记实的

docile 〔doc 教，-ile 易…的〕容易管教的，驯良的

docility 〔doc 教，-ility 名词后缀〕容易管教，驯良

indocile 〔in- 不，doc 教，-ile 易…的〕难驯服的

indocility 〔见上，-ility 名词后缀〕难驯服

docent 〔doc 教，-ent 名词后缀，表示人〕教员；讲师

150. dom 屋，家

domestic 〔dom 屋，家，-tic 形容词后缀，…的〕家里的；(引伸为) 国内的

domesticate 〔见上，-ate 动词后缀〕使喜家居；使野生动物成为家养动物，驯养 (动物)；使归化

domestication 〔见上，-ation 名词后缀〕驯养，驯化；归化

domesticator 〔见上，-ator 者〕驯养者，驯化者；使归化者

domesticable 〔见上，-able 可…的〕可驯养的，可驯化的；习惯于家居的

domesticity 〔见上，-ity 名词后缀〕家庭生活

domicile 〔见上，-ile 名词后缀〕住处；户籍

domiciliary 〔见上，-ary …的〕住处的；户籍的

domiciliate 〔见上，-ate 动词后缀〕定居；使定居

dome 圆屋顶；大厦（诗歌用语）

domical 〔见上，-al …的〕圆屋顶的

semidome 〔semi- 半，dome 圆屋顶〕半圆屋顶

151. dorm 睡眠

dormitory 〔dorm 睡眠，-ory 名词后缀，表场所、地点〕集体寝室，宿舍

dormant 〔dorm 睡眠，-ant 形容词后缀，…的〕休眠的，蛰伏的

dormancy 〔dorm 睡眠，-ancy 名词后缀，表状态〕休眠，蛰伏

dormitive 〔dorm 睡眠，-ive 名词及形容词后缀〕安眠的；安眠药

endorm 〔en- 使…，dorm 睡〕使入睡，催眠

152. drom 跑

aerodrome 〔aero 航空→飞机，drom 跑；“跑飞机的地方”→〕飞机场

hippodrome 〔hippo 马，drom 跑；“跑马的地方”→〕跑马

场，赛马场；马戏场

motordrome 〔motor 汽车，drom 跑；“跑汽车的地方”→〕汽车比赛场；汽车试车场

prodrome 〔pro- 前，drom 跑，“跑在前面”→〕序论；〔医学〕前驱症状

prodromic 〔见上，-ic …的〕序论的；前驱症状的

syndrome 〔syn- 同，drom 跑；“跑出来”→发生；“同时跑出来”→同时发生〕〔医学〕综合病征，症状群（同时发生的一群症状）

dromedary 〔drom 跑；“能跑长途者”→〕善跑的骆驼；单峰骆驼

dromometer 〔drom 跑，-o-，meter 计〕速度计

153. ego 我

ego 自我，自己

egoism 〔ego 自我，-ism 主义〕自我主义，利己主义

egocentric 〔ego 自我，centr 中心，-ic …的（人）〕自我中心的；以我为中心的人，自我主义者

egocentricity 〔见上，-icity 抽象名词后缀〕自我中心；自私自利

egoist 〔ego 自我，-ist 者〕自我主义者，利己主义者

egoistical 〔ego 自我，-istical 形容词后缀，…的〕利己的，利己主义的；自私自利的

egomania 〔ego 自我，mania 狂热，迷〕极端利己主义

egomaniac 〔ego 自我，maniac …狂人〕极端利己主义者

154．err 漫游，走，行

errant 〔err 漫游，-ant 形容词后缀，…的〕周游的；漂泊的

errantry 〔见上，-ry 名词后缀〕游侠行为；游侠

erratic 〔err 漫游，-atic 形容词后缀，…的〕飘忽不定的

error 〔err 漫游，走→走离正道→走错，-or 抽象名词后缀〕错误，谬误

erring 〔见上，ing …的〕做错了事的；走入歧途的

aberrant 〔ab- 离开，err 走，-ant …的〕离开正路的，脱离常轨的

aberrance 〔ab- 离开，err 走，-ance 名词后缀〕离开正道，脱离常轨

aberration 〔见上，-ation 名词后缀〕离开正道，脱离常轨

inerrable 〔in- 不，err 走，走离正道→错误，-able 可…的〕不会错的；绝对正确的

inerrancy 〔in- 不，err 走离正道→错误，-ancy 名词后缀〕无错误；绝对正确

155．fabl，fabul 言

fable 〔fabl 言〕寓言，传说

fabler 编寓言者

fabulist 〔fabul 言，-ist …人〕寓言家，撒谎者

fabulous 〔见上，-ous …的〕寓言般的，传说的，编写寓言的

fabulosity 〔见上，-osity 表示性质〕寓言性质

fabled 〔见上，-ed …的〕寓言中的，虚构的

confabulate 〔con- 共同，fabul 言→谈；-ate 动词后缀〕闲谈，谈心，讨论，会谈

confabulation 〔见上，-ation 名词后缀〕闲谈，会谈

confabulator 〔见上，-ator 表示人〕闲谈者

confab ＝confabulation

effable 〔ef- 出，fabl 说〕能被说出的，可说明的

156. feder 联盟

federal 〔feder 联盟，-al 形容词后缀，…的〕联盟的；联合的；联邦的；联邦制的

federalism 〔见上，-ism 主义，制度〕联邦制；联邦主义

federalist 〔见上，-ist 者〕联邦制拥护者；联邦主义者

federalize 〔见上，-ize 动词后缀〕使成同盟；使结成联邦

federalization 〔见上，-ization 名词后缀〕结成联邦

federate 〔feder 联盟，-ate 形容词兼动词后缀〕同盟的，联邦的；(使) 结成联盟 (或联邦)

federation 〔feder 联盟，-ation 名词后缀〕联盟，同盟；联合会；联邦，联邦政府

federationist 〔见上，-ist 者〕联合主义者

federative 〔feder 联盟，-ative 形容词后缀，…的〕联合的；联邦的

antifederal 〔anti- 反对，federal 联盟的〕反联邦制的

confederacy 〔con- 加强意义，feder 联盟，-acy 名词后缀〕联盟，邦联，同盟

confederate 〔见上，-ate 名词、形容词、动词后缀〕同盟的，联合的；同盟者；同盟国；(使)结成同盟

confederation 〔见上，-ation 名词后缀〕同盟，联盟；邦联

confederative 〔见上，-ative 形容词后缀〕联盟的；邦联的

157. ferv 沸，热

fervid 〔ferv 热，-id 形容词后缀，…的〕炽热的；热情的；热烈的

fervidity 〔ferv 热，-idity 抽象名词后缀〕炽热；热情；热烈

fervent 〔ferv 热，-ent 形容词后缀，…的〕炽热的；热情的；热烈的

fervency 〔ferv 热，-ency 抽象名词后缀〕炽热；热情；热烈

fervescent 〔ferv 热，-escent 形容词后缀，表示正在进行的〕发热的

fervor 〔ferv 热，-or 抽象名词后缀〕炽热；热情；热烈

effervesce 〔ef- 加强意义，ferv 沸，-esce 动词后缀，表示正在进行〕沸腾；起泡沫，冒气泡

effervescent 〔ef- 加强意义，ferv 沸，-escent 形容词后缀〕

冒泡的；泡腾的；沸腾的

effervescence 〔ef- 加强意义，ferv 沸，-escence 抽象名词后缀〕冒泡，起泡（沫）；泡腾

perfervid 〔per- 完全，彻底，十分，ferv 热，-id 形容词后缀，…的〕十分热烈的；十分热情的；非常热心的

158. fict，fig 塑造，虚构

fiction 〔fict 虚构，杜撰，-ion 名词后缀〕虚构，杜撰；捏造；〔虚构的事→〕小说

fictionist 〔见上，-ist 人〕小说家

fictional 〔见上，-al …的〕小说的；虚构的

fictionalize 〔见上，-ize 动词后缀〕把…编成小说；使小说化

fictitious 〔fict 虚构，杜撰，-itious 形容词后缀，…的〕虚构的，杜撰的；非真实的

fictive 〔fict 虚构，-ive …的〕非真实的；假装的

fictile 〔fict 塑造，-ile 形容词兼名词后缀〕塑造的；可塑造的；陶制的；陶制品

figment 〔fig 虚构，臆造，-ment 名词后缀〕虚构的事；臆造的事物

figure 〔fig 塑造，制作，-ure 名词后缀；“制作出来”的样子，“塑造成”的形状→〕外形，轮廓；塑像；形象

figurable 〔见上，-able 能…的〕能成形的，能定形的

figural 〔见上，-al …的〕具有人（或动物）的形象的

figuration 〔见上，-ation 名词后缀〕成形，定形；外表，轮廓

figurine 〔见上，-ine 名词后缀，表示物〕小塑像；小雕像

configure 〔con- 加强意义，figure 形象〕使成形，构形，使具形体

configuration 〔见上，-ation 名词后缀〕构造，结构；形状，外形

disfigure 〔dis- 取消，毁，figure 外形〕毁…的外形（或容貌）

disfigurement 〔见上，-ment 名词后缀〕毁形，毁容

prefigure 〔pre- 先，前，figure 形象；“预先以形象显示”→〕预示；预兆

prefiguration 〔见上，-ation 名词后缀〕预示；预兆

transfigure 〔trans- 转变，改换，figure 外形〕使变形；使改观

transfiguration 〔见上，-ation 名词后缀〕变形；改观

159. fid 信任

confide 〔con- 加强意义，fid 信任〕信任；信托，委托

confiding 〔见上，-ing …的〕信任别人的，易于信任别人的

confidence 〔见上，-ence 名词后缀〕信任；信心，自信

confident 〔见上，-ent 形容词后缀〕有信心的；确信的

confidential 〔见上，-ial 形容词后缀〕极受信任的，心腹的

confidant 〔见上，-ant 名词后缀，表示人；“可信任的人”→〕密友，知己

confidante 〔见上〕知己的女友

self-confidence 〔self 自己，confidence 信任，信心〕自信

self-confident 〔self 自己，confident 有信心的〕自信的，满怀信心的

overconfidence 〔over- 过分，太甚〕过分自信，过分相信

diffidence 〔dif- 否定，不，fid 信任，-ence 名词后缀；“不信任自己”〕不自信，缺乏自信

diffident 〔见上，-ent 形容词后缀〕缺乏自信的

160. fil 线

filar 〔fil 线，-ar 形容词后缀，…的〕线的；线状的，如丝的

filament 〔fil 线，-a-，-ment 名词后缀〕细线；丝；线状物

filamentary 〔见上，-ary …的〕细线的；细丝的；纤维的

filamentous 〔见上，-ous …的〕如丝的；纤维的

file 〔fil 线；“人或物排列成一条线”→〕行列，纵列

defile 〔de- 加强意义，fil 线→行列〕纵列行军，单列前进

profile 〔pro- 向前，fil 线→线条；“用线条勾画”→〕描画…的轮廓；外形，轮廓；侧面像

filiform 〔fil 线，-i-，-form 如…形状的〕线状的；丝状的

161. flat 吹

inflate 〔in- 入，flat 吹；“吹入气体”→〕使充气；使膨胀；使通货膨胀

inflation 〔见上，-ion 名词后缀〕充气；膨胀；通货膨胀

inflationary 〔见上，-ary 形容词后缀，…的〕膨胀的；通货膨胀的

inflatable 〔见上，-able 可…的〕可膨胀的

inflator 〔见上，-or 表示人或物〕充气者；充气机；打气筒

deflate 〔de- 取消，非，相反，flat 吹；“与吹入气体相反”→排除气体，抽掉气体，放气→〕使缩小；使瘪下去；紧缩（通货）

deflation 〔见上，-ion 名词后缀〕放气；缩小；弄瘪；紧缩通货

deflationary 〔见上，-ary …的〕紧缩通货的

deflatable 〔见上，-able 可…的〕可放气的；可紧缩的

conflation 〔con- 共同，一起，flat 吹，-ion 名词后缀；“吹到一起”→〕合并，合成

162. flect, flex 弯曲

reflect 〔re- 回，flect 弯曲；“弯回”→折回，返回〕反射，反映

reflection 〔见上，-ion 名词后缀〕反射，反映，反射光

reflector 〔见上，-or 表示物〕反射镜

reflex 〔见上，flex = flect〕反射，反射光，反映

reflexible 〔见上，-ible 可…的〕可反射的

flection 〔flext 弯曲，-ion 名词后缀〕弯曲，弯曲部分

flectional 〔见上，-al …的〕弯曲的，可弯曲的

inflection 〔in- 内，flection 弯曲〕向内弯曲

flex 弯曲，折曲

flexible 〔见上，-ible 易…的〕易弯曲的

flexure 〔flex 弯曲，-ure 名词后缀〕弯曲

flexuous 〔flex 弯曲，-uous …的〕弯弯曲曲的

163. flict 打击

afflict 〔af- 表示 at，to 等意义，flict 打击〕使苦恼，折磨

affliction 〔见上，-ion 名词后缀〕苦恼，折磨；苦事

afflictive 〔见上，-ive …的〕使人苦恼的，折磨人的

conflict 〔con- 共同，flict 打击；“共同打”→“彼此互

打”→〕冲突；战斗；交锋；斗争

inflict 〔in- 使，作，flict 打击；“给以打击”〕予以打击，使遭受痛苦；加刑，处罚

infliction 〔见上，-ion 名词后缀〕使受痛苦；处罚

inflicter 〔见上，-er 者〕予以痛苦者；加害者；处罚者

inflictive 〔见上，-ive …的〕施加痛苦的；处罚的

164. frag, fract 破，折

fragile 〔frag 破，碎，-ile 形容词后缀，易…的〕易破的，易碎的

fragility 〔frag 破，-ility 名词后缀〕易碎性，脆性，脆弱

fragment 〔frag 破，-ment 名词后缀，表示物〕碎片，破片，碎块

fragmentary 〔见上，-ary …的〕碎片的；破片的，碎块的

fragmentate 〔见上，-ate 动词后缀，使…〕（使）裂成碎片

fragmentation 〔见上，-ation 名词后缀〕破碎，裂成碎片；分裂

fracture 〔fract 破，折，-ure 名词后缀〕破碎，折断；骨折

fraction 〔fract 破，折，-ion 名词后缀〕碎片；片断；小部分

fractional 〔见上，-al …的〕碎片的；零碎的；部分的；小数的

anfractuous 〔an- 加强意义，fract 折→曲，-uous 形容词后缀，…的〕弯曲的，迂回的

refract 〔re- 再，fract 折〕使折射
refraction 〔见上，-ion 名词后缀〕折射；折射度
refractor 〔见上，-or 名词后缀，表示物〕折射器；折射望远镜
refractable 〔见上，-able 可…的〕可折射的
refractive 〔见上，-ive …的〕折射的；有折射力的

165. frig 冷

frigid 〔frig 寒冷，-id …的〕寒冷的
frigidity 〔frig 寒冷，-idity 名词后缀〕寒冷；冷淡
frigidarium 〔frigid 寒冷的，-arium 名词后缀，表示场所〕冷藏室；纳凉台
refrigerate 〔re- 加强意义，frig 寒冷，-ate 动词后缀，使…〕使冷，冷冻
refrigeration 〔见上，-ation 名词后缀〕冷冻（法，作用），冷却，致冷（作用）
refrigerative 〔见上，-ative …的〕使冷的；消热的
refrigerator 〔见上，-or 表示物〕冰箱；冷冻机；冷藏库
refrigeratory 〔见上，-ory 形容词兼名词后缀〕致冷的，冷却的；消热的；冷却器；冰箱
refrigerant 〔见上，-ant 形容词兼名词后缀〕致冷的；消热的；致冷剂；清凉剂；退热药

166. fug 逃，散

refuge 〔re- 回，fug 逃；"逃回"到安全地方→〕避难

refugee 〔见上，-ee 名词后缀，表示人〕避难者，逃难者；流亡者；难民

fugacious 〔fug 散，-acious 形容词后缀，…的〕易逸去的；转瞬即逝的

fugacity 〔fug 散，-acity 抽象名词后缀〕易逸性

febrifuge 〔febri 热，fug 散；"散热"→〕解热剂，退热药

febrifugal 〔见上，-al …的〕解热的，退热的

insectifuge 〔insecti 虫，fug 散→驱散〕驱虫剂

lucifugous 〔luci 光，fug 逃，避，-ous …的〕避光的

lactifuge 〔lacti 乳，fug 散〕抑乳的，散乳的；抑乳药

vermifuge 〔vermi 虫，fug 散→驱散〕驱（寄生）虫药；驱（寄生）虫的

vermifugal 〔见上，-al …的〕驱（寄生）虫的

167. fund, found 底，基础

profound 〔pro- 加强意义，found 底，底下→深处→深→〕深奥的，深远的，深重的，意义深长的，深深的；深处

profundity 〔见上，-ity 名词后缀〕深处，深度，深奥，深

刻

fund 〔fund 基础；“创办事业的基础”，“底子”→本钱→〕基金

fundament 〔fund 基础，-a-，-ment 名词后缀〕基础；基本原理

fundamental 〔见上，-al …的〕基础的，基本的，根本的

found 〔found 基础〕为（房屋等）打基础；建立，创立

foundation 〔见上，-ation 名词后缀〕地基；基础，根本；基金

foundational 〔见上，-al …的〕基础的，基本的

founder 〔见上，-er 者〕奠者者，创立者

foundress 〔见上，-ress 表示女性〕女奠基者，女创立者

168. gam 婚姻

monogamy 〔mono- 单一，gam 婚姻，-y 名词后缀；“单婚”，一夫一妻〕一夫一妻制

monogamous 〔mono- 单一，gam 婚姻，-ous …的〕一夫一妻制的

bigamy 〔bi- 双，重，gam 婚姻，-y 名词后缀〕重婚（罪）

bigamous 〔bi- 双，重，gam 婚姻，-ous …的〕重婚的；犯重婚罪的

bigamist 〔bi- 双，重，gam 婚姻，-ist …者〕犯重婚罪者

polygamy 〔poly- 多，gam 婚姻，-y 名词后缀〕多配偶；

一夫多妻；一妻多夫

misogamy 〔miso- 厌恶，gam 婚姻，-y 名词后缀〕厌恶结婚；厌婚症

misogamist 〔见上，-ist 者〕厌恶结婚者

neogamist 〔neo- 新，gam 结婚，-ist 者〕新婚者

exogamy 〔exo- 外，异，gam 婚姻，-y 名词后缀〕与外族结婚，异族结婚

169. gran 谷物，谷粒

granary 〔gran 谷物，-ary 表示场所、地点〕谷仓、粮仓，产粮区

grange 〔gran 谷物；"生产谷物的地方"〕农场，农庄，田庄

granger 〔见上，-er 表示人〕田庄里的人，农民

granule 〔gran 谷物，-ule 表示小；"小谷粒"〕细粒，颗粒

granulate 〔见上，-ate 动词后缀，使…〕使成颗粒，使成粒状

granular 〔见上，-ar …的〕颗粒状的

granularity 〔见上，-ity 名词后缀〕颗粒状

170. grav 重

gravid 〔grav 重，-id …的；"负重的"，"重身子"，"heavy with child"→〕怀孕的，妊娠的

gravidity 〔见上，-idity 抽象名词后缀〕怀孕，妊娠

gravida 〔见上，-a 名词后缀〕孕妇

grave 〔grav 重〕重大的；严重的

gravity 〔见上，-ity 抽象名词后缀〕严重，严重性；庄重；重力；重量

gravimeter 〔grav 重，-i-，meter 计〕比重计；重差计；测重器

gravitate 〔grav 重，重力，-ate 动词后缀〕受重力作用

gravitation 〔grav 重力，-ation 名词后缀〕重力，地心吸力，万有引力

gravitative 〔grav 重力，-ative …的〕受重力作用的；重力的

aggravate 〔ag- 加强意义，grav 重，-ate 动词后缀〕加重

aggravation 〔见上，-ation 名词后缀〕加重，加剧

agravic 〔a- 无，grav 重，重力，-ic …的〕无重力情况的

ingravescent 〔in- 加强意义，grav 重，-escent 形容词后缀，表示"逐渐…的"〕（病等）越来越重的

grieve 〔griev ← grav 重；"心情沉重"〕悲伤，悲痛；使悲伤，使悲痛

grief 〔见上，名词〕悲伤，悲痛

171. greg 群，集合

gregarious 〔greg 群，-ous …的〕群居的；群集的

aggregate 〔ag- 加强意义，greg 集合，-ate 动词兼形容词后缀〕合计，总计；聚集的；合计的

aggregation 〔见上，-ation 名词后缀〕聚集；聚集物

congregate 〔con- 共同，greg 集合，-ate 动词兼形容词后缀〕(使) 集合；集合在一起的；集体的

congregation 〔见上，-ation 名词后缀〕集合；会合；集会；人群

egregious 〔e- 出，外，greg 群，众，-ious …的；“出众的”→〕异乎寻常的

segregate 〔se- 分开，离开，greg 群，-ate 动词后缀；“离群”，“离开集体”→〕(使) 分离，(使) 分开；使隔离

segregation 〔见上，-ation 名词后缀〕分开；离群；隔离

segregationist 〔见上，-ist 者〕(种族) 隔离主义者

172. gyn, gynec(o) 妇女

gynecology 〔gyneco 妇女，-logy …学〕妇科学，妇科

gynecologist 〔见上，-ist 人〕妇科医生

gynecoid 〔gynec 妇女，-oid 如…的〕如妇女的，有女性

特征的

gynecian 〔gynec 妇女，-ian …的〕妇女的，妇人的

androgyny 〔andro 男，gyn 女，-y 名词后缀〕具有男女两性，半男半女

philogyny 〔philo 爱好，gyn 妇女，-y 名词后缀〕对女人的爱好，爱女人

philogynist 〔见上，-ist 人〕喜爱女人的人

misogyny 〔miso 厌恶，gyn 妇女，-y 名词后缀〕厌女症，厌恶女人

misogynic 〔见上，-ic …的〕厌恶女人的

misogynist 〔见上，-ist 人〕厌恶女人的人

monogyny 〔mono- 单一，一个，gyn 妇女→妻，-y 名词后缀〕一妻制

monogynous 〔见上，-ous …的〕一妻制的

polygyny 〔poly- 多，gyn 妇女→妻，-y 名词后缀〕多妻，一夫多妻制

polygynous 〔见上，-ous …的〕一夫多妻的

173. **hal** 呼吸

inhale 〔in- 入，hal 呼吸；“to breathe in”〕吸入，吸气

inhaler 〔见上，-er 表示人或物〕吸入者，吸入器

inhalant 〔见上，-ant 表示物〕被吸入的东西（指药剂等）

inhalation 〔见上，-ation 名词后缀〕吸入，吸入药剂

inhalator 〔见上，-ator 表示物〕（医用）吸入器，人工呼吸器

exhale 〔ex- 出，hal 呼吸；“to breathe out”〕呼出，呼气

exhalation 〔见上，-ation 名词后缀〕呼气

exhalent 〔见上，-ent …的〕呼出的

halitosis 〔hal 呼吸，-it-，-osis 表示疾病；“口中呼出臭气”〕口臭

174. helic(o) 螺旋

helicopter 〔helico 螺旋，旋转，pter 翼；“装有旋转的翼”，利用“旋翼”飞行→〕直升飞机

heliport 〔heli = helicopter〕直升飞机场

helilift 〔heli = helicopter，lift 搬起〕用直升飞机运输

helical 〔helic 螺旋，-al …的〕螺旋形的

helicity 〔helic 螺旋，-ity 抽象名词后缀〕螺旋性

helicoid 〔helic 螺旋，-oid 表示…形，…体〕螺旋体(的)；螺状的

175. hes，her 粘着

hesitate 〔hes 粘着，-it-，-ate 动词后缀；“粘着”在固定地方→踌躇不前，裹足不前〕踌躇；犹豫

hesitation 〔见上，-ation 名词后缀〕踌躇；犹豫

hesitant 〔见上，-ant 形容词后缀〕踌躇的；犹豫的

hesitancy 〔见上，-ancy 名词后缀〕踌躇；犹豫

adhere 〔ad- 表示 at，to，her 粘〕粘附，胶着；依附

adherent 〔见上，-ent …的〕粘着的；附着的

adhesion 〔ad- 表示 at，to，hes 粘〕粘着；粘合；附着

adhesive 〔见上，-ive 有…的〕有粘合性的，粘着的

cohere 〔co- 共同，一起，her 粘；“粘在一起”〕粘着，附着

coherent 〔见上，-ent …的〕粘着的；附着的；相连的

coherence 〔见上，-ence 名词后缀〕粘着；粘合性；相连，连贯

cohesible 〔co- 共同，一起，hes 粘，-ible 可…的〕可粘着的

cohesion 〔见上，-ion 名词后缀〕粘着；粘合；结合

cohesive 〔见上，-ive …的〕粘着的；紧密结合在一起的

incoherent 〔in- 不，coherent 粘着的〕无凝聚力的；松散的

inhere 〔in- 加强意义，her 粘；“粘在一起”→相连，并存→原来就存在〕生来就存在于，原来就有

inherent 〔见上，-ent …的〕生来的，固有的，原有的

176. ign 火

ignite 〔ign 火，-ite 动词后缀〕点燃，点火于；使燃烧；着火

ignition 〔ign 火，-ion 名词后缀〕点火；着火

preignition 〔pre- 前，ignition 点火〕（内燃机汽缸内的）提前点火

ignitable 〔ign 火，-able 可…的〕可燃的，可着火的
ignitron 〔ign 火，-tron …管〕点火管，引燃管
igneous 〔ign 火，-eous …的〕火的，似火的；火成的
ignescent 〔ign 火，-escent …的〕（碰击后）发出火花的，突然燃起的，猝发成火焰的

177. integr 整，全

integral 〔integr 整，全，-al …的〕完整的，整体的
integrality 〔见上，-ity 名词后缀〕完整性，完全
integrity 〔integr 整，全，-ity 名词后缀〕完整，完全，完善
integrate 〔integr 整，全，-ate 动词后缀〕使结合成一整体，使并入，使一体化，结为一体；〔使黑人与白人成为一体→〕（美国）取消种族隔离
integration 〔见上，-ion 名词后缀〕整体化，一体化，结合，综合；取消种族隔离
integrative 〔见上，-ive …的〕一体化的，整体化的，综合的
integrant 〔integr 整→整体，-ant 表示物〕构成整体的组成部分，要素，成分；〔-ant …的〕构成整体的，成分的，要素的
disintegrate 〔dis- 取消，不，integrate 结合〕（使）瓦解，（使）分裂
disintegrator 〔见上，-or 表示人或物〕瓦解者，分裂者，粉碎机

redintegrate 〔red- 再，integrate 成整体，完整〕使再完整
integer 整数，完整的东西

178. **junct** 连接，连结

junction 〔junct 连接，-ion 名词后缀〕连接，接合；接合点
juncture 〔junct 连接，-ure 名词后缀〕接合；接合点；交界处
conjunct 〔con- 共同，junct 连接〕连接的；联合的；结合的
conjunction 〔见上，-ion 名词后缀〕连接；联合；结合；（事件的）同时发生；连接词
conjunctive 〔见上，-ive …的〕连接的；联合的
disjunct 〔dis- 不，junct 连接〕不连接的，断离的
disjunction 〔见上，-ion 名词后缀〕分离，分裂，折断
disjunctive 〔见上，-ive …的〕分离的，分离性的
adjunct 〔ad- 表示 to，junct 连接；"连接在他物之上"→〕附属物，附属品；附加语，修饰语；附属的
adjunctive 〔见上，-ive …的〕附属的；附加语的
adjunction 〔见上，-ion 名词后缀〕附加，添加

179. later 边

unilateral 〔uni 单独，later 边，-al …的〕一边的，单边的；一方的；片面的，单方面的

bilateral 〔bi- 双，见上〕双边的；两边的

trilateral 〔tri- 三，见上〕三边的

quadrilateral 〔quadri- 四，见上〕四边的，四边形的；四方面的

multilateral 〔multi- 多，见上〕多边的；涉及多方面的

equilateral 〔equi- 等，见上〕等边的

laterad 〔later 边，侧，-ad 副词后缀，表示向…〕向侧面地

lateral 〔later 边，-al …的〕旁边的；侧面的

laterality 〔later 边，侧，-ality 名词后缀〕偏重一侧，对一个侧面的偏重

180. leg[1] 读

legible 〔leg 读，-ible 可…的〕可读的，易读的

legibility 〔见上，-ibility 可…性〕可读性，易读

illegible 〔il- 不，legible 可读的〕不可读的，难读的，难以辨认的

illegibility 〔见上〕难读，难读性

legend 〔leg 读，-end 名词后缀；“读物”→〕传奇；小说；传奇文学

legendary 〔见上，-ary 形容词后缀，…的〕传奇（中）的；传说（中）的；传奇似的

legendry 〔见上，-ry 名词后缀〕传奇；传说

181. leg②，legis 法

legal 〔leg 法，-al …的〕法律上的；合法的

legality 〔legal 合法的，-ity 名词后缀〕合法性，法律性

legalize 〔legal 合法的，-ize …化〕使合法化

legalization 〔见上，-ization 名词后缀〕合法化

legalist 〔legal 法律的，-ist 表示人〕法律学家，条文主义者

legalese 〔legal 法律上的，-ese 表示语言〕高深莫测的法律用语

legalism 〔legal 法律的，-ism 主义〕条文主义，墨守法规

extralegal 〔extra- 外〕法律权力以外的

illegal 〔il- 不，非，legal 合法的〕不合法的，非法的

illegalize 〔见上，-ize 使…〕使非法，宣布…为非法

privilege 〔priv ← private 个人的，私有的，-i-，leg 法；“个人的法”，“私有的法”→特殊的法→〕特权

privileged 〔见上，-ed 形容词后缀，有…的〕有特权的

legislate 〔legis 法，late 持，拿；“the carrying (hence passing) of a law or of laws”→〕立法

legislative 〔见上，-ive …的〕立法的

legislator	〔见上，-or 者〕立法者，立法机关的成员
legislature	〔见上，-ure 名词后缀〕立法机关

182. luc 光

lucent	〔luc 光，-ent 形容词后缀〕发亮的；透明的
lucency	〔luc 光，-ency 名词后缀〕发亮；透明
lucid	〔luc 光，-id 形容词后缀〕透明的；〔诗〕光辉的，明亮的
lucidity	〔见上，-ity 名词后缀〕明白；透明；光明
elucidate	〔e- 使…，lucid 明白，-ate 动词后缀；“使明白”→〕阐明，解释
elucidation	〔见上，-ation 名词后缀〕阐明；解释
elucidative	〔见上，-ative …的〕阐明的；解释的
noctiluca	〔nocti 夜，luc 光，-a 名词后缀〕夜光虫
noctilucent	〔nocti 夜，luc 光，-ent …的〕夜间发光的
translucent	〔trans- 穿过，luc 光，-ent …的；“光线能透过的”→〕半透明的
translucence	〔见上，-ence 名词后缀〕半透明（性）
lucifugous	〔luc 光，-i-，fug 逃避，-ous …的〕避光的

183. lumin 光

luminary	〔lumin 光，-ary 表示人或物〕发光体；杰出人

物

luminesce 〔lumin 光，-esce 动词后缀〕发光

luminescent 〔lumin 光，-escent 形容词后缀〕发光的

luminiferous 〔lumin 光，-i-，fer 带有，产生，-ous …的〕有光的，发光的

luminous 〔lumin 光，-ous …的〕发光的，发亮的

luminosity 〔lumin 光，-osity 名词后缀〕光明，光辉

illuminate 〔il- 加强意义，lumin 光，-ate 动词后缀〕照亮，照明；阐明，使明白

illumination 〔见上，-ation 名词后缀〕照亮，照明；阐明，解释

illuminator 〔见上，-ator 表示人或物〕发光器，照明装置；启发者

illuminant 〔见上，-ant 名词兼形容词后缀〕发光物；发光的，照明的

illuminable 〔见上，-able 可…的〕可被照明的

relumine 〔re- 再，lumin 光→照〕重新点燃；使重新照亮

184. magn(i) 大

magnanimous 〔magn 大，anim 心神→气度，器量 -ous …的〕大度的，宽宏大量的

magnanimity 〔见上，-ity 名词后缀〕大度，宽宏大量

magnify 〔magni 大，-fy 使…〕放大，扩大

magnifiable 〔见上，-able 可…的〕可放大的

magnification 〔见上，-fication 名词后缀〕放大；放大率

magnifier 〔见上，-er 者〕放大者；放大器；放大镜

magniloquent 〔magni 大，loqu 言，-ent …的〕夸口的，夸张的；华而不实的

magnitude 〔magn 大，-itude 名词后缀〕巨大，广大

magnific 〔magni 大，-fic 形容词后缀，…的〕宏大的；壮丽的

magnificent 〔见上，-ent …的〕壮丽的，宏伟的

magnifico 〔见上，-o 名词后缀，表示人；“大人物”〕高官，贵人

185. matr(i), metro 母

matriarch 〔matri 母→女性，arch 首脑，长〕女族长；女家长

matriarchy 〔见上，-y 名词后缀〕女族长制，母权制，母系氏族制

matrimony 〔matri 母→婚姻，-mony 名词后缀〕婚姻，结婚

matrimonial 〔见上，-al …的〕婚姻的，结婚的

matron 〔matr 母，-on 名词后缀〕主妇，老妇

matronage 〔见上，-age 名词后缀〕主妇的身分或职务

metropolis 〔matro 母，polis 城市；“母城”→首城，最大的城〕大城市，主要城市，大都会，首府

metropolitan 〔见上，-an …的〕主要城市的，大城市的，大都会的

metropolitanize 〔见上，-ize …化〕使大都会化

maternal 〔mater = matr 母，-n-，-al …的〕母亲的，母性的

maternity 〔见上，-ity 名词后缀〕母性，母道；产科医院；〔转为形容词〕产妇的，孕妇的

186. mega 大

megaphone 〔mega 大，扩大，phon 声音〕扩音器；喇叭筒，喊话筒

megalith 〔mega 大，lith 石〕巨石，大石块

megalithic 〔见上，-ic …的〕巨石的；巨石制的

megacephalous 〔mega 大，cephal 头，-ous …的〕大头的

megapod 〔mega 大，pod 足〕大脚的

megascope 〔mega 大，scop 镜〕大显微镜，粗视显微镜

megascopic 〔mega 大，scop 看，-ic …的〕肉眼可见的；放大了的

187. mens 测量

immense 〔im- 不，无，mens 测量；“无法测量”其大小的，“不能测量”的→〕广大无边的，巨大的，无限的

immensity 〔见上，-ity 名词后缀〕广大，巨大，无限

dimension 〔di- = dia- 贯穿，透，遍及，mens 测量，-ion

名词后缀；“量遍”，“量透”，“长、宽、高都测量”→〕尺寸，尺度；大小

dimensional 〔见上，-al …的〕有尺寸的，有尺度的，可量的

mensurable 〔mens 测量，-able 可…的〕可测量的

mensuration 〔见上，-ation 名词后缀〕测量，测定；量法

mensural 〔见上，-al …的〕关于测量的，关于度量的

commensurate 〔com- 共同，相同，mens 测量，-ate …的〕同量的，等量的，同大小的；相称的

commensuration 〔见上，-ation 名词后缀〕等量，同量；相称

188. ment 心，神，智，思，意

mental 〔ment 心，智，精神，-al …的〕智力的；精神的；思想的；内心的

mentality 〔见上，-ity 名词后缀〕智力；精神，思想

mentalism 〔见上，-ism 主义，论〕精神论，心灵主义

mentalist 〔见上，-ist 者〕精神论者，心灵主义者

mentation 〔ment 心→心理，-ation 名词后缀〕心理活动；思想

dement 〔de- 除去，ment 智，理智；“除去理智”→〕使发狂

dementation 〔见上，-ation 名词后缀〕精神错乱，疯狂

demented 〔见上，-ed …的〕失去理智的，发狂的

dementia 〔见上，-ia 表疾病名称〕痴呆，智力衰失

mention 〔ment 意识→注意；“使注意”，“使意识到”→

提到，提及〕说起，提到，论及

mentionable 〔见上，-able 可…的〕可提到的，可论及的

mentioner 〔见上，-er 者〕提到者，陈述者

mentor 〔ment 意识→注意，-or 者；“提醒者”，“使注意者”→劝告者→〕良师，益友

amentia 〔a- 无，缺乏，ment 智，智力，-ia 名词后缀，表疾病；“缺乏智力”→〕〔医学〕智力缺陷；精神错乱

ament 〔见上〕智力有缺陷者，精神错乱者

189. min 伸出，突出

prominent 〔pro- 向前，min 突出，-ent …的〕突出的，显著的，杰出的，卓越的，著名的

prominence 〔见上，-ence 名词后缀〕突出，显著，杰出，卓越，声望

eminent 〔e- 出，外，min 突出，-ent …的〕杰出的，突出的，著名的

eminence 〔见上，-ence 名词后缀〕杰出，卓越，著名

supereminent 〔super- 超，非常，eminent 突出的〕非常突出的，十分卓越的

preeminent 〔pre- 前，eminent 突出的；“突出于众人之前的”〕卓越的，杰出的

preeminence 〔见上，-ence 名词后缀〕卓越，杰出

imminent 〔im- 加强意义，min 突出，-ent …的；“突出的”→异乎寻常的→非常的→〕急迫的，危急

的；迫近的

imminence 〔见上，-ence 名词后缀〕急迫，危急；迫近的危险

190. misc 混合，混杂

miscellaneous 〔misc 混杂，-aneous 形容词后缀，…的〕混杂的，混合的，杂项的，各种各样混杂在一起的

miscellany 〔见上〕混杂；杂物；杂集，杂录

miscellanist 〔见上，-ist 者〕杂集作者，杂文家

miscible 〔misc 混杂，混合，-ible 可…的〕可混合的，易混合的

miscibility 〔misc 混杂，混合，-ibility 名词后缀〕可混合

immiscible 〔im- 不，见上〕不能混合的

immiscibility 〔见上，-ibility 名词后缀〕不能混合，难融合性

promiscuous 〔pro- 加强意义，misc 混杂，-uous …的〕混杂的；杂乱的

promiscuity 〔见上，-ity 名词后缀〕混杂（性）；杂乱

miscegenation 〔misc 混杂，-e-，gen 生殖→种族，-ation 名词后缀〕人种混杂，混血

191. mis(o) 恨，厌恶

misanthropy 〔mis 厌恶，anthrop 人类，-y 名词后缀〕厌恶人

类，厌世，愤世嫉俗

misanthropist 〔见上，-ist 者〕厌恶人类者，厌世者

misanthropic 〔见上，-ic …的〕厌恶人类的，厌世的

misanthropize 〔见上，-ize 动词后缀〕厌恶人类，厌世

misogamy 〔miso 厌恶，gam 结婚，-y 名词后缀〕厌婚症

misogamist 〔见上，ist 者〕厌恶结婚者

misogyny 〔miso 厌恶，gyn 女，-y 名词后缀〕厌恶女人，厌女症

misogynic 〔见上，-ic …的〕厌恶女人的

misogynist 〔见上，-ist 者〕厌恶女人者

misoneism 〔miso 厌恶，ne ← neo 新，-ism 主义〕厌新；守旧主义

misoneist 〔见上，-ist 者〕厌新者，守旧者

192. mon[①] 告诫，提醒

monument 〔mon 告诫，提醒→不要忘记→记住→纪念，-u-，-ment 名词后缀，表示物；“纪念之物”→〕纪念碑；纪念像；纪念物

monitor 〔mon 告诫，-itor 名词后缀，表示人；“告诫者”，“劝告者”→〕（学校的）班长，级长；监督生；提醒者，告诫者

monitorial 〔见上，-ial …的〕班长的，级长的；监督生的

monitory 〔见上，-ory …的〕告诫的，警告的

monitress 〔见上，-ess 表示女性〕女班长，女级长；女告诫者

monition 〔见上，-ition 名词后缀〕告诫，警告；忠告

admonish 〔ad- 加强意义，mon 告诫，-ish 动词后缀〕告诫，劝告；忠告

admonishment 〔见上，-ment 名词后缀〕告诫；劝告

admonition 〔见上，-ition 名词后缀〕告诫；劝告

premonitor 〔pre- 先，前，mon 告诫，-itor 者〕预先警告者（或告诫者）

premonition 〔见上，-ition 名词后缀〕预先的警告（或告诫）

193. mon[2] 单独，一个

monk 〔mon 单独，孤独→孤身一人，独身者，过孤独生活者→〕僧侣，修道士，出家人

monkish 〔见上，-ish（似）…的〕僧侣（似）的，修道士（似）的

monkhood 〔见上，-hood 表示身份、情况〕僧侣（或修道士）的身份；修道生活，僧侣生活

monkdom 〔见上，-dom 表示领域，…界〕僧侣社会，僧侣界

monkery 〔见上，-ery 表示地方、场所〕修道院，寺院

monastery 〔monast = monk 僧侣，-ery 表示地方、场所〕修道院，寺院，庙宇

monasterial 〔见上，-al …的〕修道院的，寺院的

monastic 〔见上，-ic …的〕僧侣的，修道的，修道生活的，修道院的

monasticism 〔见上，-ism 表示情况，状态、制度〕修道生

活，禁欲生活，寺院制度

monism 〔mon 单一，-ism …论〕一元论

monist 〔见上，-ist …者〕一元论者

monistical 〔见上，-ical …的〕一元论的

194. mur 墙

mural 〔mur 墙壁，-al 形容词及名词后缀〕墙壁的；墙壁上的；壁画

muralist 〔mural 壁画，-ist 人〕壁画师，壁画家

mure 〔mur 墙；“用墙围起来”→〕监禁，禁锢

immure 〔im- 内，入内，mur 墙；“置于墙内”→〕监禁，禁闭

immurement 〔见上，-ment 名词后缀〕监禁，禁闭

extramural 〔extra- 外，mur 墙，-al …的〕墙外的；城外的，大学之墙以外的

intermural 〔inter- 中间，mur 墙，-al …的〕壁间的，墙间的

intramural 〔intra- 内，mur 墙，-al …的；“墙内的”〕内部的，（国家、城市、团体等）自己范围内的

photomural 〔photo 照片，mural 壁画〕壁画式照片，大幅照片

195. mut 变换

mutable 〔mut 变换，-able 可…的〕可变的；易变的；不定的

immutable 〔im- 不，见上〕不可改变的；永远不变的

mutant 〔mut 变，-ant …的〕变异的；变异所引起的

mutation 〔mut 变，-ation 名词后缀〕变化，变异，更换，转变

intermutation 〔inter- 互相，mutation 变换〕互换，交换，交替

mutual 〔mut 变换→交换→互相之间，-ual …的〕互相的，彼此的

mutuality 〔见上，-ity 名词后缀〕相互关系

mutualize 〔见上，-ize 动词后缀，使…〕使相互之间发生关系；使成共有

commute 〔com- 共同，mut 变换〕变换；用…交换

commutable 〔见上，-able 可…的〕可以交换的；可以变换的

commutability 〔见上，-ability 可…性〕可交换性；可变换性

commutate 〔见上，-ate 动词后缀〕变换（电流的）方向；变交流电为直流电

commutator 〔见上，-ator 表示物〕转换器；交换机；整流器

commutation 〔见上，-ation 名词后缀〕交换；代偿，〔电〕转换，变换；转向，整流

incommutable 〔in- 不，见上〕不能变换的；不能交换的

permute 〔per- 加强意义，mut 变〕变更；交换

permutation 〔见上，-ation 名词后缀〕变更；交换

transmute 〔trans- 转，mut 变〕(使) 变形；(使) 变质

transmutable 〔见上，-able 可…的〕可变形的；可变质的；可变的

transmutation 〔见上，-ation 名词后缀〕变形；变质；演变，衍变

196. nat 诞生

natal 〔nat 诞生，-al …的〕诞生的，出生的；诞生时的

natality 〔见上，-ity 名词后缀〕出生率

antenatal 〔ante- 前，nat 出生，-al …的〕出生以前的

prenatal 〔pre- 前，nat 出生，-al …的〕出生以前的

postnatal 〔post- 后，nat 出生，al …的〕出生以后的

connate 〔con- 共同，nat 生〕同生的，同族的

neonate 〔neo- 新，nat 诞生；“新出生的婴儿”〕出生不满一个月的婴儿

nation 〔nat 生，-ion 名词后缀；生，诞生，生长→血统的联系，种族→〕民族；国家

native 〔nat 出生，-ive 名词兼形容词后缀〕天生的；土生的；出生地的；出生的；本地人；土人

nativity 〔见上，-ity 名词后缀〕出生，诞生

nature 〔nat 生，-ure 名词后缀：“天生”→天然→自然〕天然，自然；天性，本性

natural 〔见上，-al …的〕天然的，自然的，生来的；自

然界的

unnatural 〔un- 不，见上〕不自然的

197. nav 船

navy 〔nav 船→船队→舰队，-y 名词后缀〕海军

naval 〔nav 船→军舰，-al …的〕船的；军舰的；海军的

navicular 〔nav 船，-icular …的〕船形的，舟状的

navigate 〔nav 船，ig ← ag 动，-ate 动词后缀〕航行；航空

navigable 〔见上，-able 可…的〕可航行的，可通航的

navigation 〔见上，-ation 名词后缀〕航行；航海；航空

astronavigation 〔astro 星→星空，宇宙，navigation 航行〕宇宙航行

circumnavigate 〔circum- 周围，环绕，navigate 航行〕环航（世界），环球航行

circumnavigation 〔见上，-ation 名词后缀〕环球航行

circumnavigator 〔见上，-ator 者〕环球航行者

198. nect, nex 结，系，

connect 〔con- 共同，一起，nect 结，系；“结在一起”→〕连结，连接；把…联系起来

connector 〔见上，-or 表示人或物〕连接者；连接物

connection 〔见上，-ion 名词后缀〕联系；连接

connective 〔见上，-ive …的〕连结的，连接的

connected 〔见上，-ed …的〕连结的，连接的；关联的

unconnected 〔un- 不〕不连接的，分离的

disconnect 〔dis- 不，“不连接”→〕拆开，分离，撕开

disconnection 〔见上，-ion 名词后缀〕分离，分开

annex 〔an- 表示 to，nex 结；“连结在一起”，“结合起来”→〕合并，并吞，兼并（领土等）；附加

annexation 〔见上，-ation 名词后缀〕合并，并吞；附加；并吞物；附加物

annexment 〔见上，-ment 表示物〕并吞物；附加物

reannex 〔re- 再，annex 合并〕再合并

199. negr, nigr 黑

Negro 〔negr 黑，-o 名词后缀，表示人〕黑人

Negress 〔negr 黑，-ess 表女性〕女黑人

negrodom 〔negro 黑人，-dom 抽象名词后缀〕黑人社会，

黑人全体

negroid 〔见上，-oid 似…的〕似黑人的

negroism 〔见上，-ism 表示风格、风俗〕黑人的习俗

negroite 〔见上，-ite 名词后缀，表示人〕同情黑人的人，偏袒黑人者

negrolet 〔见上，-let 表示小〕小黑人

negrophile 〔见上，phil 爱，喜欢〕同黑人友好的人，关心黑人利益的人

negrophobia 〔见上，phob 怕，厌恶，-ia 名词后缀〕厌恶黑人，对黑人的畏惧

negrophobe 〔见上〕畏惧黑人的人，厌恶黑人的人

Negritic 〔negr 黑，黑人，-itic 形容词后缀，…的〕（像）黑人的

nigrify 〔nigr 黑，-i-，-fy 动词后缀，使…〕使变黑

nigrification 〔nigr 黑，-i-，-fication 名词后缀〕使成黑色，黑色化

nigritude 〔nigr 黑，-itude 名词后缀〕黑色；黑色物

nigrescence 〔nigr 黑，-escence 名词后缀，表示逐渐成为…状态〕变黑；（发、肤等）黑色

nigrescent 〔nigr 黑，-escent 形容词后缀，表示成为…的〕发黑的，变黑的，带黑的

denigrate 〔de- 使成为…，nigr 黑，-ate 动词后缀〕使黑，抹黑，贬低，诋毁

denigrator 〔见上，-ator 表示人或物〕涂黑者，涂黑物，贬低者，诋毁者

200. nihil 无

annihilate 〔an- 加强意义，nihil 无，不存在→消亡，-ate 动词后缀，使…；“使消亡”→〕消灭，歼灭

annihilator 〔见上，-ator 者〕消灭者

annihilation 〔见上，-ation 名词后缀〕消灭，歼灭

nihilism 〔nihil 无→虚无，-ism 主义〕虚无主义

nihilist 〔见上，-ist 者〕虚无主义者

nihilistic 〔见上，-istic …的〕虚无主义的

nihility 〔见上，-ity 名词后缀〕无，虚无；毫无价值的事物

201. noc, nox 伤害

innocent 〔in- 不，无，noc 伤害，-ent …的；“incapable of doing harm” → guiltless，“不会做出伤害之事”→〕无罪的，清白的；天真的，无害的

innocence 〔见上，-ence 名词后缀〕无罪，清白；天真，无害

nocent 〔noc 伤害，-ent …的〕有害的，有毒的；加害的，有罪的

nocuous 〔noc 伤害，-uous 形容词后缀，…的〕有害的，有毒的

innocuous 〔in- 无，noc 伤害，-uous …的〕无害的，无毒的

innocuity 〔见上，-ity 名词后缀〕无害，无毒

noxious 〔nox 伤害，-ious 形容词后缀，…的〕有害的，有毒的，不卫生的

noxiousness 〔见上，-ness 名词后缀〕有害，有毒；不卫生

202. noct(i) 夜

noctiflorous 〔nocti 夜，flor 花，-ous …的〕（植物）夜间开花的

noctiluca 〔nocti 夜，luc 光，-a 名词后缀〕夜光虫

noctilucent 〔nocti 夜，luc 光，-ent …的〕夜间发光的

noctilucous 同 noctilucent

noctivagant 〔nocti 夜，vag 走，-ant …的〕夜间徘徊的，夜游的

noctivagous 同 noctivagant

noctambulant 〔noct 夜→梦中，ambul 行走，-ant …的〕梦行的，梦游的

noctambulation 〔见上，-ion 名词后缀〕梦行（症）

noctambulist 〔见上，-ist 者〕梦行者

equinoctial 〔equi 平等，相等，noct 夜，-ial…的；“昼夜相等的”〕昼夜平分（时）的；昼夜平分线的

pernoctation 〔per- 全，整，贯通，noct 夜，-ation 名词后缀〕彻夜不眠；整夜不归

203. norm 规范，正规，正常

normal 〔norm 正规，-al …的〕正规的，正常的
normality 〔见上，-ity 名词后缀〕正规状态，正常状态
normalize 〔见上，-ize …化〕正常化，使正常化
normalization 〔见上，-ization 名词后缀，…化〕正常化
abnormal 〔ab- 离开，normal 正常的〕反常的，变态的，不规则的
abnormality 〔见上，-ity 名词后缀〕反常，变态，不规则
abnormalist 〔见上，-ist 人〕不正常的人，畸形人
abnormity 〔见上，-ity 名词后缀〕异常，畸形
enormous 〔e- 外，出，norm 正常，-ous …的；“超出正常之外的”→〕巨大的，庞大的
enormity 〔见上，-ity 名词后缀〕巨大，庞大
subnormal 〔sub- 低，下，normal 正规的，正常的〕低于正常的
subnormality 〔见上，-ity 名词后缀〕低于正常状态
supernormal 〔super- 超过，normal 正常的〕超常态的，在一般以上的

204. nutri 营养

nutriology 〔nutri 营养，-o- 连接字母，-logy 学〕营养学

nutrient 〔nutri 营养，-ent 形容词兼名词后缀〕有营养的；营养品

nutriment 〔nutri 营养，-ment 名词后缀，表示物〕营养品

nutrimental 〔见上，-al …的〕有营养的，滋养的

nutrition 〔nutri 营养，-tion 名词后缀〕营养，滋养（物）

nutritional 〔见上，-al …的〕营养的；营养物的

nutritious 〔nutri 营养，-tious …的〕有营养的，滋养的

nutritive 〔见上，-ive …的〕有关营养的；有营养的

innutrition 〔in- 无，不，见上〕营养不良；缺乏营养

innutritious 〔见上，-tious …的〕营养不良的；缺乏营养的

malnutrition 〔mal- 恶，不良，nutrition 营养〕营养不良

205. orn 装饰

adorn 〔ad- 加强意义，orn 装饰〕装饰，打扮；使生色

adornment 〔见上，-ment 名词后缀〕装饰；装饰品

ornate 〔orn 装饰，-ate 形容词后缀，…的〕装饰华丽的，过分装饰的

ornament 〔orn 装饰，-a-，-ment 名词后缀，表示物〕装饰物，装饰品

ornamental 〔见上，-al …的〕装饰的，作装饰用的；装饰品

ornamentalist 〔见上，-ist 表示人〕装饰家

ornamentation 〔见上，-ation 名词后缀〕装饰，修饰；装饰术；装饰品

suborn 〔sub- 下，底下→暗地里，秘密地，orn 装饰→装备→供给；“秘密地供给财物”→〕贿赂；唆

使

subornation 〔见上，-ation 名词后缀〕贿赂，唆使

suborner 〔见上，-er 者〕唆使者

inornate 〔in- 不，orn 装饰，-ate …的〕不加修饰的，朴素的

206. par 生，产

parent 〔par 生，生养，-ent 名词后缀，表示人；“生养子女的人”，“生育者”→〕父亲；母亲；〔复数〕双亲，父母

parental 〔见上，-al …的〕父母的

parentage 〔见上，-age 抽象名词后缀〕出身，家系，门第

primipara 〔prim 初，-i-，par 产，-a 名词后缀〕初产妇

primiparous 〔prim 初，-i-，par 产，-ous …的〕初产的

primiparity 〔prim 初，-i-，par 产，-ity 名词后缀〕初产

multiparous 〔multi- 多，par 产，-ous …的〕多产的，一产多胎的

biparous 〔bi- 双，两个，par 生，-ous …的〕双生的，一产双胎的

fissiparous 〔fissi 裂，par 生殖，繁殖，-ous …的〕〔生物〕分裂生殖的，分体繁殖的

207. parl 说，谈

parlo(u)r 〔parl 说，谈，-our 名词后缀；“谈话”的地方→〕会客室，客厅；私人谈话室

parley 〔parl 说，谈→谈判→〕会谈，谈判

parliament 〔parl 说，谈→议论→商议，商谈→会议，-ia-，-ment 名词后缀〕议会，国会

parliamentary 〔见上，-ary 形容词后缀，…的〕议会的，国会的；议会政治的

parliamentarian 〔见上，-arian 表示人〕国会议员；议会法规专家；议会中的雄辩家

parliamentarism 〔见上，-ism 表示主义、制度〕议会主义；议会制度

parlance 〔parl 说，-ance 名词后缀〕说法，用语；发言，讲话

208. past 喂，食

pasture 〔past 喂，食，-ure 表示行为，事物；“喂牛、羊”，“牛、羊吃草”→〕放牧，牧场；〔转为动词〕（牛、羊）吃草，放（牛、羊）吃草

pasturage 〔见上，-age 表示行为〕放牧；〔-age 表示场所〕牧场

pastureland 〔见上，land 场地〕牧场

depasture 〔de- 加强意义，pasture 放牧〕放牧，放养，（牛、羊）吃草

pastor 〔past 喂，-or 表示人；“喂牛、羊的人”→〕牧人，牧羊人；（基督教的）牧师

pastoral 〔见上，-al …的〕牧（羊）人的，牧人生活方式的，畜牧的；〔转为〕乡村的，田园诗的

pastoralist 〔见上，-ist 者〕放牧者，畜牧者；田园诗的作者

pastoralism 〔见上，-sim 表示行为、风格等〕畜牧，田园作品的风格

repast 〔re- 加强意义，past 食〕餐，饮食，就餐，设宴

paste 〔past 食，吃；一种“食物”〕（做点心用的）加油脂的面团，面糊，糊状物，浆糊

209. path(o), pathy 疾病，疗法

pathology 〔patho 病，-logy …学〕病理学

pathologist 〔patho 病，-logist …学者〕病理学者

pathological 〔patho 病，-logical …学的〕病理学的

pathogeny 〔patho 病，gen 发生，-y 名词后缀〕致病原因

pathogenetic 〔见上，-etic 形容词后缀〕发病的；致病的，病原的

zoopathology 〔zoo 动物，pathology 病理学〕动物病理学

neuropathy 〔neuro 神经，pathy 病〕神经病

neuropathist 〔见上，-ist 者〕神经病学者；神经病医生

dermatopathy 〔dermato 皮肤，pathy 病〕皮肤病
psychopathy 〔psycho 心理，精神，pathy 病〕心理病态，精神变态
electropathy 〔electro 电，pathy 疗法〕电疗法
hydropathy 〔hydro 水，pathy 疗法〕水疗法

210. patr(i) 父，祖

patriarch 〔patri 父，祖，arch 首脑，长〕家长；族长
patriarchal 〔见上，-al …的〕家长的；族长的；家长似的
patriarchy 〔见上，-y 名词后缀〕父权制；父权制社会
patrimony 〔patri 父，祖，-mony 名词后缀〕祖传的财物；遗产
patriot 〔patri 祖→祖国，-ot 名词后缀，表示人〕爱祖国者，爱国主义者
patriotic 〔见上，-otic 形容词后缀，…的〕爱国的
patriotism 〔见上，-ism 主义〕爱国主义；爱国心
unpatriotic 〔un- 不，见上〕不爱国的
compatriot 〔com- 同，patri 祖→祖国，-ot 表示人〕同国人，同胞；同国的
expatriate 〔ex- 外，出外，patri 祖→祖国，-ate 动词兼名词后缀〕把…逐出国外；移居国外；被逐出国外者
expatriation 〔见上，-ation 名词后缀〕逐出国外
repatriate 〔re- 回，patri 祖→祖国，-ate 动词兼名词后缀〕把…遣返回国；回国；被遣返回国者

repatriation 〔见上，-ation 名词后缀〕遣返回国

patron 〔patr 父，-on 名词后缀，表示人；“具有家长职责（或身份、权限等）的人”→〕庇护人，保护人

patronage 〔见上，-age 表身份〕保护人的身份

patronize 〔见上，-ize 动词后缀〕保护，庇护

patronymic 〔patr 父，onym 名，-ic …的〕来源于父名（或祖先名）的（姓）

211. ped① 脚，足

expedition 〔ex- 出，外，ped 足→行走，-ition 名词后缀；“出行”→远行→〕远征；远征队

expeditionist 〔见上，-ist 者〕远征者

pedal 〔ped 足，-al 形容词后缀，…的〕足的，脚的；脚蹬

pediform 〔ped 足，-i-，-form 如…形状的〕足状的

pedicure 〔ped 足，-i-，cure 医治〕脚病治疗；脚病医生，足医

biped 〔bi- 两个，ped 足〕两足的；两足动物

quadruped 〔quadru- 四，ped 足〕四足的；四足动物

centipede 〔centi- 百，ped 足；“百足”虫〕蜈蚣

multiped 〔multi- 多，ped 足〕多足的；多足动物

uniped 〔uni 单，独，ped 足〕独脚的；独腿的

soliped 〔soli 单，独，ped 足→蹄〕单蹄的；单蹄兽

impede 〔im- 入，入内，ped 脚；“插入一脚”→制造阻

碍→阻挡〕阻止，防碍，阻碍

impediment 〔见上，-i-，-ment 名词后缀〕防碍，阻碍，障碍物

impedimental 〔见上，-al …的〕防碍的，阻碍的

pedestrian 〔ped 足→行走，步行〕步行的，徒步的；步行者，行人

pedestrianize 〔见上，-ize 动词后缀〕徒步，旅行，步行

212. ped② 儿童，小孩

pedagogy 〔ped 儿童，agog 引导，-y 名词后缀；"引导儿童的方法"→教育儿童的方法〕教育学；教学法

pedagogic 〔见上，-ic …的〕教学法的；教师的

pedagogics 〔见上，-ics 学〕教育学；教学法

pedant 〔ped 儿童，-ant 表示人；"教儿童的人"→〕迂腐的教师；学究；卖弄学问的人

pedantry 〔见上，-ry 抽象名词后缀〕自夸有学问，卖弄学问；迂腐

pedantocracy 〔pedant 学究，书生，-o- 连接字母，cracy 统治→政治〕书生政治，腐儒政治

pedology 〔ped 儿童，-o-，-logy …学〕儿科学

pedologist 〔见上，-logist …学者〕儿科专家

pediatric 〔ped 儿童，iatric 医学的，医疗的，医生的〕儿科学的，小儿科的（亦作 paediatric）

pediatrics 〔见上，-ics … 学〕儿科学，小儿科（亦作

paediatrics）

pediatrician 〔见上，-ician 表示人〕儿科医师，儿科专家（亦作 paediatrician）

pediatrist 〔见上，-ist 表示人〕儿科医师，儿科专家（亦作 paediatrist）

213. petr(o) 石

petroleum 〔petr 石，ol(e)油，-um 名词后缀〕石油

petrolic 〔petr 石 ol(e)油，-ic …的〕石油的

petroliferous 〔petr 石，ol(e)油，-i-，fer 具有，-ous …的〕含石油的；产石油的

petrolize 〔petrol 石油，-ize 动词后缀〕用石油处理

petrify 〔petri 石，-fy 使…化〕使石化

petrification 〔petri 石，-fication 名词后缀，化〕石化作用

petrochemistry 〔petro 石→石油，chemistry 化学〕石油化学

petrous 〔petr 石，-ous …的〕岩石（似）的；硬的

214. phag 吃

anthropophagous 〔anthropo 人，phag 吃，-ous …的〕食人肉的

anthropophagy 〔见上，-y 名词后缀〕食人肉的习性

dysphagia 〔dys- 困难，不良，phag 吃，咽，-ia 名词后缀〕

咽下困难

zoophagous 〔zoo 动物，phag 吃，-ous …的〕吃动物的，肉食的

phyllophagous 〔phyllo 叶，phag 吃，-ous …的〕食叶的，以叶为食的

phytophagous 〔phyto 植物，phag 吃，-ous …的〕食植物的

polyphagous 〔poly- 多，phag 吃，-ous …的〕多食性的；杂食的

215. phil(o) 爱

philanthropy 〔phil 爱，anthrop 人类，-y 名词后缀；“爱人类”→〕博爱主义；慈善，善心

philanthropist 〔见上，-ist 者〕慈善家

philogyny 〔philo 爱，gyn 妇女，-y 名词后缀〕对女人的爱好

philogynist 〔见上，-ist 者〕喜爱妇女的人

philology 〔philo 爱，log 语言，-y 名词后缀〕语言学

philologist 〔见上，-ist 者〕语言学家

photophilous 〔photo 光，phil 爱，-ous …的〕〔植物〕喜光的

bibliophilist 〔biblio 书，phil 爱，-ist 者〕爱书者，书籍爱好者

bibliophilism 〔见上，-ism 表特性〕爱书癖

hippophile 〔hippo 马，phil 爱〕爱马者

zoophilist 〔zoo 动物，phil 爱，-ist 者〕爱护动物者

zoophilous 〔见上，-ous …的〕爱护动物的

Sinophile 〔Sino 中国〕喜爱中国文化的人
Japanophile 亲日派人物
Russophile 亲俄分子
Anglophile 亲英派的人
Americano-phile 亲美者

216. phob(ia) 怕

photophobia 〔photo 光，phob 怕，-ia 名词后缀〕怕光，畏光，羞明
dentophobia 〔dento 牙，phob 怕，-ia 名词后缀〕害怕牙科治疗
hydrophobia 〔hydro 水 phob 怕，-ia 名词后缀〕恐水病
hydrophobic 〔见上，-ic …的〕恐水病的
neophobia 〔neo- 新，phob 怕，-ia 名词后缀〕新事物恐怖
xenophobe 〔xeno 异，外国人，phob 怕〕畏惧和憎恨外国人的人
xenophobia 〔见上〕对外国人的畏惧和憎恨
xenophobic 〔见上，-ic …的〕畏惧和憎恨外国人的
zoophobia 〔zoo 动物，phob 怕，-ia 名词后缀〕动物恐怖症，对动物的恐惧

217. plex 重叠，重

complex 〔com- 共同，plex 重叠，重复→多重，复杂〕复杂的，综合的

complexity 〔见上，-ity 名词后缀〕复杂（性）

simplex 〔sim 来自拉丁语 sem 单一，一次，plex 重；“一重的”→〕单一的，单纯的

duplex 〔du 二，plex 重〕二重的；二倍的；双的

triplex 〔tri- 三，plex 重〕三重的；三倍的；三层的

quadruplex 〔quadru- 四，plex 重〕四重的；四倍的

multiplex 〔multi- 多，plex 重〕多重的；多样的，复合的

perplex 〔per- 完全，plex 重叠，重复→多重，复杂〕使复杂化，使纠缠不清；困惑

perplexity 〔见上，-ity 名词后缀〕纠缠；困惑；窘困

218. polis 城市

necropolis 〔necro 死尸，polis 城；“死者之城”→〕坟地

acropolis 〔acro 高，polis 城；“高城”〕（古希腊城市的）卫城

cosmopolis 〔cosmo 世界，polis 城市〕国际都市

cosmopolitan 〔见上，-an …的；“国际城市的”→〕世界主义的；全世界的

cosmopolitanism 〔见上，-ism 主义〕世界主义
megalopolis 〔megalo 特大，polis 城〕特大的城市
megalopolitan 〔见上，-an …的〕特大城市的
metropolis 〔metro 母→主要的，polis 城；“母城”→主要的城〕大城市，大都会，首府
metropolitan 〔见上，-an 形容词后缀，…的〕大城市的，大都会的
metropolitanize 〔见上，-ize …化〕使大城市化，使大都会化

219. prim 第一，最初

primacy 〔prim 第一，-acy 名词后缀〕第一位，首位
primal 〔prim 最初，-al …的〕最初的；原始的；首要的
primary 〔prim 最初，-ary …的〕最初的；原始的；初级的
primate 〔prim 第一，主要的，-ate 表示人〕大主教
prime 最初的；原始的；首要的；基本的
primer 〔prim 最初，-er 表示物〕初级读本；入门书；识字课本
primitive 〔prim 最初，-itive …的〕原始的；早期的
primipara 〔prim 初，-i-，par 产，-a 名词后缀〕初产妇
primiparous 〔prim 初，-i-，par，产，-ous …的〕初产的
primiparity 〔prim，初，-i-，par，产，-ity 名词后缀〕初产

primogenitor 〔prim 最初，始，-o-，gen 生殖，-itor 者〕始祖，祖先

primeval 〔prim 最初→最早，ev 时期，-al …的〕早期的，远古的，原始的

premier 〔prem = prim 第一→首要的，-ier 表示人；“首要的人”→〕首相，总理

220. radic 根

radical 〔radic 根，-al …的〕根本的，基本的；〔转为名词〕根部，基础

eradicate 〔e- 除去，radic 根，-ate 动词后缀〕根除，除根，斩根，连根拔

eradication 〔见上，-ation 名词后缀〕根除，斩根，消灭

eradicable 〔见上，-able 可…的〕可根除的

eradicator 〔见上，-ator 表示人或物〕根除者，除根器

eradicative 〔见上，-ative …的〕根除的，消灭的

radicate 〔radic 根，-ate 动词后缀，使…〕使生根，确立

radix 〔radix = radic〕根，根本，根源

radicle 〔rad = radic 根，-icle 表示小〕小根，幼根

radish 〔radish = radic 根；“一种植物的根”〕小萝卜，萝卜（萝卜是一种植物的根）

221. ras, rad 擦，刮

erase 〔e- 去，除，ras 擦，刮〕擦去，抹掉；除去
erasable 〔见上，-able 可…的〕可擦掉的，可抹掉的
eraser 〔可见，-er 表示物〕擦除器（如黑板擦、橡皮等）
erasion 〔见上，-ion 名词后缀〕擦去，刮除，抹掉
erasure 〔见上，-ure 名词后缀〕擦掉，删去；擦掉处
abrade 〔ab- 离开，去，rad 擦〕擦掉，磨掉；磨，擦
abradant 〔见上，-ant 名词及形容词后缀〕磨擦着的；磨擦物（如砂纸、金钢砂等）
abrase 〔ab- 离开，去，ras 擦〕擦掉，磨掉
abrasion 〔见上，-ion 名词后缀〕擦掉，磨损；擦伤处
abrasive 〔见上，-ive …的〕有研磨作用的；研磨料（如砂纸等）
raze 〔raz ← ras 刮〕刮去，削去；铲掉，铲平
razor 〔见上，-or 表示物；“削刮之器”→〕剃刀

222. rid, ris 笑

ridicule 〔rid 笑，-icule 名词后缀〕嘲笑，嘲弄，奚落
ridiculous 〔见上，-ous …的〕可笑的，荒谬的
risible 〔ris 笑，-ible 可…的〕爱笑的，能笑的，可笑的

risibility 〔ris 笑，-ibility 名词后缀〕爱笑，能笑
deride 〔de- 加强意义，rid 笑〕嘲笑，嘲弄
derider 〔见上，-er 者〕嘲笑者，嘲弄者
derision 〔见上，-ion 名词后缀〕嘲笑，嘲弄；笑柄
derisive 〔见上，-ive …的〕嘲笑的，嘲弄的；幼稚可笑的

223. rod, ros 咬，啮

rodent 〔rod 咬，-ent 名词及形容词后缀〕咬的，嚼的；啮齿动物（如鼠等）
rodenticide 〔rodent 啮齿动物，鼠，-i-，cide 杀〕杀鼠药
corrode 〔cor- 表加强意义，rod 咬→咬坏→侵蚀〕腐蚀；侵蚀
corrodible 〔见上，-ible 可…的〕可腐蚀的，可侵蚀的
corrosion 〔见上，-ion 名词后缀〕腐蚀，侵蚀
corrosive 〔见上，-ive …的〕腐蚀的，腐蚀性的
erode 〔e- 去掉，rod 咬；“咬掉”，“咬坏”→〕腐蚀；侵蚀
erodent 〔见上，-ent …的〕腐蚀的；侵蚀的
erosion 〔见上，-ion 名词后缀〕腐蚀；侵蚀
erosive 〔见上；-ive …的〕腐蚀性的，侵蚀性的
anticorrosion 〔anti- 反对→防止，corrosion 腐蚀〕防腐蚀
anticorrosive 〔见上，-ive …的〕防腐蚀的

224. rot 轮，转

rotary 〔rot 轮，转，-ary 名词及形容词后缀〕旋转的，转动的；旋转运行的机器

rotate 〔rot 轮，转，-ate 动词后缀〕旋转；轮流，循环

rotation 〔rot 轮，转，-ation 名词后缀〕旋转，转动；轮流，循环

rotative 〔rot 轮，转，-ative …的〕旋转的；轮流的，循环的

rotator 〔见上，-ator 表示物〕旋转器；旋转反射炉

rotatory 〔见上，-ory …的〕（使）旋转的；（使）轮流的，（使）循环的

rotor 〔见上，-or 表示物〕旋转体，转动体；（直升飞机的）水平旋翼

rotund 〔rot 轮→圆形，-und 形容词后缀，有…形的〕圆形的；圆胖的

rotunda 〔见上，-a 名词后缀〕圆形建筑物；圆形大厅

rotundity 〔见上，-ity 名词后缀〕圆；圆形物；圆胖

subrotund 〔sub- 稍，略，rotund 圆的〕稍圆的，略圆的

circumrotate 〔circum- 周围，rot 转，-ate 动词后缀〕周转，回转

circumrotatary 〔见上，-ary …的〕周转的，回转的

225. rud 原始，粗野

rude 原始（阶段）的，未开化的，粗野的
rudeness 〔见上，-ness 名词后缀〕原始，粗野
rudiment 〔rud 原始→开始，起初，初步，-i-，-ment 名词后缀〕初步，入门；基础，基本原理
rudimental 〔见上，-al …的〕初步的，基本的，起码的
erudite 〔e- 除去，rud 粗野，-ite …的；"去掉粗野无知"→〕有学问的，博学的；有学问的人
erudition 〔见上，-ition 名词后缀〕博学

226. rur, rus 农村

rural 〔rur 乡村，农村，-al …的〕农村的；田园的
rurality 〔见上，-ity 名词后缀〕农村景色；田园风味
ruralize 〔见上，-ize 动词后缀〕使农村化；在农村居住
rustic 〔rus 乡村，-tic …的〕乡村的，农村的；乡村式的，庄稼人样子的
rusticity 〔见上，-ity 名词后缀〕乡村风味，乡村特点，质朴
rusticate 〔见上，-ate 动词后缀〕下乡；过乡村生活
rustication 〔见上，-ation 名词后缀〕乡居，下乡，过乡村生活

227. sat, satis, satur 足，满，饱

sate	使充分满足；使饱享
satiable	〔sat 满，-i-，-able 可…的〕可使满足的；可使饱的
insatiable	〔in- 不，见上〕不能满足的；贪得无厌的
insatiability	〔见上，-ability 抽象名词后缀〕不能满足；贪得无厌
satiate	〔sat 满，-i-，-ate 动词后缀，使…〕使充分满足；使饱享
satiation	〔见上，-ation 抽象名词后缀〕充分满足，饱享
insatiate	〔in- 不，见上〕不满足的
satiety	〔sat 饱，-i-，-ety 抽象名词后缀〕饱足；厌腻
satisfy	〔satis 满，-fy 动词后缀，使…〕使满足，使满意
satisfaction	〔satis 满，-faction 抽象名词后缀〕满足，满意
satisfiable	〔见上，-able 能…的〕能满足的
satisfactory	〔见上，-ory …的〕令人满意的
dissatisfy	〔dis- 不，见上〕使不满，使不平
dissatisfied	〔见上〕不满的，显出不满的
dissatisfaction	〔见上，-faction 抽象名词后缀〕不满，不平
dissatisfactory	〔见上，-ory …的〕令人不满的，使人不平的
unsatisfactory	〔un- 不，见上〕不能令人满意的，不得人心的
unsatisfied	〔un- 不，未，见上〕未得到满足的，不满意的
saturable	〔satur 饱，-able 可…的〕可饱和的

saturant 〔satur 饱，-ant 形容词及名词后缀〕饱和的；饱和剂

saturate 〔satur 饱，-ate 动词及形容词后缀〕使饱和；饱和的

saturation 〔satur 饱，-ation 抽象名词后缀〕饱和（状态）

supersaturate 〔super- 超过，过度，saturate 使饱和〕使过度饱和

unsaturated 〔un- 不，未，非，见上〕不饱和的，未饱和的，非饱和的

228. sen 老

senior 〔sen 老→年长，-ior 形容词及名词后缀〕年长的，年纪较大的；年长者

seniority 〔见上，-ity 名词后缀〕年长

senate 〔sen 老，-ate 名词后缀〕参议院，上议院；（古罗马的）元老院

senator 〔见上，-or 表示人〕参议员，上议员；（古罗马的）元老院议员

senatorial 〔见上，-ial …的〕参议院的；参议员的；元老院的

senesce 〔sen 老，-esce 动词后缀，开始成为…〕开始衰老

senescence 〔sen 老，-escence 名词后缀〕衰老，老朽

senescent 〔sen 老，-escent 形容词后缀〕衰老的，老朽的

senile 〔sen 老，-ile 形容词后缀，…的〕老年的；衰老

的

senility 〔sen 老，-ility 名词后缀，表状态〕老迈；衰老

229. simil, simul 相似，相同

similar 〔simil 相似，-ar …的〕相似的，类似的；相似的东西

similarity 〔simil 相似，-arity 名词后缀〕相似，类似

similitude 〔simil 相似，-itude 名词后缀〕相似，类似，类似物

assimilate 〔as- 加强意义，simil 相同，-ate 动词后缀〕同化；使相同

assimilation 〔见上，-ation 名词后缀〕同化（作用）

assimilator 〔见上，-ator 者〕同化者

assimilative 〔见上，-ative …的〕同化的

dissimilar 〔dis- 不，simil 相同，-ar …的〕不同的，不一样的

dissimilarity 〔见上，-arity 名词后缀〕不同，相异点

dissimilate 〔见上，-ate 动词后缀〕（使）不同，（使）相异

dissimilation 〔见上，-ation 名词后缀〕异化，相异；异化作用

dissimilitude 〔见上，-itude 名词后缀〕不同，不一样

facsimile 〔fac = fact 作，simil 相似；“作出与原物相似之物”→〕誊写，摹写；摹真本

verisimilar 〔veri 真实，simil 相似，似乎，-ar …的〕似乎是真的，貌似真实的

verisimilitude 〔见上，-itude 名词后缀〕逼真，貌似真实；貌似真实的事物

simulate 〔simul 相似，-ate 动词后缀；“作出相似的样子”→〕模仿，模拟；假装，冒充

simulation 〔见上，-ation 名词后缀〕模仿，模拟；假装

simulator 〔见上，-ator 表示人或物〕模仿者，假装者；模拟器

simultaneous 〔simul 相同，-aneous 形容词后缀，…的；在时间上“相同的”→〕同时的；同时发生的

simultaneity 〔见上，-aneity 名词后缀〕同时性；同时发生

230. sol① 单独

sole 单独的，唯一的

solo 〔sol 单独，-o 名词后缀，表音乐术语〕独唱；独奏（曲）

soloist 〔见上，-ist 者〕独唱者；独奏者

solitude 〔sol 单独，-itude 抽象名词后缀〕孤独；隐居；寂寞

solitary 〔见上，-ary …的〕单独的，独居的

soliloquy 〔sol(i)独，loqu 言，语，-y 名词后缀〕独白；自言自语

soliloquize 〔见上，-ize 动词后缀〕自言自语地说；用独白说

soliloquist 〔见上，-ist 者〕独白者；自言自语者

desolate 〔de- 表加强意义，sol 单独，孤寂，-ate 动词、

形容词后缀；原义为："to leave alone, to make lonely, hence to depopulate, to forsake."〕使孤寂；使荒凉，使荒芜，使无人烟；荒凉的

desolation 〔见上，-ation 名词后缀〕孤寂；荒凉，渺无人烟

231. sol② 太阳

solar 〔sol 太阳，-ar 形容词后缀，…的〕太阳的，日光的

solarium 〔sol 太阳，-arium 名词后缀，表示场所〕日光浴室；日光治疗室

solarize 〔见上，-ize 动词后缀〕晒；使经受日晒作用

insolate 〔in- 构成动词，sol 太阳，-ate 动词后缀〕曝晒

insolation 〔见上，-ation 名词后缀〕曝晒；日射；日光浴

turnsole 〔turn 转向，sol 日〕向日性植物；向日葵；灯台草

circumsolar 〔circum- 周围，sol 太阳，-ar …的〕围绕太阳的，近太阳的

extrasolar 〔extra- 以外，sol 太阳，-ar …的〕太阳系以外的

lunisolar 〔lun 月，-i-，sol 日，-ar …的〕月和日的

subsolar 〔sub- 下面，sol 太阳，-ar …的〕在太阳正下面的；地（球）上的；尘世的

parasol 〔para- 防，sol 太阳；"防止日晒"之物〕遮阳伞

232. soph 智慧

philosopher 〔philo 爱，soph 智慧→知识，哲理，-er 者〕哲学家；思想家

philosophy 〔见上，-y 名词后缀〕哲学；哲理

philosophize 〔见上，-ize 动词后缀〕推究哲理，进行哲学探讨

philosophical 〔见上，-ical …的〕哲学家的；哲学（上）的

unphilosophical 〔un- 不〕不合哲理的，违背哲理的

pansophic 〔pan- 全，soph 智慧→知，-ic …的〕全知的，无所不知的

sophist 〔soph 智慧，-ist 者〕大智者，博学者；〔智慧→狡黠→诡辩〕诡辩（学）者，诡辩家

sophism 〔见上，-ism 表示行为〕诡辩，诡辩法

233. sper 希望

desperate 〔de- 否定，失去，无，sper 希望，-ate 形容词后缀，…的〕失望的，无望的，绝望的；（因绝望而）不顾一切的，拼死的

desperately 〔见上，-ly 副词后缀，…地〕绝望地；不顾一切地

desperation 〔见上，-ation 名词后缀〕绝望；拼命，不顾一切

desperado 〔见上，-ado 来自西班牙语的名词后缀，表示人；“绝望的人”→〕亡命徒；暴徒

despair 〔de- 否定，失去，无，spair ← sper 希望〕绝望，失望；失去信心

despairing 〔见上〕绝望的

234. spers, spars 散，撒

disperse 〔di- = dis- 分开，spers 散〕分散，散开，使分散

dispersal 〔见上，-al 名词后缀〕分散，疏散，散布

dispersion 〔见上，-ion 名词后缀〕分散，散开，散布；驱散

dispersive 〔见上，-ive …的〕散的，分散的；散乱的

asperse 〔a- = ad- 加强意义，spers 散→洒→〕洒水于…

aspersion 〔见上，-ion 名词后缀〕洒水

intersperse 〔inter- 在…中间，spers 散；“撒在中间”〕散布，散置，点缀

interspersion 〔见上，-ion 名词后缀〕散布，散置，点缀

sparse 〔spars 散→散开→稀疏〕稀少的；稀疏的

sparsity 〔见上，-ity 名词后缀〕稀少，稀疏

235. splend 发光，照耀

splendid 〔splend 发光，-id 形容词后缀，…的〕有光彩的，灿烂的，辉煌的；显著的，杰出的

splendent 〔splend 发光，-ent 形容词后缀，…的〕发亮的，有光泽的；辉煌的；显著的

splendour 〔splend 发光，-our 名词后缀〕光辉，光彩；壮丽，显赫

splendorous 〔见上，-ous …的〕有光辉的，有光彩的；显赫的

resplendent 〔re- 再，splend 发光，-ent …的〕灿烂的，光辉的，辉煌的，华丽的

resplendence 〔见上，-ence 名词后缀〕灿烂，光辉，辉煌，华丽

splendiferous 〔splend 发光，光彩，-i-，-ferous 有…的；“有光彩的”→〕极好的，华丽的

236. stell 星

stellar 〔stell 星，-ar 形容词后缀，…的〕星的，星球的；星形的，似星的

stellate 〔stell 星，-ate 形容词后缀，…的〕星形的，放射线状的

stelliferous 〔stell 星，-i-，fer 具有，带有，-ous …的〕有星的；多星的

stelliform 〔stell 星，-i-，-form 有…形状的〕星形的

stellify 〔stell 星，-i-，-fy 使成为…〕使成星状；使成明星

stellular 〔stell 星，-ular 形容词后缀〕小星形的，像星形放射的

constellate 〔con- 共同，在一起，stell 星，-ate 动词后缀，使…；"使群星在一起"→〕（使）形成星座；（使）群集

constellation 〔见上，-ation 名词后缀〕星座；（如明星般的）一群

constellatory 〔见上，-ory 形容词后缀〕星座的；如星座的

interstellar 〔inter- 中间，际，stell 星，-ar …的〕星际的

237. tact, tag 触

tactile 〔tact 触，-ile 形容词后缀，…的〕触觉的，有触觉的；能触知的

tactility 〔tact 触，-ility 名词后缀〕触觉，有触觉

tactual 〔tact 触，-ual 形容词后缀，…的〕触觉器官的，触觉的

contact 〔con- 共同，tact 触〕接触；联络，联系

contagion 〔con- 共同，tag 触，-ion 名词后缀〕接触传染；传染病

contagious 〔见上，-ious …的〕接触传染的，有传染性的

contagiosity 〔见上，-osity 名词后缀〕接触传染率
contagium 〔见上，-ium 名词后缀〕接触传染物
anticontagious 〔anti- 反对→防止，见上〕预防传染的
intact 〔in- 不，未，tact 触〕未经触动的

238. the(o) 神

theism 〔the 神，-ism 论〕有神论
theist 〔见上，-ist 者〕有神论者
theistic 〔见上，-istic 形容词后缀，…的〕有神论的
theology 〔theo 神，-logy …学〕神学
theologian 〔见上，-ian 者〕神学研究者；神学家
theological 〔见上，-logical …学的〕神学（上）的
theocracy 〔theo 神，cracy 权力，统治〕神权政治；僧侣政治
theocratic 〔见上，-ic …的〕神权政治的；僧侣政治的
antitheism 〔anti- 反对，theism 有神论〕反有神论
antitheist 〔见上，-ist 者〕反有神论者
atheism 〔a- 无，theism 神论〕无神论
atheist 〔见上，-ist 者〕无神论者
atheistic 〔见上，-istic …的〕无神论的
monotheism 〔mono- 单一，the 神，-ism 论〕一神论；一神教
monotheist 〔见上，-ist 者〕一神论者；信一神教者
polytheism 〔poly- 多，the 神，-ism 论〕多神论，多神主义；多神教

polytheist 〔见上，-ist 者〕多神论者，多神主义者；多神教徒

239. ton 音

tonal 〔ton 音，-al…的〕音调的

tonality 〔ton 音，-ality 名词后缀〕音调

tone 〔ton 音〕音；音调，调子

toneless 〔见上，-less 无〕缺乏声调的；单调的

tonetic 〔ton 音，-etic 形容词后缀，…的〕声调的

tonetics 〔见上，-ics …学〕声调学

monotone 〔mono- 单一，ton 音调〕单调；单调的

monotonic 〔mono- 单一，ton 音调，-ic …的〕单调的

monotonous 〔见上，-ous …的〕单调的；单音调的

monotony 〔见上，-y 表抽象名词〕单音，单调；无变化

atonal 〔a- 无，ton 音调，-al …的〕无调的；不成调的

atony 〔见上，-y 表抽象名词〕无声调；无重读音

baritone 〔bari 重，ton 音；“重音”→〕男中音

diatonic 〔dia- 贯穿，全，ton 音，-ic …的〕全音阶的

intone 〔in- 构成动词，表示做…，见上〕发长音；吟诵，吟咏

intonation 〔见上，-ation 名词后缀〕声调；语调

undertone 〔under- 下，低，小，ton 音〕低音；小声

240. tort 扭

extort 〔ex- 出，离去，tort 扭；“扭去”，“扭走”→夺去，夺走→〕强取，逼取，强索，敲诈，勒索

extortion 〔见上，-ion 名词后缀〕强取，逼取，敲诈，勒索

extortioner 〔见上，-er 表示人〕强取者，勒索者

tortuous 〔tort 扭→扭弯，扭曲→弯曲，-uous 形容词后缀，…的〕扭曲的，弯弯曲曲的，拐弯抹角的

tortuosity 〔见上，-osity 名词后缀〕曲折，弯曲

torture 〔tort 扭→扭弯→折→折磨，-ure 名词后缀〕拷打，折磨，严刑，痛苦；〔转为动词〕拷打，使痛苦，拷问，折磨，刑讯；〔扭→扭歪〕歪曲，曲解

torturer 〔见上，-er 者〕拷打者，拷问者，虐待者

torment 〔见上，tor(t)+-ment〕痛苦，折磨；使痛苦

torturous 〔见上，-ous …的〕使痛苦的，充满痛苦的

contort 〔con- 加强意义，tort 扭→扭弯〕扭歪，扭弯，曲解

contortion 〔见上，-ion 名词后缀〕扭弯，扭歪，曲解

contortionist 〔见上，-ist 表示人；“扭弯身体的人”→〕善作柔体表演的杂技演员

distort 〔dis- 离，tort 扭；“扭离正形”→〕弄歪（嘴脸等），使变形；歪曲，曲解（事实）

distortion 〔见上，-ion 名词后缀〕弄歪，变形，歪曲，歪

形

distortionist 〔见上，-ist 表示人；“善画歪形的人”→〕漫画家；〔“扭歪身体的人”→〕柔体表演者

tortoise 〔tort 扭→扭曲〕乌龟（乌龟的脚是扭曲的）

retort 〔re- 回，tort 扭；“扭回”→打回→〕反击，回报，反驳

retortion 〔见上，-ion 名词后缀〕扭回，扭转，反击，报复

tortile 〔tort 扭，-ile 形容词后缀，…的〕扭转的，扭弯的

torsion 〔tors = tort 扭，-ion 名词后缀〕扭转，扭力

241．tour 迂回，转

tour 〔“迂回”而行，到处“转”游〕旅游，游历

tourism 〔见上，-ism 名词后缀，表示行为〕旅游；导游业

tourist 〔见上，-ist 人〕旅游者，游览者

detour 〔de- 加强意义，tour 迂回〕弯路，迂回路；绕道

contour 〔con- 加强意义，tour 迂回；“迂回”地画→〕画轮廓，画外形；轮廓，外形

242. trud, trus 推，冲

intrude 〔in- 入，trud 冲，闯；“闯入”，“冲入”→〕侵入，入侵；闯入

intruder 〔见上，-er 者〕入侵者；闯入者

intrusion 〔in- 入，trus 冲，闯，-ion 名词后缀〕入侵；闯入

intrusive 〔见上，-ive …的〕入侵的；闯入的

extrude 〔ex- 出，trud 推；“推出”→〕逐出，赶走；挤压出，喷出

extruder 〔见上，-er 表示物〕挤压机

extrusion 〔见上，-ion 名词后缀〕逐出；喷出；挤压

extrusive 〔见上，-ive …的〕逐出的；喷出的；挤出的

protrude 〔pro- 向前，trud 推；“推向前”→〕使伸出，使突出

protrudent 〔见上，-ent …的〕伸出的，凸出的，突出的

protrusile 〔见上，-ile 可…的〕可伸出的，可突出的

protrusion 〔见上，-ion 名词后缀〕伸出，突出；突出部分

protrusive 〔见上，-ive …的〕伸出的，突出的

detrude 〔de- 下，trud 推〕推下，推落，推倒，推去

detrusion 〔见上，-ion 名词后缀〕推下，推倒

243. tut, tuit 监护，看管

tutor 〔tut 监护，看管→管教，指导，-or 者；“指导儿童者，”“管教儿童者”→〕家庭教师；指导教师；监护人

tutorage 〔见上，-age 名词后缀，表职位〕家庭教师（或指导教师）的职位

tutoress 〔见上，-ess 表女性〕女家庭教师；女指导教师；女助教

tutorial 〔见上，-ial …的〕家庭教师的；指导教师的

tutorship 〔见上，-ship 表身份、地位〕家庭教师（或指导教师、监护人等）的地位、职位或职责

tutee 〔见上，-ee 被…的人〕被教导者，被指导者，学生

untutored 〔un- 未，见上〕未受教育的；无教养的

tuition 〔tuit 监视，看护→管教，教导，-ion 名词后缀〕教，教诲，讲授；学费

tuitional 〔见上，-al …的〕讲授的，教导的

244. umbr 阴影

umbrella 〔umbr 阴影，-ella 名词后缀，表小；“遮有小阴影之物”→〕伞

umbra 〔umbr 影，-a 名词后缀〕暗影

umbrage 〔umbr 阴影，-age 名词后缀〕树荫；荫影

umbrageous 〔见上，-ous …的〕浓荫的；阴暗的

umbriferous 〔umbr 影，-i-，fer 带有，-ous …的〕有阴影的

adumbral 〔ad- 表示 at，to，umbr 影，-al …的〕荫影的，遮日的

adumbrate 〔ad- 表示 at，to，umbr 影，-ate 动词后缀；"画…的影"→〕勾画，画…的轮廓；在…上投下阴影

inumbrate 〔in- 加强意义，umbr 影，-ate 动词后缀〕投以暗影，遮暗，荫蔽

penumbra 〔pen- 半，umbr 影〕半影；(日、月食的)半影

245. ut, us 用

utility 〔ut 用，-ility 名词后缀〕效用，有用，实用，功利

utilitarian 〔见上，-arian …的；"有用的"→有利的→功利的〕功利的，功利主义的；〔-arian 表示人〕功利主义者

utilize 〔见上，-ize 动词后缀〕利用

utilization 〔见上，-ation 名词后缀〕利用

utilizable 〔见上，-able 可…的〕可利用的

inutile 〔in- 无，ut 用，-ile …的〕无用的，无益的

inutility 〔见上，-ility 名词后缀〕无用，无益，无用的人或物

utensil 用具

usage 〔us 用，-age 名词后缀〕使用，用法

usual 〔us 用，-ual …的；用，使用→通常使用的，平常惯用的→〕通常的，平常的，惯例的

usually 〔见上，-ly 副词后缀〕通常地，惯常地

usury 〔us 用，-u-，-ry 名词后缀；用→利用→利用本金贷出获利→〕高利贷，高利剥削

usurious 〔见上，-ous …的〕高利贷的，高利的

246. vag 走，漫游

extravagant 〔extra- 以外，vag 漫步，走，-ant …的；“走出范围之外的”→超出范围的→〕过分的，过度的，无节制的，奢侈的，浪费的

extravagance 〔见上，-ance 名词后缀〕过分，过度，无节制，浪费，奢侈

vague 〔vag 漫游，游荡→游移不定→（语义）不确定，不明确〕含糊的，不明确的

vagile 〔vag 漫游，-ile 形容词后缀，…的〕漫游的

vagabond 〔vag 漫游→流浪〕流浪的，漂泊的；流浪者

vagabondage 〔见上，-age 名词后缀〕流浪（生活）

divagate 〔di- = dis- 离，vag 漫步，走，-ate 动词后缀；“走离”→〕流浪，漫游，入歧途；（谈话）离题

divagation 〔见上，-ion 名词后缀〕流浪，入歧途；离题

noctivagant 〔nocti 夜，vag 漫游，-ant …的〕夜游的，夜间

徘徊的

vagrant 〔vag 漫游→流浪, -ant …的〕流浪的;〔-ant 表示人〕流浪者

vagary 〔vag 走, -ary 名词后缀; 走→走离→走离常规, 离开常规→异于寻常→不正常→〕异想天开, 反复无常的行为, 古怪的行为

vagarious 〔见上, -ous …的〕异想天开的, 古怪的, 反复无常的

247. val 强

invalid 〔in- 不, val 强, -id 形容词后缀, …的; "不强壮的"→〕病弱的; 伤残的; 病人; 伤病员

invalidity 〔见上, -ity 名词后缀〕(因病残而)丧失工作能力

invalidism 〔见上, -ism 表情况、状态〕久病; 伤残

valiant 〔val 强→勇, -iant = -ant …的〕勇敢的, 勇猛的, 英勇的

valour 〔val 强→勇, -our 表抽象名词〕勇猛, 英勇

valorous 〔见上, valor ← valour, -ous …的〕勇猛的, 英勇的

convalesce 〔con- 用作加强意义, val 强→健康, -esce 动词后缀, 表示动作开始或正在进行〕渐愈, 恢复健康

convalescence 〔见上, -escence 名词后缀〕逐渐恢复健康

convalescent 〔见上, -escent 形容词后缀〕恢复健康的, 渐愈的

248．van 空，无

vanish 〔van 空，无，-ish 动词后缀〕突然不见；逐渐消散；消失

vanity 〔van 空，-ity 名词后缀〕空虚，虚夸，虚荣心

evanesce 〔e- 表示 out，van 空，无→消失，-esce 动词后缀，表示逐渐成为…〕逐渐消失；消散，消失

evanescence 〔见上，-escence 名词后缀〕消失，消散

evanescent 〔见上，-escent 形容词后缀〕很快消失的

evanish 〔见上，-ish 动词后缀〕消失，消散

249．ver(i) 真实

very 〔ver 真实，-y 形容词后缀，…的〕真实的，真正的，真的；十足的

verily 〔veri 真实，-ly 副词后缀，…地〕真正地；肯定地；真实地；忠实地

veracious 〔ver 真实，-acious 形容词后缀，…的〕真实的；准确的；讲实话的；诚实的

veracity 〔ver 真实，-acity 抽象名词后缀〕真实性；确实；准确（性）；诚实；讲实话

verify 〔veri 真实，-fy 动词后缀〕证实；核实；查证

verifiable 〔见上，-able 可…的〕可证实的；可核实的；可

检验的

verification 〔veri 真实，-fication 抽象名词后缀〕证实；核实；证明

verifier 〔见上，-fier 表示人或物〕核实者；检验者；核实器；检验器

verisimilar 〔veri 真实，similar 相似〕似乎是真的；貌似真实的

verisimilitude 〔veri 真实，simil 相似，-itude 抽象名词后缀〕逼真；貌似真实；逼真的事物；貌似真实的事物

verism 〔ver 真实，-ism 主义〕真实主义

verity 〔veri 真实，-ty 抽象名词后缀〕真实性；事实

veritable 〔见上，-able …的〕确实的；真正的；名符其实的

250. voc, vok 声音，叫喊

vocal 〔voc 声，-al …的〕有声的；用语言表达的，口述的；歌唱的

vocalism 〔见上，-ism 表行为〕发声；歌唱

vocalist 〔见上，-ist 者〕歌唱者；声乐家

vocalize 〔见上，-ize 动词后缀〕发声；唱；说

vocative 〔voc 声，发声→呼唤，-ative …的〕呼唤的，称呼的

vociferous 〔voc 声，-i-，fer 具有，-ous …的〕有大声的，叫喊的；吵闹的，喧嚷的

convoke 〔con- 共同，一起，vok 叫，召唤；"叫到一起来"→〕召集…开会，召集（会议）
convocation 〔见上，-ation 名词后缀〕召集；集会
revoke 〔re- 回，vok 叫；"叫回"→〕撤回，撤销
revocation 〔见上，-ation 名词后缀〕撤回；取消
revocable 〔见上，-able 可…的〕可撤回的；可取消的
irrevocable 〔ir- 不，见上〕不可挽回的；不可取消的
provoke 〔pro- 前，向前，vok 叫喊〕对…挑衅；激怒；煽动；激起
provocation 〔见上，-ation 名词后缀〕挑衅；激怒；激起
provocative 〔见上，-ative 形容词后缀，…的〕挑衅的；激怒的；激起…的
equivocal 〔equi 相等的，一样的，两可的，voc 声，言词，-al 形容词后缀，…的〕（语言）模棱两可的，双关的，含糊的；多义的
equivocality 〔见上，-ity 名词后缀〕（语言的）含糊，两可；多义性
equivoke 〔见上〕模棱两可的话；双关语；两义语
evoke 〔e- 出，vok 声音，叫；"叫出"，"喊出"→〕唤起，召唤；召（魂）
evocation 〔见上，-ation 名词后缀〕唤起，召唤
evocative 〔见上，-ative …的〕唤起…的，引起…的
vocable 〔voc 声音→语言〕词，语
vocabulary 〔见上，-ary 名词后缀〕词汇，字汇，语汇，词汇量
advocate 〔ad- 加强意义，voc 声音→说话，-ate 动词后缀；"大声说"，"大声叫喊"→极力主张→〕拥护，提倡，鼓吹，辩护；〔-ate 表示人〕拥护

者，提倡者，鼓吹者，主张者

advocacy 〔见上，-acy 名词后缀〕拥护，提倡，辩护，主张

advocator 〔见上，-or 表示人〕拥护者，提倡者

vocation 〔voc 声音，语言，叫喊→召唤，-ation 名词后缀；原义为“根据上帝的召唤而做的事”→天职，后演化、引申为“职业”〕职业，行业

vocational 〔见上，-al …的〕职业的，行业的

251. vol, volunt 意志，意愿

volition 〔vol 意志，-ition 名词后缀〕意志，意志力

volitional 〔见上，-al …的〕意志的，意志力的

volitive 〔见上，-itive …的〕意志的；表示愿望的

benevolence 〔bene- 好，vol 意愿，-ence 名词后缀；“好意”，“好心”→〕仁慈，善行，善心，慈善

benevolent 〔见上，-ent …的〕仁慈的，慈善的，善心的

malevolence 〔male- 恶，坏，vol 意愿，-ence 名词后缀；“恶意”，“坏心”→〕恶意，恶毒；用心恶毒的行为

malevolent 〔见上，-ent …的〕含有恶意的，恶毒的

volunteer 〔volunt 意志，志愿，-eer 者〕自愿参加者，志愿者，志愿兵

voluntary 〔volunt 意志，志愿，-ary …的〕自愿的，志愿的；故意的

voluntarily 〔见上，-ly 副词后缀〕自愿地，志愿地

involuntary 〔in- 非，不，voluntary 自愿的〕非自愿的；非故意的

252. volu, volv 滚，转

voluble 〔volu 转，-ble 可…的，易…的〕易旋转的；（言词）流利的

volume 〔volu 滚→卷；古时书籍成卷轴形〕卷；册

evolve 〔e- 出，外，volv 滚；"向外滚动"→向前滚进→〕进化；使进化；进展；演化

evolution 〔见上，-tion 名词后缀〕进化；进展；演化

evolutionism 〔见上，-ism 论〕进化论

evolutionist 〔见上，－ist 者〕进化论者

involve 〔in- 入，volv 滚→卷，"卷入"→包入→〕卷缠；包缠；使卷入；包含

involvement 〔见上，-ment 名词后缀〕卷入，牵连；包含

convolute 〔con- 加强意义，volu 滚，卷〕卷绕，旋绕

convolution 〔见上，-tion 名词后缀〕卷绕，旋绕

intervolve 〔inter- 中间，在…之间→互相，volv 滚，卷〕（使）互卷，互相盘绕；缠绕

circumvolution 〔circum- 周围，围绕，volv 转，-tion 名词后缀〕（围绕一中心的）旋转，盘绕；迂回运行

revolution 〔re- 回，volu 滚转，-tion 名词后缀；"回转"→旋转→转动→变动→变革→〕革命；剧烈的变革；旋转，周转

revolutionary 〔见上，-ary 名词兼形容词后缀〕革命者；革命

的

revolve 〔re- 回，反，volv 转〕旋转；使旋转

revolver 〔见上，-er 表示物或人；“连续转动之物”→〕左轮手枪；转炉；旋转者

第二部分 单词的附件——词缀

(一)前 缀

a- 1. 无、不、非

acentric 无中心的
amoral 非道德性的
asocial 不好社交的
asexual 无性别的
atypical 非典型的
apolitical 不关心政治的
asymmetry 不对称
ahistorical 与历史无关的
adynamic 无力的
aperiodic 非周期的

2. 含有 in, on, at, by, with, to, of 等意义

asleep 在熟睡中
ahead 向前,在前头
aside 在一边
abreast 肩并肩地
abed 在床上
afoot 徒步
ashore 向岸上,在岸上
atop 在顶上
afield 在田里,在野外
afire 在燃烧中
aground 在地面上,搁浅
aback 向后

3. 加强意义

aloud 高声地
aright 正确地
awake 唤醒,使醒
aweary 疲倦的,厌倦的
await 等待
ashamed 羞耻的
arise 起来,升起
alike 相同的(地)
afar 遥远地
awash 被浪潮冲打的

ab- 离去、相反、不

abnormal 反常的　absorb 吸去
abuse 滥用　abaxial 离开轴心的
abduct 诱去,骗走　ablactation 断奶

ac- 含有 at, to 之意,或表示加强及引申意义

accustom 使习惯　account 计算,算账
accredit 信任,相信　accompany 陪伴
acclimate (使)适应气候　acculturation 文化移入
acknowledge 认知,承认　acquit 释放,免罪

ad- 含有 at, to 之意,或表示加强意义

adjust 调整　admixture 混杂
adventure 冒险　adjunction 添加,附加
admonition 告诫,劝告　adjoin 毗连,相接,贴近

af- 含有 at, to 之意,或表示加强意义

affright 震惊,恐惧　affix 附加,贴上
afforest 造林,绿化　affirm 肯定,确认
affamish 使饥饿　affront 对抗,冒犯

ag- 含有 at, to 之意,或表示加强意义

aggrandize 增大　aggravate 加重
aggrieve 使悲痛　aggrade 增高(河底)

amphi- 两、双

amphicar 水陆两用车　amphitheatre 两边都可观看的剧场,圆形剧场
amphibiology 两栖生物学　amphibian 水陆两栖的

an- 1. 无、不

anonymous 无名的　anoxia 缺氧症
anechoic 无回声的　anharmonic 不和谐的

anelectric 不起电的 anarchism 无政府主义

2. 加强或引申意义

annotate 注解 announce 宣布,通告

annihilate 消灭 annul 使无效,废除

ante- 前、先

anteroom 前室,接待室 antedate 比实际早的日期

anteport 前港,外港

antemeridian 午前的 antestomach 前胃

antenatal 出生前的 antenuptical 婚前的

antechamber 前厅 antecessor 先行者,先驱者

antetype 原型

anti- 反对、相反、防止

antiwar 反战的 antitank 反坦克的

anti-imperialist 反帝的 antiageing 防衰老的

antiforeign 反外的,排外的 anti-colonial 反殖民主义的

antislavery 反奴隶主义 antigas 防毒气的

antiaircraft 防空袭的 antifat 防止肥胖的

anticontagious 防止传染的 antinoise 防噪音的

antimissile 反导弹的

ap- 加强或引申意义

appoint 指定,任命 apposition 并置,同位

appease 平息,绥靖 apprehension 理解,领悟

approximate 近似的

appraise 评价

apo- 离开(亦作 ap-)

apogee 远地点 apology 道歉,解释开

apostasy 脱党,叛教　　aphelion (天文)远日点

ar-　含有 at,to 之意,或表示加强及引申意义

arrange 安排,布置　　arrect 直立的

arrear 在后,拖延　　arrive 到达

as-　含有 at,to 之意,或表示加强及引申意义

assimilate 同化　　assort 分类

assure 使确信,担保　　associate 联合,结合

ascertain 确定,查明　　assign 指定,分派

at-　含有 at,to 之意,或表示加强及引申意义

attrap 使入陷阱　　attune 调定声音,合调

attract 吸引　　attest 证明

auto-　自己,自动

autocriticism 自我批评　　autorotation 自动旋转

autobiography 自传　　autoalarm 自动报警器

autosuggestion 自我暗示　　autoinfection 自体感染

auto-timer 自动定时器　　autobike 机器脚踏车

be-　1. 使…、使成为…

belittle 使缩小,贬低　　befriend 以朋友相待

becalm 使镇静　　befool 欺骗,愚弄

bedim 使模糊不清　　bedevil 使着魔

benumb 使麻木　　bemuse 使发呆

2. 加以…、饰以…、用…(做某事)

bepowder 在…上撒粉　　bejewel 饰以珠宝

becloud 遮蔽,遮暗　　bedew 沾湿

3. 在

beside 在…旁边　　behind 在…后面

below 在…下面　　before 在…以前

4. 加强及引申意义

befall 降临,发生
bethink 想起,思考
befit 适合,适宜
besiege 包围,围攻
bedaub 涂污,乱涂
bepaint 着色,画
bespatter 溅污
belaud 大加赞扬
bemoan 悲叹,哀泣
bedeck 装饰,修饰
besprinkle 泼,洒
besmirch 弄脏,玷污

bene- 善、好

benevolent 善心的,慈善的
beneficent 行善的
benediction 祝福
benefaction 恩惠,善行

bi- 两、二

biweekly 双周刊
bicolour 两色的
bisexual 两性的
biplane 双翼飞机
bimetal 双金属
biform 有二形的
bifacial 两面一样的
bilingual 两种语言的
bimonthly 双月刊
bipolar 两极的,双向的
bicycle 自行车(cycle 轮)
bilateral 双边的

by- 旁、侧、非正式、副

byroad 小路,僻径
bywork 业余工作
bystreet 旁街,僻街
by-law 附法,细则
bypath 小道,僻径
by-product 副产品
byname 别名,绰号
by-effect 副作用
by-business 副业
bytime 余暇,闲暇

circum- 周围、环绕

circumplanetary 环绕行星的

circumpolar 在两极周围的
circumfluence 周流, 环流
circumposition 周围排列
circumnavigate 环球航行
circumaviate 环球飞行
circumlunar 环绕月球的
circumsolar 环绕太阳的

co- 共同

cooperation 合作
coeducation 男女同校
coexistence 共存, 共处
co-flyer 副飞行员
cohabitation 同居, 姘居
corotation 共转
copartner 合伙人
coaction 共同行动
coagent 共事者
co-worker 共同工作者
co-founder 共同创立者
co-owner 共同所有人
comate 同伴, 伙伴
coauthor 书的合著者之一

col- 共同

collaboration 协作, 勾结
collinear 在同一直线上的
collingual 用同一种语言的
collocate 并置, 并列

com- 1. 共同

compatriot 同国人, 同胞
commiserate 同情
combine 联合, 结合
compassion 同情
commensal 共餐的

2. 加强或引申意义

commove 使动乱
commix 混合
compress 压缩
commemorate 纪念

con- 1. 共同

concolorous 同色的
connatural 同性质的

concentric 同一中心的 contemporary 同时代的
concourse 合流,汇合 conjoin 联合,结合
condominate 共同管辖的 consanguineous 同血缘的

2. 加强或引申意义

conclude 结束,终结 confirm 使坚定
consolidate 巩固,加强 condense 凝结,缩短
confront 使面对 convolution 旋绕,卷绕
contribute 贡献,捐献 configure 使具形体

contra- 反对、相反、相对

contra-missile 反导弹导弹 contraposition 对照,针对
contraclockwise 逆时针方向的 contradistinction 对比的区别
contradict 反驳,相矛盾

cor- 1. 共同、互相

correlation 相互关系 corradiate 使(光线)共聚于一点
correspond 符合,相应,通信

2. 加强或引申意义

correct 改正,纠正 corrupt 腐败,败坏
corrival 竞争者,竞争的 corrugate 使起皱纹

counter- 反对、相反

counterrevolution 反革命 countermarch 反方向行进
counterattack 反攻,反击 countercurrent 逆流
countermove 反向运动
counteroffensive 反攻 counterspy 反间谍

counterblast 逆风
counteraction 反作用
counterwork 对抗行动
countereffect 反效果
counterevidence 反证
counterdemand 反要求
countertrend 反潮流
counterplot 反计,将计就计
countercharge 反诉,反告

de- 1. 否定、非、相反

denationalize 非国有化
demilitarize 使非军事化
decolonize 使非殖民化
depoliticize 使非政治化
deemphasize 使不重要
dechristianize 非基督教化
destruction 破坏
demobilize 复员(与 mobilize 相反)
demerit 缺点(非优点)
decompose 分解(与 compose 相反)
dematerialize 非物质化

2. 除去、取消、毁

desalt 除去盐分
decontrol 取消管制
dewater 除去水分
de-ink 除去污迹
defog 清除雾气
defrost 除霜,解冻
decamp 撤营
deflower 摘花
deforest 砍伐森林
deface 毁…的外观
decolour 使退色
de-oil 脱除油脂
depollution 消除污染
decode 解(译)密码
degas 消除毒气,排气
decivilize 使丧失文明

3. 离开

detrain 下火车
deplane 下飞机
dethrone 使离王位
derail 使(火车)出轨

4. 向下、降低、减少

depress 压低,压下
depopulation 人口减少

devalue 降低价值,贬值　declass 降低社会地位

5. 使成…、作成…、或仅作加强意义

delimit 划定界限　denude 使裸露

depicture 描绘,描述　design 计划,设计

deca- 十

decasyllable 十音节词　decagon 十角形

decameter 十米　decagram 十克

deci- 十分之一

decigram 十分之一克,分克　decilitre 十分之一升,分升

decimeter 十分之一米,分米　deciare 十分之一公亩

demi- 半

demigod 半神半人　demiwolf 半似狼之犬

demi-fixed 半固定的　demidevil 半恶魔

demitint (绘画)半浓半淡　demilune 半月,新月

di- 二、双

diatomic 二原子的　dichromatic 两色的

disyllable 双音节词　dioxide 二氧化物

ditheism 二神论　diacid 二酸

digamy 二婚,再婚　diarchy 双头政治

dia- 贯通、对穿、透过、相对

diagonal 对角钱　dialogue 对话

diameter 直径　diathermal 透热的

dif- 分开、否定、不

diffluence 分流　differ 不同,相异

diffident 不自信的　　diffuse 散开,散布

dis- 1. 不、无、相反

dislike 不喜欢　　disagree 不同意
discontinue 不继续,中断　　disorder 无秩序,混乱
disproof 反证
disbelieve 不相信　　dispraise 贬损,非难
dishonest 不诚实的　　disremember 忘记
disappear 不见,消失　　disability 无能,无力
discomfort 不舒服

2. 取消、除去、毁

disforest 砍伐森林　　disroot 拔根,根除
discourage 使失去勇气　　disrobe 脱衣
disarm 解除武装,裁军　　dishearten 使失去信心
disburden 解除负担　　discolour (使)褪色

3. 加在含有"分开"、"否定"等意义的单词之前,dis- 则作加强意义

dispart 分离,裂开　　dissemination 散布,传播
dissever 分裂,切断　　disannul 使无效,废除

4. 分开、离、散

dissect 切开　　dissolve 分离,溶解
distract 分心　　dispense 分配
dispel 驱散　　dissipate 驱散

〔注〕dis- 有时作 di-, 如:

dispirit 使气馁,使沮丧　　divert 使转向
digress 离正题,入歧路　　divorce 离婚
divest 脱…的衣服

dys- 不良、恶、困难

dysfunction 机能失调 dysphonia 发音困难
dyspepsia 消化不良 dyspathy 反感
dysgenesis 生殖力不良 dysopsy 视力弱,弱视

e- 1. 加强或引申意义,使…

evaluate 评价 elongate 使延长,拉长
estop 阻止,禁止 estrange 使疏远
evanish 消失,消散 elaborate 努力制作
especially 特别,格外 evaporate 蒸发

2. 出、外

eject 投出,掷出 emigrate 移居国外
elect 选出 emerge 浮出,出现
erupt 喷出 evade 逃出

3. 除去

eradicate 除根,根除 emasculate 割除睾丸

ef- 出、离去

effluence 流出 effoliation 落叶
efflation 吹出,吹出之物 effable 能被说出的

em- 1. 表示"置于…之内"、"上…"

embay 使(船)入湾 embus 装入车中,上车
embosom 藏于胸中,怀抱 emplane 乘飞机
embog 使陷入泥沼中
embed 安置(as in a bed)

2. 表示"用…做某事"、"饰以…"、"配以…"

embalm 涂以香料 emblazon 饰以纹章
embank 筑堤防护 embar 上门闩

3. 表示"使成某种状态"、"致使…"、"使之如…"、"作成…"

embow 使成弓形　　empower 使有权力,授权
empurple 使发紫　　embody 体现,使具体化
embitter 使苦　　embrown 使成褐色

en- 1. 表示"置于…之中"、"登上…"、"使上…"

encage 关入笼中　　entrain 上火车
encase 装入箱中　　enplane 上飞机
encave 藏于洞中　　enthrone 使登上王位
enroll 记入名册中　　enshrine 藏于神龛中

2. 表示"用…来做某事"、"饰以…"、"配以……"

entrap 用陷阱诱捕　　enwreathe 饰以花环
enchain 用链锁住　　enlace 用带缚,捆扎
encloud 阴云遮蔽

3. 表示"使成某种状态"、"致使…"、"使之如…"、"作成…"

enlarge 使扩大,放大　　endanger 使遭危险
ensphere 使成球形　　encrimson 使成深红色
enrage 激怒　　encircle 作成一圈,包围
endear 使受喜爱　　ennoble 使成贵族,使高贵
encipher 译成密码　　enfeeble 使衰弱
encamp 使扎营　　ensky 使耸入天际,把…捧上天
encash 使兑成现金
enrich 使富足　　enslave 使成奴隶,奴役
enable 使能够　　encourage 使有勇气

4. 加在动词之前,表示"in",或只作加强意义

enclose 围入,关进　　entrust 信托,委托

enfold 包入
enwrap 包入,卷入
enwind 缠绕
entangle 缠住,套住
endamage 损坏,损害
enclothe 给…穿衣服
enkindle 点火
enlighten 启发,开导
enlink 把…连结起来
engird 卷,缠
engorge 大吃,吞吃

endo- 内

endoparasite 体内寄生虫
endogen 内生植物
endolymph 内淋巴
endogamy (同族)内部通婚

ennea- 九

enneasyllable 九音节
enneagon(数学)九角形
enneahedron (数学)九面体

eu- 优、善、好

eugenics 优生学
eulogize 赞美
euphemism 婉词,婉言
euphonic 声音优美的
eupepsia 消化良好
euthenics 优境学

ex- 1. 出、外、由…中弄出

export 出口,输出
expose 展出,揭露
exit 出口
extract 抽出,拔出
exclude 排外,排斥
excavate 挖出,发掘
exhume 掘出
expel 赶出,逐出

2. 前任的、以前的

ex-president 前任总统
ex-mayor 前任市长
ex-premier 前任总理
ex-soldier 退伍军人
ex-Nazis 前纳粹分子
ex-chancellor 前任大学校长
ex-wife 前妻

ex-husband 前夫

3. 表示“使…”、“做…”,或作加强意义

expurgate 使清洁
exalt 使升高,增高
excruciate 施刑,使苦恼
exaggerate 夸大

exo- 外、外部

exobiology 外太空生物学
exogamy 外族通婚
exoskeleton 外骨胳
exosphere 外大气层

extra- 以外、超过

extraofficial 职权以外的
extrapoliticial 政治外的,超政治的
extraterritorial 治外法权的
extrasensory 超感觉的
extralegal 法律权力以外的
extrajudical 法庭管辖以外的
extracurriculum 课外的
extra-special 特别优秀的
extraordinary 格外的
extrareligious 宗教外的
extraprofessional 职业以外的
extrasolar 太阳系以外的

fore- 前、先、预先

foretell 预言
foresee 预见,先见
forehead 前额
foreword 序言,前言
forearm 前臂
foreknow 先知,预知
foretime 已往,过去
foreground 前景
forefather 前人,祖先
forerun 先驱,前驱

hecto- 百

hectogram 一百克
hectowatt 一百瓦

hectometer 一百米　hectoampere 一百安培

hemi- 半

hemisphere 半球　hemiparasite 半寄生物

hemicycle 半圆形　hemipyramid 半锥面

hepta- 七(在元音前作 hept-)

heptagon 七角形　heptode 七级管

heptahedron 七面体　heptarchy 七头政治

hetero- 异

heteropolar 异极的　heterodoxy 异教,异端

heterosexual 异性的　heteromorphic 异形的

hexa- 六(在元音前作 hex-)

hexagon 六角形　hexangular 有六角的

hexode 六极管　hexameter 六韵脚诗

holo- 全

hologram 全息图　holography 全息照相术

holophone 声音全息记录器　holocrystalline 全结晶的

holophote 全射镜

holohedron 全面体

homo- 同

homotype 同型　homopolar 同极的

homosexual 同性恋的　homophone 同音异义词

homocentric 同中心的　homograph 同形异义词

homothermic 同温的　homogeneous 同族的

hyper- 超过、过多、太甚

hypermilitant 极度好战的　hyperslow 极慢的

hypersensitive 过敏的　hypersuspicious 过分多疑的

hypersexual 性欲极强的　hyperverbal 说话太多的

hypercriticism 过分批评 hyperactive 活动过度的
hypersonic 特超音速的 hyperacid 胃酸过多的

hypo- 下、低、次、少

hyposensitize 减弱…的敏感度 hypodermic 皮下的
hypoglossal 舌下的
hypothermia 体温过低 hypotension 低血压
hypochlorite 次氯酸盐

il- (用在l之前) 1. 不、无、非

illegal 非法的 illogical 不合逻辑的
illiterate 不识字的 illimitable 无限的
illocal 位置不定的 illiberal 不大方的

2. 加强或引申意义

illustrate 说明,表明 illuminate 照耀

im- (用在b,m,p之前)

1. 不、无、非

impossible 不可能的 immemorial 无法追忆的,太古的
imperfect 不完美的
immoral 不道德的 impolite 无礼的
impure 不纯洁的 impassive 无表情的
imbalance 不平衡 impersonal 非个人的
immaterial 非物质的 immovable 不可移动的
impassable 不能通行的 immortal 不朽的,不死的

2. 向内、入

import 输入,入口 imprison 投入狱中,监禁
immigrate 移居入境 imbibe 吸入
immission 注入,投入 immerge 没入,浸入

3. 加强意义,或表示"使成…"、"饰以…"、"加以…"

impulse 冲动
impel 驱使,推动
imperil 使处于危险
imparadise 使登天堂
impaste 使成浆糊状
impassion 使动感情
immanacle 加以手铐
imbrute 使成禽兽一样
impearl 使成珍珠,饰以珍珠
impawn 典当,低押

in- 1. 不、无、非

inglorious 不光彩的
incorrect 不正确的
incomplete 不完全的
inhuman 不人道的
injustice 不公正
incapable 无能力的
incomparable 无比的
insensible 无感觉的
inartistic 非艺术的
informal 非正式的

2. 内、入

inside 内部,里面
indoor 户内的
inland 内地的,国内的
inject 投入,注射
inbreak 入侵
intake 纳入,吸入
inbreathe 吸入
inrush 涌入,闯入

3. 加强意义,或表示"使…"、"作…"

inspirit 使振作精神
intrench 掘壕沟
invigorate 给以勇气,鼓舞
inflame 燃烧
intone 发音,吟诵
ingraft 接技
incurve (使)弯曲

infra- 下、低

infrared 红外线(低于红线)
infrahuman 低于人类的
infrasound 亚音速
infrastructure 下部结构
infrasonic 低于声频的
infraorbital 眼眶下的

inter- 1. 在…之间、…际

international 国际的
intercontinental 洲际的
interoceanic 大洋之间的
intercity 城市之间的
interpersonal 人与人之间的
interlay 置于其间
interline 写于行间
interplant 在…间套种
intersexual 两性之间的
intergroup 团体之间的

2. 互相

interchange 互换
interact 相互作用
intermix 互混,混杂
intercourse 交际
interview 会见
interweave 混纺,交织
interdependence 互相依靠
interconnect 使互相连接

intra- 在内、内部

intraparty 党内的
intracity 市内的
intraday 一天之内的
intracollegiate 大学内的
intracloud 云间的
intrapersonal 个人内心的
intraregional 地区内的
intracompany 公司内部的
intra-trading 内部贸易
intraoffice 办公室内的

intro- 向内、入内

introduce 引入,介绍
introspect 内省,反省
introvision 内省
introflection 向内弯曲
intromit 插入
introvert 内向,内省

ir- (用在 r 之前)

1. 不、无

irregular 不规则的
irremovable 不可移动的
irrational 不合理的
irresistible 不可抵抗的
irrelative 无关系的
irresolute 无决断的

irrealizable 不能实现的　irreligious 无宗教信仰的

2. 向内、入

irruption 闯入,冲入　irrigate 灌入水,灌溉

iso- 等、同

isogon 等角多角形　isotope 同位素

isoelectric 等电位的　isomorph 同晶形体

isoelectronic 等电子的　isospore 同形孢子

isomagnetic 等磁力的　isotherm 等温线

kilo- 千

kilogram 千克,公斤　kilowatt 千瓦(电力)

kilometer 千米,公里　kilocycle 千周

kiloton 千吨　kilovolt 千伏(电压)

kilolitre 千升　kilocalorie 千卡(热量)

macro- 大、宏、长

macroclimate 大气候　macroworld 宏观世界

macroeconomics 大经济学　macrocosm 宏观世界

macrochange 大变动　macrostructure 宏观结构

macroplan 庞大的计划　macrophysics 宏观物理学

macroscale 大规模　macrobian 长寿的(人)

macrosociology 大社会学　macropod 长足的(动物)

mal- 恶、不良、失、不(亦作 male-)

maltreat 虐待　malcontent 不满的

malpractice 不法行为　maldevelopment 不正常发展

malnutrition 营养不良

malposition 位置不正　malformation 畸形

malediction 恶言,诅咒　maladministration 管理

不善 malodour 恶臭,恶味

malefaction 坏事,恶行 malfunction 机能失常

meta- 1. 超

metaphysical 超自然的,形而上学的 metachemistry 超级化学

metamaterialist 超唯物论者 metageometrical 超几何学的

metaculture 超级文化

2. 变化

metamorphosis 变形 metagenesis 世代交替

metachromatism 变色反应 metachrosis 变色机能

micro- 微

microscope 显微镜 microbiology 微生物学

microsystem 微型系统 microelement 微量元素

microworld 微观世界 microskirt 超短裙,露股裙

microwave 微波 microbus 微型公共汽车

microprint 缩微印刷品 microcomputer 微型电脑

milli- (亦作 mill- 与 mille-)

1. 千分之一、毫

milligram 千分之一克,毫克 millisecond 千分之一秒,毫秒

millimeter 千分之一米,毫米 millilitre 千分之一升,毫升

2. 千

millennial 一千年的 millipede 千足虫,多足虫

millepore 千孔虫 milligrade 千度的

mini- 小

ministate 小国 minibus 小型公共汽车

minipark 小型公园 miniskirt 超短裙
minitrain 小型列车 minishorts 超短裤
miniwar 小规模战争 minicrisis 短暂危机
minielection 小型选举 miniradio 小收音机

mis- 误、错、恶、不

misspell 拼错 mishear 误闻，听错
misread 读错 misremember 记错
misuse 误用，滥用 misdoing 恶行，坏事
misunderstand 误解 mistreat 虐待
mistranslate 错译 misrule 对…施暴政
misstep 失足 mistrust 不信任
mispolicy 失策 misfortune 不幸

mono- 单一、独(在元音前作 mon-)

monosyllable 单音节词 monatomic 单原子的
monodrama 单人剧 monocycle 独轮脚踏车
monotone 单音，单调 monoplane 单翼飞机
monarch 独裁者 monoxide 一氧化物

multi- 多

multiparty 多党的 multi-purpose 多种用途的
multinational 多国的 multidirectional 多向的
multicentric 多中心的 multistorey 多层楼的
multiracial 多种族的 multilingual 多种语言的
multiform 多种形式的 multiheaded 多弹头的
multilateral 多边的 multicoloured 多种色彩的

neo- 新

neorealism 新现实主义 neonatal 新生的，初生的
neogamist 新婚者 neocolonialism 新殖民

主义　neolithic 新石器时代的
neoimperialism 新帝国主义　neoimpressionism 新印象派
neofascism 新法西斯主义

non- 1. 不
nonsmoker 不抽烟的人　nonaligned 不结盟的
nondrinker 不喝酒的人　nonexistent 不存在的
noncooperation 不合作　nonstop (车船等)中途不停的,直达的
noncontinuous 不继续的

2. 非
nonnatural 非天然的　nonproductive 非生产性的
nonhuman 非人类的
nonmetal 非金属　nonwhite 非白种人的
nonconductor 非导体　nonperiodic 非周期性的
nonage 未成年

3. 无
noneffective 无效力的　nonpayment 无力支付
nonparty 无党派的　nonsexual 无性别的
nonreader 无阅读能力的人　nonelastic 无弹性的

octa- 八(亦作 octo- 与 oct-)
octagon 八角形　octosyllable 八音节词
October (古罗马八月)十月　octolateral 八边的
octameter 八韵脚诗
octocentenary 八百周年纪念日　octachord 八弦琴
octavalent (化学)八价的

omni- 全、总、公、都

omnipresent 无所不在的 omnipotent 全能的
omnidirectional 全向的 omniform 式样齐全的
omnibus 公共汽车 omnirange 全向导航台
omniparity 一切平等 omniscient 无所不知的

out- 1. 胜过、超过
outdo 胜过,战胜 outrun 跑过,追过
outlive 活得比…长 outbrave 以勇胜过
outgo 走得比…远 outact 行动上胜过
outeat 吃得比…多 outnumber 在数量上超过
2. 过度、太甚
outsize 过大 outspend 花费过度
outsit 坐得太久 outwear 穿坏,穿破
outdream 做梦太多 outgrow 长得太大
3. 外、出
outdoor 户外的 outflow 流出
out-city 市外的,农村的 out-party 在野党
outwork 户外工作 outtell 说出
outhouse 外屋 outrush 冲出
4. 除去
outroot 除根 outlaw 夺去法律上的权利
outgas 除去气体

over- 1. 过度、太甚
overstudy 用功过度 overpraise 过奖
overtalk 过分多言 overpay 多付(钱款)
overuse 使用过度 overdrink 饮酒过甚
overwork 过度劳累 overproduction 生产过剩
2. 在上、在外、从上、越过

overbridge 跨线桥、天桥　oversea(s) 海外的
overcoat 外套,外衣　overleap 跳过
overshoe 套鞋　overlook 俯视
overfly 飞越

3. 颠倒、反转

overturn 倾覆,倾倒　overthrow 推翻
overset 翻转,翻倒

paleo- 古、旧

paleozoology 古动物学　Paleolithic 旧石器时代的
paleobotany 古植物学　paleography 古文书(学)
paleoclimate 史前气候　paleochronology 古年代学
paleoanthropology 古人类学　paleophyte 古生代植物

pan- 全、泛

Pan-American 全美洲的,泛美的　pancosmism 泛宇宙论
pantheism 泛神论
Pan-Asianism 泛亚洲主义　pansophic 全知的
pantropical 遍布于热带的　panchromatic 全色的
Pan-African 泛非洲的

para-[①] 1. 半、类似、准

para-party 半政党组织　paramilitary 准军事性的
para-church 准教会　para-academic 半学术性的
para-institution 半官方机构　para-book 类似书籍的刊物
parapolitical 半政治的
parareligious 半宗教性的　pararuminant 类反刍动物
parastatal 半官方的,半政府的　para-governmental 仿政府的

2. 辅助、副

paralanguage 辅助语言
paralinguistics 辅助语言学
parabanking 辅助银行业务
paranuclein 副核素
paraprofessional 专职人员助手
para-police 辅助警察的
paratyphoid 副伤寒
paralegal 律师的专业助手
paramedic 医务辅助人员

3. 旁、靠近、外

parasite 寄生虫(site 食，在他体旁寄食者)
paracentral 靠近中心的
parabiosphere 外生物圈的
para-appendicitis 阑尾旁组织炎

4. 错误、伪

parachronism 记时错误
paralogism 不合逻辑的推论
paradox 谬论，邪说
paraphasia 语言错乱
paramnesia 记忆错误
parachromatism 色觉错误
paraselene 幻月，假月

para-② 防、避开、保护

parachute 降落伞，用降落伞降落(chute = fall，“保护降落”之意)
parasol 遮阳伞(sol = sun，“防止日晒”之意)

〔注〕para- 代替 parachute，现已被广泛使用。它表示“空投”、“空降”、“伞投”、“伞兵”、“降落伞”等意义。

parabomb 伞投炸弹
paratroops 伞兵部队
paratrooper 伞兵
paraoperation 伞兵战
paramedic 伞兵军医
paradog 伞降犬，空投犬
paradrop 空投，空降
parapack 空投包裹
pararescue 伞投人员进行的救援

parakite 飞行降落伞
paraglider 滑翔降落伞
parawing 翼状降落伞
parashoot 射击敌人伞兵
paraspotter 守望伞兵者

pen- (=almost) 几乎、相近、相似、不完全是、差不多(亦作 pene-)

peninsula 半岛(pen- 几乎、相似, insula 岛;几乎是一个岛,与一个岛相似,不完全是一个岛→半岛)

penultimate 倒数第二个(pen- 几乎,相近, ultimate 最后;几乎是最后一个,与最后一个相近,紧挨着最后一个→倒数第二个)

penumbra 半阴影(pen- 几乎, umbra 影;几乎是一个阴影,不完全是一个阴影→半阴影)

peneplain 近似平原,准平原(受侵蚀作用,几乎成为平原的地带)

penta- 五(在元音前作 pent-)

pentagon 五角形 (the Pentagon 五角大楼,美国国防部办公大楼)
pentangular 有五角的
pentagram 五角星形
pentatomic 有五原子的
pentode 五极管
pentachord 五弦琴
pentavalent (化学)五价的
pentameter 五韵诗
pentarchy 五头政治
pentoxide 五氧化物

per- 1. 贯穿、通、透、全、遍、自始至终

perspective 透视的(spect 看)
perennial 全年的(enn 年)
perfect 完全的,全然的
pernoctation 通宵不归,彻夜不眠(noct 夜)
perfuse 洒满,灌满(fus

流)

permanent 永久的(man 停留)

persist 坚持(sist 立)

perambulate 步行穿过(ambul 走)

perspire 出汗(spir 呼吸)

perform 完成,执行

perorate(演说时)作结束语

pervade 遍及(vad 走)

pervious 能被通过的(vi 路)

2. 加强意义

perplex 使复杂

perturb 扰乱

percussion 敲打

permute 变换

perfervid 十分热情的

persuade 劝说

3. 过、高(用于化学名词)

peroxide 过氧化物

perchloride 高氯化物

persulphate 过硫酸盐

peracid 过酸

periodide 高碘化物

permanganate 高锰酸盐

peri- 周围、外层、靠近

pericentral 中心周围的

perigon 周角,360 度角

period 周期(od = way)

perimeter 周界,周边

periderm 外皮

pericarp 果皮

perigee 近地点

perihelion 近日点

perilune 近月点

periastron 近星点

pericardial 心脏周围的

periarticular 关节周围的

poly- 多

polycentric 多中心的

polysyllable 多音节词

polyatomic 多原子的

polycrystal 多晶体

polyfunctional 多功能的

polytechnical 多工艺的

polydirectional 多方向的

polygon 多角形

polyarchy 多头政治

polyclinic 多科医院

post- 后

postwar 战后的
post-liberation 解放后的
postgraduate 大学毕业后的,研究生
posttreatment 治疗期以后的
postface 刊后语
postdate 把日期填迟
postpone 推后,延期
postmeridian 午后的
postscript 编后记,跋
postoperative 手术以后的
postnatal 诞生后的,产后的

pre- 1. 前

prewar 战前的
pre-liberation 解放前的
preschool 学龄前的
prehistory 史前期
precondition 前提
prehuman 人类以前的
predeparture 出发前的
preposition 前置词,介词
prefix 前缀
predawn 黎明前的
preteen 十三岁以前的孩子
preconference 会议前的

2. 预先

preexamination 预试
prebuilt 预建的,预制的
premade 预先做的
prechoose 预先选择
predetermine 预定,先定
prepay 预付
prejudge 预先判断
preheat 预热(炉灶等)
precool 预先冷却
precook 预煮

pro- 1. 向前、在前

progress 向前进,进步
prolong 向前延长
project 向前投出,射出
prologue 前言,序言
prospect 向前看,展望
protrude 向前伸出
promote 促进,提升
propel 推进

2. 代理、代替

pronoun 代名词,代词
pro-consul 代理领事
procurator 代理人
prolocutor 代言人

3. 拥护、亲、赞成

pro-British 亲英的
pro-American 亲美的
proslavery 赞成奴隶制度的
pro-Bolshevik 拥护布尔什维克派
proabortionist 赞成堕胎者

proto- 原始

protogenic 原生的
protohistory 史前时期
protolanguage 原始母语
prototype 原型
protocontinent 原始大陆
protozoology 原生动物学
protozoan 原生动物
protohuman 早期原始人的

pseudo- 假(在元音前作 pseud-)

pseudo-democratic 假民主的
pseudoscience 伪科学
pseudonym 假名,笔名
pseudology 谎话
pseudograph 伪书,冒名作品
pseudoclassic 伪古典的
pseudomyopia 假性近视
pseudopregnancy 假孕
pseudocrystal 伪晶体
pseudocompound 假化合物

quadri- 四(亦作 quadru-,在元音前作 quadr-)

quadrilingual 用四种语言的
quadrisyllable 四音节词
quadripartite 分四部分的
quadrilateral 四边的
quadrangle 四角形
quadricycle 四轮车
quadrivalent (化学)四价的
quadrennial 四年的

quadruped 四足动物
quadruplane 四翼飞机

quasi- 类似、准、半

quasi-judicial 准司法性的
quasi-legislative 准立法性的
quasi-official 半官方的
quasi-sovereign 半独立的
quasi-war 准战争
quasi-conductor 准导体
quasi-historical 似属历史的
quasi-shawl 类似围巾的东西
quasi-public 私营公用事业的
quasi-cholera 拟霍乱

quinque- 五(在元音前作 quinqu-)

quinquesyllable 五音节词
quinquesection 五等分
quinqueliteral 有五字的
quinquennial 每五年的
quinquelateral 有五边的
quinquangular 五角形的
quinquevalence (化学)五价
quinquepartite 分五部分的

re- 1. 回、向后

return 回来、返回
recall 召回,回忆
reflect 回想
reclaim 收回
retreat 后退
regress 倒退,退步
retract 缩回,取回
rebound 弹回,跳回

2. 再、重复、重新

reprint 重印,再版
reproduction 再生产
rebuild 重建,再建
rebirth 再生,新生
renumber 重编号码
reexchange 再交换
rearm 重新武装
reconsider 重新考虑
reexamination 复试,再考
remarry 再婚

restart 重新开始 rebroadcast 重播,再播

3. 相反、反对

reaction 反动,反应 reverse 反转的,颠倒的

resist 反抗,抵抗 revolt 反叛,造反

rebel 反叛,谋反 resent 不满,忿恨

retro- 向后、回、反

retrogress 倒退,退步 retrograde 后退,倒退

retroact 倒行,起反作用 retrospect 回顾

retroject 向后抛掷 retrocession 退后,后退

retroflex 反曲的 retroversion 后倾,翻转

se- 离开、分开

seduce 引诱走,拐骗 select 选出

seclude 使退隐 segregate 分离,分开

secede 脱离,退出 secern 区分,分开

semi- 半

semiweekly 半周刊 semiconductor 半导体

semimonthly 半月刊 semicircle 半圆

semiofficial 半官方的 semiliterate 半文盲的

semi-colony 半殖民地 semicommercial 半商业性的

semimetal 半金属

semicivilized 半开化的 semiskilled 半熟练的

semiautomatic 半自动的

sept- 七(亦作 septi- 及 septem-)

septangle 七角形 septennial 每七年的

septisyllable 七音节词 septempartite 分七部分的

septilateral 七边的

septfoil 七叶形 September (古罗马七

月)九月

septuple 七倍的

sex- 六(亦作 sexi-)

sexangle 六角形

sexisyllable 六音节词

sexivalence (化学)六价

sexcentenary 六百(年)的

sexdigitism 六指(或趾)

sexpartite 分为六部分的

sexfoil 六叶形

sexennial 每六年的

sexto 六开本

Sino- 中国

Sino-American 中美的

Sino-German 中德的

Sino-Russian 中俄的

Sino-Japanese 中日的

Sino-Tibetan 汉藏语系

Sino-French 中法的

Sinomania 中国热

Sinology 汉学,中国问题研究

Sinophile 赞成中国的(人)

Sinophobe 厌恶中国的(人)

step- 后、继,后父或后母所生的,前妻或前夫所生的

stepfather 后父,继父

stepmother 后母,继母

stepson 前夫(或前妻)之子

stepdaughter 前夫(或前妻)之女

stepchild 前夫(或前妻)的孩子

stepbrother 后父(或后母)之子,异父(母)兄弟

stepsister 后父(或后母)之女,异父(母)姐妹

stereo- 立体

stereosonic 立本声的

stereophony 立体音响

stereogram 立体图

stereotape 立体声磁带

stereograph 立体照片

stereography 立体摄影术

stereotelevision 立体电视

stereoproject 立体投影

sub- 1. 下

subway 地下铁道
substandard 标准以下的
substructure 下层建筑
subsurface 表面下的
submarine 海面下的
subnormal 低于正常的
subsoil 下层土,底土
sub-zero 零度以下的
sub-cloud 云下的
subconscious 下意识的
substratum 下层
subaverage 低于一般水平的
subglacial 冰川下的
submontane 山脚下的

2. 次、亚、准

subcontinent 次大陆
subcollege 准大学程度的
subsonic 亚音速的
subatomic 亚原子的
subtropics 亚热带
submetallic 亚金属的
subfamily(生物)亚科

3. 稍、略、微

subacid 略酸的
subacute 略尖的
subangular 稍有棱角的
subconical 略作圆锥形的
subcylindrical 略呈圆筒状的
subarid 略干燥的

4. 副、分支、下级

subworker 副手,助手
subbranch 分支,支店
subagent 副代理人
suboffice 分办事处
subeditor 副编辑
subarea 分区
subhead 副标题
subdepartment 分部,支局
subtitle (书的)副名
subcommittee 小组委员会
subdean 副教务长
subofficer 下级官员

5. 接近

subcentral 接近中心的　subequal 接近相等的
subadult 接近成年的　subarctic 近北极圈的
subteen 将近十三岁的小孩　subequatorial 近赤道的

6. 更进一层、再

subdivide 再分,细分　sublet 转租,再租
subculture 再次培养　subtenant 转租租户

7. 用于化学名词,表示化合物成分含量少的

subcarbide 低碳化物　suboxide 低氧化物
subchloride 低氯化物　subsulphide 低硫化物

super- 1. 超、超级

superspeed 超高速的　supertrain 超高速火车
supersized 超大型的　superhighway 超级公路
supermarket 超级市场　superprofit 超额利润
superpower 超级大国　supersecrecy 绝密
supercountry 超级大国　supersonic 超音速的
supercity 超级城市　supernatural 超自然的

2. 上

superstructure 上层建筑　supervise(由上面)监视
superimpose 放在…上面　superstratum 上层
superaqueous 水上的　superterrene 地上的

3. 过度、过多

superexcitation 过度兴奋　superheat 过热
supercharge 过重负载　supercool 过度冷却
supersensitive 过度敏感的　supernutrition 营养过多
supersaturate 过度饱和

supra- 超、上

supra-class 超阶级的
supra-politics 超政治的
supranational 超国家的
supramundane 超越现世的
supraconductivity 超导电性
supramolecular 超分子的
suprarenal 肾上腺的
supramaxilla 上颚

sur- 上、外、超

surface 表面
surpass 超过,越过
surcharge 超载
surtax 超额税
surround 围绕,包围
surrealism 超现实主义
surcoat 外衣,女上衣
surmount 登上
surprint 加印于…之上
surplus 多余的,过剩的

sym- 共同、相同

sympathy 同情
symphony 交响乐,和音
symmetallism 金银混合本位
symmetry 对称(两边相同之意)
symbiosis(生物)共生,共栖

syn- 共同、相同

synactic 共同作用的
synonym 同义词
synthermal 同温的
synchronous 同时发生的
syntony 共振,谐振
synthesis 合成

tetra- 四(在元首前作 tetr-)

tetracycline 四环素
tetrode 四极管
tetragon 四角形
tetrachord 四弦乐器
tetrasyllable 四音节词
tetroxide 四氧化物

trans- 1. 超过、横过、超

transoceanic 横渡大洋的
transnational 超越国界的
transpersonal 超越个人的
transcontinental 横贯大

陆的

transpacific 横渡太平洋的

transnormal 超出常规的

transfrontier 在国境外的

transatlantic 横渡大西洋的

transmarine 越海的

2. 转移、变换

transform 使变形，改造

transcode 译密码

transposition 互换位置

transfigure 使变形

transplant 移植

transport 运输

transship 换船，转载于另一船

transvest 换穿别人衣服

translocation 改变位置

transmigrate 移居

tri- 三

tricolour 三色的

triangle 三角(形)

trigonometry 三角学

triatomic 三原子的

triunity 三位一体

trisection 三等分

tricar 三轮汽车

trisyllable 三音节词

trilateral 三边的

trilingual 三种语言的

triweekly 三周刊

trijet 三引擎喷气机

twi- 二、两

twiformed 有二形的

twifold 两倍，双重

twiblade 双叶兰

twilight 黎明，黄昏，曙暮光

twiforked 有两叉的

ultra- 1. 极端

ultra-democracy 极端民主

ultra-reactionary 极端反动的

ultrapure 极纯的

ultra-left 极左的

ultramilitant 极端好战的

ultra-fashionable 极其时髦的 ultracritical 批评过度的
ultra-right 极右的
ultraclean 极洁净的 ultrathin 极薄的

2. 超,以外

ultramodern 超现代化的 ultrared 红外线的
ultrashort 超短(波)的 ultramarine 海外的
ultrasonic 超音速的 ultramontane 山外的
ultra-microscope 超显微镜 ultra-violet 紫外线的

un- 1. 不

unreal 不真实的 uncomfortable 不舒服的
unclear 不清楚的 unfriendly 不友好的
unhappy 不快乐的 unequal 不平等的
unwelcome 不受欢迎的 unfortunate 不幸的
unclean 不洁的 uneconomic 不经济的
unkind 不和善的 unchangeable 不能改变的

2. 无

unconditional 无条件的 unmanned 无人驾驶的
unsystematic 无系统的 unambitious 无野心的
unlimited 无限的 unaccented 无重音的
unfathered 无父的 unbodied 无形体的
unbounded 无边的 unaccompanied 无伴侣的
untitled 无标题的 unexampled 无先例的

3. 非

unjust 非正义的 unartistic 非艺术的
unofficial 非官方的 unspecialized 非专门化的
unartificial 非人工的 unworldly 非尘世的
unsoldierly 非军人的 undesigned 非预谋的

unalloyed 非合金的
unorthodox 非正统的
unintentional 非故意的
unprofessional 非职业性的

4. 未

uncorrected 未改正的
undecided 未定的
unfinished 未完成的
uneducated 未受教育的
uncut 未割的
uncoloured 未染色的
unchanged 未改变的
unawaked 未醒的
uncivilized 未开化的
unripe 未熟的
uninvited 未经邀请的
undeclared 未经宣布的

5. 相反动作、取消、除去

unlock 开锁
unbind 解开,释放
uncap 脱帽
undo 取消,解开
untie 解开
unbutton 解开钮扣
uncover 揭开盖子
undress (使)脱衣服

6. 由…中弄出

untomb 从墓中掘出
uncase 从盒中取出
uncage 放…出笼
unearth 由地下挖出
unhouse 把…赶出屋外
unbosom 吐露(心事)

under- 1. 下

underground 地下的
underfoot 在脚下
undersea 在海底
underline 划线于…之下
underworld 下层社会
underwrite 写于…之下
underlay 置于…之下
underside 下侧,下面

2. 内(用于衣服)

underclothing 内衣裤
undershirt 贴身内衣
underthings 女子内衣裤
underskirt 衬裙

undervest 贴身内衣　underpants 内裤,衬裤
underwear （总称)内衣　undershorts 短衬裤

3. 不足、少

underpay 付资不足　underproduction 生产不足
underestimate 估计不足　underdress 穿衣太少
undermanned 人员不足的　underfed 喂得太少的
undersized 不够大的
underwork 少做工作　underdeveloped 不发达的
underpopulated 人口稀少的

4. 副、次

undersecretary 次长,副部长　underagent 副代理人

vice- 副

vice-chairman 副主席　vice-governor 副总督
vice-president 副总统　vice-principal 副校长
vice-premier 副总理,副首相　vice-consul 副领事
vice-manager 副经理
vice-minister 副部长　vice-regent 副摄政

with- 向后、相反

withdraw 撤回,撤退　withstand 抵抗,反抗
withhold 阻止

(二)后　　缀

-ability　〔名词后缀〕

由 -able + -ity 而成,构成抽象名词,表示“可…性”、“易…性”、“可…”

knowability　可知性　　changeability　可变性
readability　可读性　　lovability　可爱
useability　可用性、能用　　dependability　可靠性
movability　可移动性　　preventability　可防止
inflammability　易燃性　　adaptability　可适应性

-able　〔形容词后缀〕

表示“可…的”、“能…的”,或具有某种性质的

knowable　可知的　　changeable　可变的
readable　可读的　　lovable　可爱的
useable　能用的　　dependable　可靠的
movable　可移动的　　preventable　可防止的
inflammable　易燃的　　adaptable　可适应的

-ably　〔副词后缀〕

由 -able 转成,表示“可…地”、“…地”

peaceably　和平地　　suitably　合适地
laughably　可笑地　　dependably　可靠地
comfortably　舒适地　　changeably　可变地
movably　可移动地　　lovably　可爱地
comparably　可比较地　　honourably　光荣地

-aceous 〔形容词后缀〕

表示有…性质的、属于…的、如…的、具有…的

rosaceous 玫瑰色的
herbaceous 草本的
foliaceous 叶状的
carbonaceous 含碳的
orchidaceous 似兰花的
curvaceous (妇女)有曲线美的
olivaceous (似)橄榄的
crustaceous 皮壳的

-acious 〔形容词后缀〕

表示多…的、有…性质的、属于…的、具有…的

rapacious 掠夺的
sagacious 聪明的
capacious 容量大的
loquacious 多言的
edacious 贪吃的
vivacious 活泼的,有生气的
sequacious 盲从的
veracious 真实的
audacious 胆大的

-acity 〔名词后缀〕

构成抽象名词,表示性质、状态、情况,与形容词后缀 -acious 相对应

rapacity 掠夺
sagacity 聪明、贤明
capacity 容量
loquacity 多言,健谈
sequacity 盲从
vivacity 活泼,有生气
veracity 诚实,真实
audacity 大胆
edacity 贪吃

-acle 〔名词后缀〕

构成实物名词及抽象名词

receptacle 容器,花托
manacle 手铐
spiracle 通气孔
miracle 奇迹
obstacle 障碍
tentacle 触角,触须

spectacle 景物 pentacle 五角星形

-acy 〔名词后缀〕

构成抽象名词,表示性质、状态,行为、职权等

determinacy 确定性 conspiracy 阴谋,密谋
supremacy 至高,无上 candidacy 候选人的地位
literacy 识字 privacy 隐居
intimacy 亲密 accuracy 精确

-ade 〔名词后缀〕

1. 表示行为、状态,事物

blockade 封锁 cannonade 炮击
escapade 逃避 decade 十年
masquerade 化装舞会 fusillade 一齐射击
gasconade 吹牛,夸口 fanfaronade 吹牛

2. 表示物(由某种材料制成者或按某种形状制成者)

orangeade 桔子水 cockade 帽章
stockade 栅栏,木篱 balustrade (一行)栏杆
lemonade 柠檬水 arcade 拱廊

3. 表示参加某种行动的个人或集体

brigade 旅,队 renegade 叛徒,变节者
crusade 十字军 cavalcade 骑兵队

-age 〔名词后缀〕

1. 表示集合名词、总称

wordage 文字,词汇量 percentage 百分比
tonnage 吨数,吨位 wattage 电的瓦数
mileage 英里数 herbage 草本植物
acreage 英亩数 leafage 叶子(总称)

assemblage	集合的人群	peerage	贵族(总称)

2. 表示场所、地点

orphanage	孤儿院	village	村庄
anchorage	停泊所	cottage	村舍
hermitage	隐士住处	vicarage	牧师住所
passage	通道	pasturage	牧场

3. 表示费用

postage	邮资	wharfage	码头税
railage	铁路运费	freightage	货运费
waterage	水运费	pilotage	领航费
cartage	车运费	towage	拖船费
expressage	快运费	porterage	搬运费
lighterage	驳运费	brokerage	经手费
haulage	(拖)运费	demurrage	滞留费

4. 表示行为或行为的结果

marriage	结婚	rootage	生根
brigandage	强盗行为	breakage	破碎,破损
stoppage	阻止,阻塞	brewage	酿造
clearage	清除,清理	tillage	耕作,耕种
wastage	耗损	pilgrimage	朝圣
shrinkage	收缩,皱缩	storage	贮存,保管

5. 表示状态、情况、身分及其他

shortage	短缺	parentage	出身,门第
pupilage	学生身分	advantage	利益
alienage	外国人身分	verbiage	冗词,赘语
visage	面貌	dotage	老年昏愦
reportage	报告文学	language	语言

6. 表示物

roofage 盖屋顶的材料　roughage 粗粮，粗饲料
package 包裹　blindage 盲障，掩体
bandage 绷带　wrappage 包装材料
carriage 马车，客车厢　droppage 落下物
altarage 祭坛的祭品　appendage 附属物

-ain 〔名词后缀〕

表示人

riverain 住在河边的人　villain 恶棍，坏人
captain 船长　chamberlain 财务管理人
chieftain 酋长，头子　chaplain 小教堂的牧师

-aire 〔名词后缀〕

表示人

millionaire 百万富翁　solitaire 独居者
billionaire 亿万富翁　commissionaire 看门人
occupationaire 军事占领人员　concessionaire 特许权所有人
doctrinaire 教条主义者

-al ①〔形容词后缀〕

表示属于…的、具有…性质的、如…的

personal 个人的　prepositional 介词的
autumnal 秋天的　national 国家的，民族的
emotional 感情上的　imaginal 想像的
global 全球的　coastal 海岸的
parental 父母的　invitational 邀请的
frontal 前面的，正面的　conversational 会话的
governmental 政府的　natural 自然(界)的

regional 地区的,局部的 continental 大陆的
educational 教育的 exceptional 例外的

②〔名词后缀〕

1. 构成抽象名词,表示行为、状况、事情

refusal 拒绝 proposal 提议
withdrawal 撤退 recital 背诵
removal 移动,迁移 arrival 到达
renewal 更新 appraisal 评价
supposal 想象,假定 dismissal 解雇,开除
survival 尚存,幸存 overthrowal 推翻,打倒
reviewal 复习 revival 再生,复活
approval 批准,赞成 trial 试验,尝试

2. 表示人

criminal 犯罪分子 rival 竞争者
aboriginal 土人 rascal 恶棍,歹徒
corporal 班长,下士 arrival 到达者

3. 表示物

mural 壁画 dial 日晷,标度盘,拨盘
manual 手册 hospital 医院
arsenal 武器库 urinal 尿壶,小便池
signal 信号 diagonal 对角线

-ality 〔名词后缀〕

复合后缀,由 -al + -ity 而成,构成抽象名词,表示状态、情况、性质、"…性"

personality 个性,人格 logicality 逻辑性
nationality 国籍 criminality 有罪
exceptionality 特殊性 formality 拘泥形式

conditionality 条件性	emotionality 富于感情
commonality 公共,普通	technicality 技术性

-ally 〔副词后缀〕

复合后缀,由 -al + -ly 而成,表示方式、程度、状态、"…地"

dramatically 戏剧性地	practically 实际上
exceptionally 例外地	climatically 在气候上
heroically 英勇地	systematically 系统地
continually 连续地	naturally 自然地
conditionally 有条件地	artistically 艺术性地

-an ①〔形容词后缀〕

表示属于…的、属于某地方的。带此后缀的形容词有的兼作名词,表示某地的人

amphibian 水陆两栖的	European 欧洲的,欧洲人
urban 城市的	American 美洲的,美洲人,美国人
suburban 效区的	
republican 共和国的	African 非洲的,非洲人
Roman 罗马的,罗马人	Chilian 智利的,智利人

②〔名词后缀〕

表示人

partisan 同党人	Spartan 斯巴达人
artisan 技工,手艺人	Mohammedan 回教徒,伊斯兰教徒
publican 旅店主人	
Puritan 清教徒	Elizabethan 伊丽莎白女王时代的人
castellan 城堡主,寨主	

-ance 〔名词后缀〕

构成抽象名词,表示状态、情况、性质、行为,与-ancy同。许多词具有 -ance 与 -ancy 两种后缀形式

resistance 抵抗 attendance 出席,到场
expectance 期待,期望 guidance 指导
luxuriance 奢华,华丽 buoyance 浮力
continuance 继续,连续 assistance 援助
appearance 出现 vigilance 警惕(性)
clearance 清除,清理 disturbance 骚扰
repentance 后悔 forbearance 克制,忍耐
endurance 持久,忍耐 accordance 一致
reliance 依赖 ignorance 无知,愚昧

-ancy 〔名词后缀〕

构成抽象名词,表示状态、情况、性质、行为,与-ance同。许多词具有 -ance 与 -ancy 两种后缀形式

expectancy 期待,期望 occupancy 占有,占用
luxuriancy 奢华,华丽 conservancy 保护,管理
buoyancy 浮力 brilliancy 光辉
compliancy 依从,服从 constancy 经久不变
militancy 交战,战事 elegancy 优美,高雅

-aneity 〔名词后缀〕

构成抽象名词,表示性质、状态、情况,与-aneous 相对应

instantaneity 立刻 simultaneity 同时发生
(instantaneous 立刻的) (simultaneous 同时发生的)
contemporaneity 同时代 spontaneity 自发
(contemporaneous 同时代的) (spontaneous 自发的)

-aneous 〔形容词后缀〕

表示有…性质的、属于…的,一部分与 -aneity 相对应,参见上条

instantaneous 立刻的
contemporaneous 同时代的
subterraneous 地下的
extemporaneous 临时的,即席的
extraneous 外来的
simultaneous 同时发生的
spontaneous 自发的
consentaneous 同意的,一致的
miscellaneous 杂项的,各种的

-ant ①〔形容词后缀〕

大部分与 -ance 或 -ancy,相对应,表示属于…的、具有…性质的

expectant 期待的
luxuriant 奢华的
resistant 抵抗的
assistant 辅助的
buoyant 有浮力的
ignorant 无知的
abundant 丰富的
vigilant 警惕的
attendant 在场的
determinant 决定性的
repentant 后悔的
accordant 和谐的,一致的
reliant 依赖的

②〔名词后缀〕

1. 表示人

examinant 主考人
inhabitant 居民
occupant 占据者
informant 提供消息者
participant 参与者
insurant 被保险人
accountant 核算者,会计
executant 执行者
servant 仆人
assistant 助手,助理

registrant 管登记者
discussant 参加讨论者
accusant 控告者
attendant 出席者
disputant 争论者
confidant 信任者,知己

2. 表示物

coolant 冷却剂
digestant 消化剂
excitant 兴奋剂
stimulant 刺激物
decolourant 脱色剂
depressant 抑制剂
dependant 依附物
disinfectant 消毒剂

-ar ①〔形容词后缀〕

表示有…性质的、属于…的、如…的

linear 线的,线性的
peculiar 特有的
similar 同样的,相似的
familiar 熟知的
consular 领事的
nuclear 核子的
insular 海岛的,岛形的
solar 太阳的
singular 单独的
angular 有角的
polar 南(北)极的
molecular 分子的

②〔名词后缀〕

1. 表示人

scholar 学者
liar 说谎的人
beggar 乞丐
pedlar 商贩,小贩
registrar 管登记的人
Templar 圣殿骑士
bursar 大学的会计
burglar 夜盗,夜贼
justiciar 法官,推事

2. 表示物及其他

cellar 地窖
exemplar 模范,典型
altar 祭坛
calendar 日历
grammar 文法,语法
collar 领子

-ard 〔名词后缀〕

表示人(大多含有贬义)

drunkard 醉鬼,酒徒
laggard 落后者
Spaniard 西班牙人
bastard 私生子
dullard 笨人,笨汉
coward 胆怯者
dotard 年老昏愦的人
wizard 奇才,男巫
sluggard 懒汉
niggard 守财奴

-arian 〔名词后缀〕

1. 表示人

parliamentarian 国会议员
alphabetarian 学字母的人
fruitarian 主要靠吃水果过日子的人
sectarian 宗派门徒
attitudinarian 装模作样者
unitarian 拥护政治统一的人
antiquarian 古物家
abecedarian 教或学 a, b, c, d 的人,初学者,启蒙老师

2. 带此后缀的名词有的可兼作形容词,表示…的、…主义的

humanitarian 人道主义者,人道主义的
equalitarian 平均主义者,平均主义的
establishmentarian 拥护既成权力机构的(人)
doctrinarian 教条主义者,教条主义的
vegetarian 素食者,素食的
utilitarian 功利主义者,功利主义的

-arium 〔名词后缀〕

表示场所、地点、…馆、…室、…院、…所等

planetarium 天文馆
oceanarium (海洋)水族

馆

atomarium 原子馆

insectarium 昆虫馆

herbarium 植物标本室

sanitarium 疗养院

vivarium 动物饲养所

aquarium 水族馆

serpentarium 蛇类展览馆

frigidarium 冷藏室

solarium 日光浴室

columbarium 鸽棚

ovarium 卵巢

-ary ①〔形容词后缀〕

表示有…性质的、属于…的、关于…的

secondary 第二的

honorary 荣誉的

questionary 询问的

unitary 单元的

elementary 基本的

planetary 行星的

limitary 限制的

imaginary 想象中的

expansionary 扩张性的

customary 习惯的

disciplinary 纪律的

revolutionary 革命的

parliamentary 议会的

revisionary 修订的

momentary 片刻的

exemplary 模范的

②〔名词后缀〕

1. 表示场所、地点

rosary 玫瑰园

dispensary 药房

infirmary 医院,医务室

library 图书馆

depositary 存放处

aviary 养鸟室

granary 谷仓

apiary 养蜂所

(gran=grain)

2. 表示人

secretary 书记,秘书

missionary 传教士

adversary 对手

revolutionary 革命者

notary 公证人

functionary 职员,官员

dignitary 居高位者　plenipotentiary 全权代表

3. 表示物及抽象名词

dictionary 字典,词典　luminary 发光体
glossary 词汇表　formulary 公式汇编
salary 薪金　distributary 江河的支流
diary 日记本　anniversary 周年纪念
piscary 捕鱼权　vocabulary 词汇

-ast 〔名词后缀〕

表示人

gymnast 体操家　encomiast 赞美者
enthusiast 热心者　symposiast 参加宴会的人
scholiast 注解者　ecdysiast 脱衣舞舞女

-aster 〔名词后缀〕

表示人(卑称)

poetaster 劣等诗人　criticaster 低劣的批评家
medicaster 江湖医生,庸医　philosophaster 肤浅的哲学家

-ate ①〔动词后缀〕

表示做、造成、使之成…、做…事等意义

hyphenate 加连字符　orientate 使向东,定方向
differentiate 区别　triangulate 使成三角形
maturate 使成熟　luxuriate 享受,沉溺
oxygenate 氧化,充氧化　liquidate 清洗,清除
originate 发源,发起　assassinate 行刺,暗杀

②〔形容词后缀〕

表示有…性质的、如…形状的、具有…的

lineate 有线的,划线的　determinate 确定的

roseate 玫瑰似的　fortunate 幸运的
considerate 考虑周到的　proportionate 成比例的
collegiate 大学的,学院的　private 私人的
passionate 热情的

③〔名词后缀〕

1. 表示人

graduate 毕业生　delegate 代表
candidate 候补者　curate 副牧师
magistrate 地方行政官　advocate 辩护者

2. 表示职位、职权、总称等

doctorate 博士衔　directorate 指导者的职位
professoriate 教授职位　electorate 全体选民

3. 构成化学名词,大多数表示由酸而成的盐类

carbonate 碳酸盐　borate 硼酸盐
sulphate 硫酸盐　acetate 醋酸盐
nitrate 硝酸盐　alcoholate 乙醇化物

-atic 〔形容词后缀〕

表示有…性质的、属于…的、具有…的

systematic 有系统的　idiomatic 惯用语的
problematic 有问题的　emblematic 象征的
diagrammatic 图解的　thematic 题目的,主题的
lymphatic 淋巴的　axiomatic 公理的

-ation 〔名词后缀〕

1. 表示行为、情况、状态

interpretation 翻译,解释　excitation 兴奋,激动,刺激,激励
exploitation 剥削　starvation 饥饿

preparation 准备 relaxation 松弛,缓和
invitation 邀请 colouration 色彩,特色
transportation 运输 continuation 延续,继续
forestation 造林 ruination 毁灭,毁坏
conservation 保存,保护 lamentation 悲伤
importation 输入,进口 exportation 输出,出口

2. 表示行为的过程、结果,或由行为而产生的事物

consideration 考虑 information 通知,消息
reformation 改革 combination 结合,联合
imagination 想象 quotation 引文,引语
explanation 说明,解释 declaration 宣言,声明
determination 决定 limitation 限制
occupation 占领,占据 exclamation 感叹词

-ative 〔形容词后缀〕

表示有…性质的、与…有关的、属于…的、有…倾向的、有…作用的(带此后缀的词有的可兼作名词)

talkative 好说话的 determinative 有决定作用的
quotative 引用的
opinionative 意见(上)的 preventative 预防的
limitative 限制(性)的 designative 指定的
argumentative 争论的 continuative 继续的
informative 报告消息的 calmative 镇静的,镇静剂
preparative 准备的
formative 形成的 fixative 固定的,固着剂
comparative 比较的 affirmative 肯定的

-ator 〔名词后缀〕

表示做…工作的人或物

designator 指定者　　comparator 比较器
conservator 保护者　　condensator 凝结器
continuator 继续者　　computator 计算机
pacificator 平定者　　trafficator(汽车的)方向指示器
valuator 评价者
commentator 评论者　　excavator 挖掘者
illuminator 照明器

-atory ①〔形容词后缀〕

表示有…性质的、属于…的、具有…的(带有此后缀的形容词有的可兼作名词)

condemnatory 谴责的　　invitatory 邀请的
excitatory 显示兴奋的　　exclamatory 感叹的
explanatory 解释的　　defamatory 诽谤的
preparatory 准备的　　pacificatory 和解的
informatory 报告消息的　　signatory 签约的,签约国
consolatory 安慰的
declaratory 宣告的　　accusatory 责问的
pulsatory 跳动的　　inflammatory 煽动的

②〔名词后缀〕

表示场所、地点

observatory 天文台　　laboratory 实验室
conservatory 暖房,温室　　lavatory 盥洗室,厕所

-ce 〔副词后缀〕

表示"…次"、"自…"、"从…"

once 一次　　hence 因此,从今以后

twice 二次　　thrice 三次　　thence 自那里,从那时起　　whence 从何处,由此

-cy 〔名词后缀〕

表示性质、状态、职权、官衔

normalcy 正常状态
vacancy 空白,空虚
captaincy 船长的职位
bankruptcy 破产
infancy 幼年期
generalcy 将军职权、任期
surgeoncy 外科医生职务
colonelcy 上校衔
ensigncy 海军少尉衔
idiocy 白痴,呆痴

-dom 〔名词后缀〕

1. 表示情况、状态、性质、身分

freedom 自由
wisdom 智慧
bachelordom (男子)独身
monkdom 和尚身分
chiefdom 首领身分、地位
serfdom 农奴身分
beggardom 乞丐身分
martyrdom 殉难,殉国

2. 表示领域、"…界"、集体、总称

kingdom 王国,领域
sportsdom 体育界
filmdom 电影界
stardom 明星界
newspaperdom 报界
officialdom 官场,政界
Christendom 基督教世界,基督教徒总称
negrodom 黑人社会
missiledom 导弹世界
devildom 魔界
scoundreldom 无赖汉总称

-ed 〔形容词后缀〕

1. 加在名词之后,表示"有…的"、"如…的、"…的"

coloured 有色的
moneyed 有钱的
booted 穿靴的
dark-haired 黑发的

gifted 有天才的
talented 有才能的
haired 有毛发的
winged 有翅的
bearded 有胡须的
aged 年老的,…岁的
kind-hearted 好心的
conditioned 有条件的
privileged 有特权的
skilled 熟练的
balconied 有阳台的
horned 有角的

2. 加在动词之后,表示“已…的”、“被…的”、“…了的”

failed 已失败的
liberated 解放了的
retired 已退休的
condensed 缩短了的
educated 受过教育的
married 已婚的
restricted 受限制的
closed 关闭了的
finished 完成了的
fixed 被固定的
determined 已决定了的
extended 扩展了的
confirmed 证实了的
returned 已归来的
condemned 定了罪的
considered 考虑过的
oiled 上了油的
wounded 受了伤的

-ee 〔名词后缀〕

1. 表示人

(a) 被动者

employee 被雇者,雇员,雇工
electee 被选出者
invitee 被邀请者
testee 被测验者
examinee 接受考试者
payee 被付给者
trainee 受训练的人
appointee 被任命者
callee 被呼唤者
bombee 被轰炸的人
expellee 被驱逐者
tailee 被尾随者
interviewee 被接见者

detainee 被拘留者　　deportee 被驱逐出境者
indictee 被告　　trustee 被信托者
rejectee 被拒绝者　　awardee 受奖者

(b) 主动者

meetee 参加会议者　　devotee 献身者
absentee 缺席者　　retiree 退休者
escapee 逃亡者,逃犯,逃俘　　standee (剧院中)站票看客,(车、船中)站立乘客
refugee 难民,逃难者　　embarkee 上船者
returnee 归来者　　conferee 参加商谈者

(c) 不含主动或被动意义者

townee 城里人,市民　　grandee 要人,显贵

2. 表示物

coatee 紧身上衣　　settee 有靠背的椅子
vestee 背心形的衣服　　bootee 轻便短统女靴
goatee 山羊胡子

-eer 〔名词后缀〕

表示人(专做某种工作或从事某种职业的人)

weaponeer 武器专家　　mountaineer 登山者
rocketeer 火箭专家　　sloganeer 使用口号者
fictioneer 小说作家　　cameleer 赶骆驼的人
cannoneer 炮手　　engineer 工程师
profiteer 牟取暴利者　　volunteer 志愿者
charioteer 驾驶马车者　　pamphleteer 小册子作者
cabineer 卡宾枪手　　marketeer 市场上卖主

〔注〕-eer 也可用作动词后缀,如:

electioneer 进行选举活动　　mountaineer 登山

profiteer 牟取暴利　　commandeer 征用,强征
auctioneer 拍卖　　domineer 飞扬跋扈

-el 〔名词后缀〕

1. 表示小

model 模型(比原物小)　　parcel 小包裹
runnel 小河,小溪　　cupel 灰皿

2. 表示人、集体

personnel 全体人员　　wastrel 浪费者
yokel 庄稼汉,乡下佬　　sentinel 哨兵
scoundrel 恶棍,坏人　　minstrel 吟游诗人

3. 表示物

roundel 圆形物　　cartel 交换俘虏协议书
flannel 法兰绒　　chisel 凿子
costrel 有耳的坛子　　funnel 漏斗

4. 表示场所、地点

hotel 旅店,饭店　　tunnel 隧道,坑道
kennel 狗窝　　channel 航道,海峡
hostel 旅店　　chancel 圣坛
brothel 妓院　　charnel 尸骨存放所

-en ①〔动词后缀〕

表示做、使成为…、使变成…

shorten 使缩短　　darken 使黑,变黑
gladden 使快活　　youthen 变年轻
harden 使变硬　　heighten 加高,提高
flatten 使变平　　fatten 使肥
strengthen 加强　　lengthen 使延长,伸长
moisten 弄湿,使湿　　straighten 弄直,使直

deepen 加深,使深 broaden 加宽
sharpen 削尖 sweeten 使变甜
richen 使富 thicken 使变厚
quicken 加快 soften 弄软,使软化

②〔形容词后缀〕

表示由…制成的、含有…质的、似…的

wooden 木制的 wheaten 小麦制的
leaden 铅制的 earthen 泥质的,泥制的
woolen 羊毛制的 waxen 蜡制的,似蜡的
golden 金质的,似金的 ashen 灰的,似灰的
silken 丝的,如丝的 oaken 橡树制的

③〔名词后缀〕

1. 表示人

warden 看守人 vixen 刁妇,泼妇
citizen 公民 denizen 居民

2. 表示小称

maiden 少女 kitten 小猫
chicken 小鸡

-ence 〔名词后缀〕

与形容词后缀 -ent 相对应(如 difference—different),构成抽象名词,表示性质、状态、行为,义同 -ency. 有些词具有 -ence 和 -ency 两种后缀形式(如 innocence = innocency)

existence 存在,生存 difference 不同,区别
insistence 坚持 despondence 沮丧,泄气
dependence 依赖 innocence 无罪,天真
emergence 浮现,出现 excellence 杰出,优秀
confidence 信任 occurrence 发生,出现

persistence 坚持,持续 convergence 会聚,集中
coherence 粘着

-ency 〔名词后缀〕

与形容词后缀 -ent 相对应(如 urgency —urgent),构成抽象名词,表示性质、状态、行为,义同 -ence。有些词具有 -ency 与 -ence 两种后缀形式(如 persistency = persistence)

urgency 紧急 persistency 持续,坚持
insistency 坚持 insolvency 无偿还能力
emergency 紧急情况 convergency 会聚,集中
innocency 无罪,天真 despondency 沮丧,泄气
coherency 粘着 tendency 趋向,倾向

-end 〔名词后缀〕

构成抽象名词,大多见于数学术语,亦作 -and

dividend 被除数 minuend 被减数
multiplicand 被乘数 legend 传奇,传说
addend 加数 errand 使命
subtrahend 减数

-enne 〔名词后缀〕

表示女性

comedienne 女喜剧演员 equestrienne 女骑手,女马术师
tragedienne 女悲剧演员

-ent ①〔形容词后缀〕

与名词后缀 -ence 或 -ency 相对应,表示具有…性质的、关于…的

existent 存在的,现存的 dependent 依赖的
insistent 坚持的 different 不同的
emergent 紧急的 excellent 杰出的

confident 自信的　occurrent 偶然发生的
persistent 持久的,坚持的　despondent 沮丧的

②〔名词后缀〕

1. 表示人

student 学生　president 总统,大学校长
resident 居民　patient 病人
correspondent 通讯员　antecedent 先行者

2. 表示物(…剂、…药)

detergent 洗涤剂　absorbent 吸收剂
corrodent 腐蚀剂　abluent 洗净剂
solvent 溶剂　corrigent 矫正药

-eous 〔形容词后缀〕

表示有…性质的、关于…的、如…的、具有…的,与 -ous 同

righteous 正直的　duteous 忠实的
beauteous 美丽的　courteous 有礼貌的
gaseous 气体的,气态的　erroneous 错误的
carneous 肉色的　aqueous 水的,水成的

-er ①〔名词后缀〕

1. 表示人

(a) 行为的主动者,做某事的人

singer 歌唱家　leader 领袖
dancer 跳舞者　fighter 战士
teacher 教师　worker 工人
writer 作者,作家　farmer 农民
reader 读者　turner 车工

(b) 与某事物有关的人

hatter 帽商,制帽工人	teenager (十三至十九岁的)青少年
banker 银行家	six-footer 身高六英尺以上的人
wagoner 驾驶运货车的人	miler 一英里赛跑运动员
tinner 锡匠	
weekender 度周末假者	

(c) 属于某国、某地区的人

United Stateser 美国人	Britisher 英国人
New Yorker 纽约人	Londoner 伦敦人
Thailander 泰国人	Icelander 冰岛人
New Zealander 新西兰人	islander 岛民
northerner 北方人	inlander 内地人
southerner 南方人	villager 村民

2. 表示物(与某事物有关之物或能做某事之物)及动物(能做某事的动物)

washer 洗衣机	fiver 五元钞票
lighter 打火机	tenner 十元钞票
heater 加热器	silencer 消音器
cutter 切削器,刀类	woodpecker 啄木鸟
boiler 煮器,锅	creeper 爬行动物,爬虫

3. 加在方位词上表示"…风"

norther 强北风	souther 强南风
northwester 强西北风	southeaster 强东南风

②〔动词后缀〕

表示反复动作、连续动作及拟声动作

waver 来回摆动	mutter 喃喃自语

chatter 喋喋不休 clatter 作卡嗒声
stutter 结舌,口吃 patter 发嗒嗒声
batter 连打 whisper 低语,作沙沙声

③〔形容词及副词后缀〕
表示比较级"更…"

greater 更大 faster 更快
warmer 更暖 earlier 更早
happier 更快乐 harder 更努力

-ern ①〔形容词后缀〕
加在方位词上表示"…方向的"

eastern 东方的 southern 南方的
western 西方的 northern 北方的
northeastern 东北的 southwestern 东南的

②〔名词后缀〕
表示场所、地点

saltern 盐场 lectern (教堂中)读经台
cavern 洞穴 cistern 蓄水池,水塘

-ery 〔名词后缀〕
1. 表示场所、地点、工作处

printery 印刷所 smithery 铁工厂
nursery 托儿所 rosery 玫瑰园
brewery 酿造厂 bakery 烤面包房
piggery 猪圈 nunnery 尼姑庵
vinery 葡萄园 rookery 白嘴鸦巢
drinkery 酒吧间 spinnery 纺纱厂
dancery 跳舞厅 greenery 花房,温室
eatery 餐馆,食堂 goosery 养鹅场

2. 表示行为、状态、情况、性质

robbery 掠夺,抢劫　　doggery 狗性,卑鄙行为
foolery 愚蠢行为　　bravery 勇敢,大胆
trickery 欺诈　　bribery 贿赂

3. 表示行业、法、术、身份等

fishery 渔业,捕鱼术　　housewifery 家务,家政
drapery 布匹服装行业　　missilery 导弹技术
cookery 烹调法　　slavery 奴隶身分

-esce 〔动词后缀〕

表示动作开始或正在进行。它的对应名词后缀为 -escence 或 -escency,它的对应形容词后缀为 -escent

evanesce 渐渐消失　　convalesce 渐愈,恢复健康
effloresce 开花　　rejuvenesce (使)返老还童
senesce 开始衰老　　obsolesce 废除不用
coalesce 联合,结合　　incandesce (使)白热化,炽热化
fluoresce 发萤光
deliquesce 潮解,液化

-escence 〔名词后缀〕

构成抽象名词,表示开始、正在、逐渐形成某种状态、情况或性质,略…,似…,它的对应形容词后缀为 -escent,亦作 -escency。有些词具有 -escence 和 -escency 两种后缀形式

coalescence 联合,结合　　efflorescence 开花期,花开
senescence 衰老　　evanescence 渐渐消失
juvenescence 变年轻　　deliquescence 潮解,液化
incandescence 白炽　　rejuvenescence 返老还童

-escent 〔形容词后缀〕

表示开始、正在、逐渐成为某种状态的,似…的,略…的

efflorescent 正在开花的
evanescent 渐渐消失的
rejuvenescent 返老还童的
senescent 逐渐衰老的
liquescent (可)液化的
ignescent 发出火花的
convalescent 逐渐痊愈的
incandescent 白炽的
juvenescent 逐渐成为青年的
ingravescent(病等)越来越重的

-ese ①〔形容词兼名词后缀〕

表示某国的、某地的;某国或某地的人及语言

Chinese 中国的(人),汉语
Japanese 日本的(人),日语
Vietnamese 越南的(人、语)
Burmese 缅甸的(人、语)
Maltese 马耳他的(人、语)
Cantonese 广州的(人、语)
Viennese 维也纳的(人)
Congolese 刚果的(人、语)
Milanese 米兰的(人)
Siamese 暹罗的(人、语)
Portugese 葡萄牙的(人、语)

②〔名词后缀〕

表示某派(或某种)的文体、文风或语言

translationese 翻译文本
officialese 公文体
academese 学院派文体
childrenese 儿童语言
computerese 计算机语言
educationese 教育界术语

journalese 新闻文体　　televisionese 电视术语
Americanese 美国英语　　bureaucratese 官腔
telegraphese 电报文体　　legalese 法律术语

-esque 〔形容词后缀〕
表示如…的、…式的、…派的、…风的
picturesque 如画的　　Japanesque 日本式的
arabesque 阿拉伯式的　　lionesque 如狮的,凶猛的
gigantesque 如巨人的　　Disneyesque 迪斯尼式的
gardenesque 如花园的　　Romanesque 罗马式的
robotesque 机器人似的　　Dantesque 但丁派的
statuesque 如雕像的　　Zolaesque 左拉风格的

-ess 〔名词后缀〕
表示女性(人)或雌性(动物)
citizeness 女公民　　shepherdess 牧羊女
manageress 女经理　　goddess 女神
poetess 女诗人　　lioness 母狮
authoress 女作家　　leopardess 母豹
mayoress 女市长,市长夫人　　eagless 雌鹰
millionairess 女百万富翁
governess 女统治者　　giantess 女巨人
Jewess 犹太女人　　astronautess 女太空人
tailoress 女裁缝　　heiress 女继承人
hostess 女主人　　patroness 女保护人
murderess 女凶手

-est 〔形容词及副词后缀〕
表示最高级"最…"
smallest 最小　　earliest 最早

largest 最大 fastest 最快
happiest 最快乐 hardest 最努力

-et 〔名词后缀〕
表示小

floweret 小花 verset 短诗
lionet 小狮,幼狮 circlet 小圈
dragonet 小龙 medalet 小奖章
eaglet 小鹰 packet 小包,小捆
crotchet 小钩 owlet 小猫头鹰
glacieret 小冰川 islet 小岛
coronet 小冠冕,小冠

-eth 〔形容词兼名词后缀〕
表示 (a)第…十 (b)…十分之一

thirtieth 第三十;三十分之一 fiftieth 第五十;五十分之一
fortieth 第四十;四十分之一 sixtieth 第六十;六十分之一

-etic 〔形容词后缀〕
表示属于…的、有…性质的、关于…的

theoretic 理论上的 phonetic 语音的
energetic 精力旺盛的 apologetic 道歉的,辩解的
sympathetic 同情的 zoetic 生命的,有生气的
tonetic 声调的 dietetic 饮食的,营养的
genetic 产生的,发生的 uretic 尿的,利尿的

-ette 〔名词后缀〕
1. 表示小

roomette 小房间 essayette 短文

kitchenette 小厨房
tankette 小坦克
millionette 小百万富翁
novelette 中篇小说（比 novel 短）
statuette 小雕像
balconette 小阳台
historiette 小史
storiette 小故事
parasolette 小阳伞
cigarette 烟卷（比 cigar 小）
pianette 小竖式钢琴
wagonette 轻便游览车

2. 表示女性

sailorette 女水手
typette 女打字员
usherette 女引座员
farmerette 农妇
undergraduette 女大学生
majorette 军乐队女队长

3. 在商业上表示“仿造物”、“代用品”

leatherette 人造革
rosette 玫瑰花形物
linenette 充亚麻织物
flannelette 棉法兰绒

4. 其他

serviette 餐巾
launderette 自动洗衣店

-ety 〔名词后缀〕

构成抽象名词，表示性质、状态、情况

gayety 快乐
variety 变化
anxiety 悬念
notoriety 臭名昭著
satiety 饱足，厌腻
propriety 适当，适合

-eur 〔名词后缀〕

来自法语，表示人

amateur 业余爱好者
petroleur 用石油放火者
saboteur 怠工者
connoisseur 鉴赏家
restauranteur 饭店老板
littérateur 文人，文学家
farceur 滑稽演员
claqueur 喝采者

voyageur 旅行者

-faction 〔名词后缀〕

构成抽象名词,表示情况、状态、行为或行为的结果,与动词后缀 -fy 相对应

satisfaction 满足
rarefaction 稀少,稀薄
calefaction 发暖作用
putrefaction 腐烂作用
liquefaction 液化(作用)
stupefaction 麻木状态
vitrifaction 成玻璃状
tepefaction 微温,温热

-fic 〔形容词后缀〕

表示"致…的"、"令…的"、"产生…的",或表示具有某种性质的(亦作 -ific)

colorific 产生颜色的
honorific 尊敬的
scientific 科学的
pacific 和平的
specific 特殊的,专门的
somnific 催眠的
terrific 令人害怕的
horrific 可怕的
acidific 化为酸性的
calorific 生热的
malefic 邪恶的,有害的

-fication 〔名词后缀〕

构成抽象名词,表示"…化"、"做…"、"使成为…"等意义,与动词后缀 -fy 相对应

beautification 美化
uglification 丑化
electrification 电气化
simplification 简(单)化
pacification 平定,绥靖
falsification 伪造
gasification 气化
glorification 颂扬,赞美
intensification 加强
amplification 扩大
classification 分类
rectification 纠正,整顿
purification 清洗,净化
fortification 筑城,设防

certification 证明 solidification 凝固,团结
typification 典型化 Frenchification 法国化

-fier 〔名词后缀〕

由-fy + -er 而成,表示"做…的人或物"、"使成…的人或物"

beautifier 美化者 amplifier 放大器,扩音器
glorifier 赞美者,颂扬者 intensifier 增强器(剂)
pacifier 平定者 certifier 证明者
classifier 分类者 simplifier 简化物
falsifier 伪造者 rectifier 改正者,整流器
liquefier 液化器

-fold 〔形容词及副词后缀〕

表示…倍、…重

twofold 两倍,双重 tenfold 十倍,十重
threefold 三倍,三重 hundredfold 百倍,百重
fourfold 四倍,四重 thousandfold 千倍,千重
sevenfold 七倍,七重 manyfold 许多倍地

-form 〔形容词后缀〕

表示有…形状的、似…形态的

gasiform 气态的 dentiform 牙齿形的
cruciform 十字形的 uniform 形状一样的
cubiform 立方体形的 asbestiform 石棉状的

-ful ①〔名词后缀〕

加在名词之后,表示充满时的量

handful 一把,一把的量 cupful 一满杯
spoonful 一匙的量 mouthful 一口
houseful 满屋,一屋子 dishful 一碟的量

armful 一抱
bagful 一满袋
drawerful 一抽屉
boatful 一船所载的量
boxful 一满箱,一满盒
bellyful 一满腹

②〔形容词后缀〕

表示富有…的、充满…的、具有…性质的、易于…的、可…的

useful 有用的
fruitful 有结果的
hopeful 富有希望的
dreamful 多梦的
peaceful 和平的
powerful 有力的
sorrowful 悲哀的
changeful 多变化的
shameful 可耻的
fearful 可怕的
forgetful 易忘的
truthful 真实的
skillful 熟练的
doubtful 可疑的
careful 小心的
cheerful 快乐的

-fy 〔动词后缀〕

表示"…化"、"使成为…"、"变成…"、"做…"。它的对应名词后缀为 -faction 或 -fication

simplify 使简化
beautify 美化
uglify 丑化
satisfy (使)满足
classify 把…分类
falsify 伪造
rarefy 使稀少
citify 使都市化
ladify 使成为贵妇人
intensify 加强,强化
glorify 颂扬,夸赞
electrify 电气化
gasify (使)气化
purify 使洁净,净化

-hood 〔名词后缀〕

构成抽象名词,表示时期、情况、状态、性质、身分、资格等

childhood 童年
boyhood 少年时代
girlhood 少女时期
widowhood 守寡,孀居
neighborhood 邻居关系
manhood 成年
falsehood 谬误,不真实
bachelorhood 独身生活
likelihood 可能(性)
brotherhood 兄弟之谊
motherhood 母性,母亲身分
fatherhood 父性,父亲身分
doghood 狗性
sisterhood 姐妹关系

-i 〔形容词兼名词后缀〕

表示属于某国的或某地区的,兼表某国的或某地区的人或语言

Israeli 以色列的(人)
Iraqi 伊拉克的(人)
Yemeni 也门的(人)
Zanzibari 桑给巴尔的(人)
Bengali 孟加拉的(人、语)
Hindustani 印度斯坦的(人、语)
Pakistani 巴基斯坦的(人)
Punjabi 旁遮普的(人、语)

-ia 〔名词后缀〕

表示情况、状态、总称及其他

differentia 差异
intelligentsia 知识界,知识分子(总称)
suburbia 郊区居民(总称)
battalia 战斗的阵列
juvenilia 少年文艺读物
fantasia 幻想曲
militia 民兵组织,民兵(总称)
utopia 乌托邦
adynamia 无力,衰弱,体力缺乏
ataxia 混乱,无秩序
regalia 王权,王位

-ial 〔形容词后缀〕

表示属于…的、具有…的、有…性质的

presidential 总统的
spacial 空间的
managerial 经理的
facial 面部的
editorial 编辑的
partial 部分的
adverbial 副词的
agential 代理人的
dictatorial 独裁的
commercial 商业的
monitorial 班长的
differential 有差别的
provincial 省的
racial 种族的

〔注〕有些以"ce"为结尾的词,加 -ial 后在拼写上有变化,即将"ce"改为"t",如:

experience → experiential 凭经验的
palace → palatial 宫殿(似)的
space → spatial 空间的
scientist → sciential 科学知识的
influence → influential 有影响的
residence → residential 居住的,住宅的
existence → existential 关于存在的
substance → substantial 物质的
confidence → confidential 极受信任的

-ian ①〔形容词后缀〕

表示属于某国的、某地的、某人的或某宗教的(可兼表示人或语言)

Egyptian 埃及的(人、语)
United Statesian 美国的(人)
Mongolian 蒙古的(人、语)
Parisian 巴黎的(人)
Athenian 雅典的(人)

Arabian 阿拉伯的(人)
Oceanian 大洋洲的(人)
Canadian 加拿大的(人)
Washingtonian 华盛顿市(州)的(人)
Shakespearian 莎士比亚的
Dickensian 狄更斯的
Newtonian 牛顿(学说)的
Christian 基督教的(徒)

②〔名词后缀〕

表示某种职业、地位或特征的人

grammarian 语法学家
historian 历史学家
guardian 守卫者
civilian 平民
collegian 高等学校学生
comedian 喜剧演员
tragedian 悲剧演员
lilliputian 矮子

-ibility 〔名词后缀〕

由 ible + -ity 而成, 构成抽象名词, 表示“可…性”、“易…性”、“…性”、“可…”

sensibility 敏感性
receptibility 可接受性
resistibility 抵抗得住
corruptibility 易腐败性
flexibility 易曲性
convertibility 可变换性
conductibility 传导性
producibility 可生产
extensibility 可伸展性
perfectibility 可完成
digestibility 可消化性
accessibility 易接近性

-ible 〔形容词后缀〕

表示“可…的”、“能…的”、“易…的”或具有某种性质的

sensible 可感觉的
receptible 可接受的
resistible 可抵抗的
conductible 能(被)传导的
producible 可生产的
extensible 可伸展的

corruptible 易腐败的　perfectible 可完成的
flexible 易弯曲的　digestible 可消化的
convertible 可变换的　accessible 易接近的

-ibly　〔副词后缀〕

由形容词后缀 -ible 转成,表示"可…地"、"…地"

sensibly 可感觉地　conductibly 能(被)传导地
receptibly 可接受地　producibly 可生产地
resistibly 可抵抗地　extensibly 可伸展地
corruptibly 易腐败地　perfectibly 可完成地
flexibly 易弯曲地　digestibly 可消化地
convertibly 可变换地　accessibly 易接近地

-ic　①〔形容词后缀〕

表示"…的"

atomic 原子的　periodic 周期的
electronic 电子的　metallic 金属的
historic 有历史意义的　Germanic 德国的
organic 器官的　angelic 天使(般)的
poetic 诗的　fluidic 流体性的
Icelandic 冰岛的　scenic 自然景色的
hygienic 卫生的　cubic 立方形的
basic 基本的　magnetic 有磁性的
nucleonic 核子的　Byronic 拜伦诗风的

②〔名词后缀〕

1. 表示人

critic 批评者,评论家　rustic 乡下人
mechanic 技工,机械师　cleric 牧师
classic 古典作家　sceptic 怀疑论者

Catholic 天主教徒　heretic 异教徒

2. 表示"…学"、"…术"及其他抽象名词

logic 逻辑,伦理学　topic 题目,论题
rhetoric 修辞学　music 音乐
arithmetic 算术　Arabic 阿拉伯语
magic 魔术　epidemic 流行病

-ical 〔形容词后缀〕

由 -ic + -al 而成,表示"…的"

atomical 原子的　academical 学院的
typical 典型的　symbolical 象征(性)的
organical 器官的　geometrical 几何学的
cubical 立方形的　cyclical 循环的
spherical 球形的　poetical 诗的

-ice 〔名词后缀〕

1. 构成抽象名词,表示行为、情况、性质

service 服务　practice 实践
justice 正义　armistice 休战,停战
cowardice 胆怯　avarice 贪婪
malice 恶意　caprice 反复无常

2. 表示人

novice 初学者,新手　apprentice 学徒

-ician 〔名词后缀〕

表示精于某种学术的人、专家、能手或从事某种职业的人

musician 音乐家　beautician 美容师
mathematician 数学家　technician 技术员
physician 内科医生　magician 魔术师

electrician 电工 phonetician 语音学家
academician 院士 geometrician 几何学家
logician 逻辑学家 politician 政客,政治家

-icity 〔名词后缀〕

大多数由 -ic + -ity 而成,构成抽象名词,表示性质、情况、状态

simplicity 简单,简明 centricity 中心,中央
periodicity 周期性 sphericity 球状
historicity 历史性 atomicity 原子价,原子数
publicity 公开(性) plasticity 可塑性
domesticity 家居生活 elasticity 弹性,弹力

-ics 〔名词后缀〕

表示"…学"、"…术"

informatics 信息学 oceanics 海洋学
electronics 电子学 atomics 原子工艺学
mechanics 机械学 dramatics 演剧技术
politics 政治学 acrobatics 杂技
economics 经济学 magnetics 磁学
nucleonics 核子学 astronautics 太空学
hygienics 卫生学 pedagogics 教育学

-id 〔形容词后缀〕

表示具有…性质的、如…的、含有…的

florid 如花的 stupid 笨的
splendid 辉煌的,华丽的 liquid 液体的,流动的
fervid 热烈的 vivid 活泼的
lucid 透明的,明亮的 timid 胆小的
fluid 流动的 placid 恬静的

-ie 〔名词后缀〕

1. 表示小称及爱称

birdie 小鸟　girlie 姑娘(爱称)
doggie 小狗　lassie 小姑娘
piggie 小猪　dearie 亲爱的,宝贝儿

2. 表示与…有关的人或物

roomie 住在同室的人　movie 电影
shortie 矮子　talkie 有声电影
oldie 老人　nudie 裸体电影
toughie 粗野的人,恶棍　sweetie 糖果

-ier 〔名词后缀〕

1. 表示人(专做某种工作或从事某种职业的人)

cashier 出纳员　bombardier 炮手,投弹手
clothier 织布工人,布商　grenadier 掷手榴弹者
financier 财政家　missilier 导弹专家
hotelier 旅馆老板　brigadier 旅长
haulier 拖曳者,运输工　brazier 黄铜匠
courtier 朝臣　glazier 安装玻璃工人

2. 表示物

barrier 障碍物,栅栏　glacier 冰河,冰川
frontier 边疆,边境　gaselier 煤气吊灯

-ile ①〔形容词后缀〕

表示属于…的、有…性质的、易于…的,可…的

merchantile 商人的,商业的　servile 奴隶的,奴性的
expansile 可扩张的
infantile 幼小的　extensile 可伸展的
insectile 昆虫的　juvenile 青少年的

contractile 可收缩的
retractile 能缩回的
sectile 可切开的
pulsatile 跳动的
fertile 肥沃的
fragile 易碎的
protractile 可伸出的
flexile 易弯曲的

②〔名词后缀〕

表示物

missile 导弹,发射物
projectile 抛射体,射弹
textile 纺织品
automobile 汽车
domicile 住宅,住处

-ility 〔名词后缀〕

由-il(e)+-ity 而成,表示性质、状态、情况

servility 奴性,卑屈
fertility 肥沃
juvenility 年少
contractility 可收缩性
retractility 能缩回
agility 敏捷,轻快
fragility 易碎,脆性
mobility 易动性,可动性
sectility 可切性,可分性
ductility 延展性

-ine ①〔形容词后缀〕

表示属于…的、具有…的、如…的、有…性质的

elephantine 如象的
crystalline 结晶体的
infantine 幼儿(期)的
serpentine 蜿蜒如蛇的
adamantine 坚硬的
feminine 女性的
riverine 河流的,河边的
metalline 金属(性)的
nervine 神经的
asbestine 如石棉的
zebrine 斑马的
saline 含盐的

②〔名词后缀〕

1. 表示抽象名词

doctrine 教义,主义
medicine 医学,内科学

discipline 纪律	routine 程序,常规
famine 饥荒	cholerine 轻霍乱
rapine 抢劫,掠夺	

2. 表示人(多数表示女性)

heroine 女英雄	libertine 放荡的人
landgravine 伯爵夫人	concubine 妾,姘妇

3. 表示药物名称及化学名词

tetracycline 四环素	vaseline 凡士林
caffeine 咖啡因	antifebrine 退烧药
iodine 碘	chlorine 氯

-ing ①〔名词后缀〕

1. 构成抽象名词,表示行为、状态、情况及其他

learning 学问,学识	teaching 教导
feeling 感觉	ageing 老化
shopping 买东西	sleeping 睡眠
walking 步行,散步	swimming 游泳
farming 耕作	shipping 装运
schooling 教育	broadcasting 广播

2. 表示…行业、…学、…术、…法

tailoring 裁缝业	hairdressing 理发业
shoemaking 制鞋业	bonesetting 正骨法
banking 银行业,银行学	printing 印刷术,印刷业
accounting 会计学,会计	sailing 航海术,航法
	boxing 拳术

3. 表示总称及材料(与…有关之物,制…所用的材料)

clothing 衣服	hatting 制帽材料

bedding 床上用品　　shirting 衬衫料
fleshing 肉色紧身衣　　bagging 制袋用的材料
flooring 铺地板材料　　coating 上衣衣料
sacking 麻袋布　　felting 制毡材料

4. 表示某种行为的产物、为某种行为而用之物、与某种行为有关之物、与某种事物有关之物

building 建筑物,楼房　　winning 赢得物,锦标
carving 雕刻物　　filling 填充物,填料
holding 占有物　　legging 护腿,绑腿
giving 给予物,礼物　　footing 立足处,立足点
colouring 颜料　　washing 待洗的衣服

②〔形容词后缀〕

表示"…的"、"正在…的"、"…着的"、"使…的"

changing 正在变化的　　encouraging 振奋人心的
burning 燃烧的　　surprising 使人惊讶的
fighting 战斗的　　exciting 使人兴奋的
developing 发展中的　　growing 成长中的
rising 上升的　　falling 下降的

③〔构成介词〕

excepting 除…之外　　during 在…期间
regarding 关于　　considering 考虑到,就…而论
concerning 关于
failing 如果没有

-ion 〔名词后缀〕

1. 构成抽象名词,表示行为、行为的过程或结果、情况、状态

discussion 讨论　　inflation 通货膨胀

action 活动,作用,行为
translation 翻译
progression 前进,行进
correction 改正
connection 连结
expression 表达,表示
prediction 预言,预告
association 联系,协会
exhibition 展览会
dismission 解雇,开除
election 选举
possession 占有,占用
perfection 完整无缺
completion 完成

2. 表示物

medallion 大奖章
falchion 弯形大刀
accordion 手风琴
cushion 坐垫,靠垫

-ior ①〔名词后缀〕

表示人

warrior 勇士,战士
savior 救助者,救星
superior 上司,上级
senior 年长者,前辈
inferior 低下的人,下级
junior 年少者,晚辈

②〔形容词后缀〕

表示较…的、属于…的

anterior 较前的,先前的
exterior 外部的
posterior 较后的,后面的
interior 内部的
superior 优越的
ulterior 较远的,那边的
inferior 次的,下等的

-ious 〔形容词后缀〕

表示属于…的、有…性质的、…的,同 -ous

contradictious 相矛盾的
curious 好奇的
malicious 恶意的
burglarious 夜盗的
laborious 勤劳的
anxious 焦急的
spacious 宽敞的
contagious 传染的

rebellious 反叛的 specious 外观美丽的

-ise 〔动词后缀〕

同 -ize.许多词具有 -ise 与 -ize 两种后缀形式

memorise = memorize criticise = criticize

advertise = advertize civilise = civilize

diplomatise = diplomatize fertilise = fertilize

authorise = authorize humanise = humanize

-ish ①〔形容词后缀〕

1. 加在名词之后,表示如…的、似…的、有…性质的

childish 如小孩的 bookish 书生气的

girlish 如少女的 foolish 愚蠢的,笨的

womanish 女子气的 piggish 猪一样的

devilish 魔鬼似的 wolfish 狼似的

boyish 如男孩的 monkish 似僧的

moonish 似月亮的 slavish 奴隶般的

hellish 地狱似的 youngish 还年轻的

2. 加在形容词之后,表示含有某种程度的、略…的、稍…的

coldish 略寒的,稍冷的 greenish 略带绿色的

warmish 稍暖的 yellowish 微黄的

oldish 略老的,稍旧的 reddish 略红的

tallish 略高的 longish 略长的,稍长的

sweetish 略甜的 fattish 稍胖的

wettish 略湿的 slowish 稍慢的

3. 表示某国的或某民族的,兼表某国的语言

English 英国的,英语 Swedish 瑞典的,瑞典语

Spanish 西班牙的,西班牙语
Polish 波兰的,波兰语
Irish 爱尔兰的,爱尔兰语
Finnish 芬兰的,芬兰语
Turkish 土耳其的,土耳其语
Danish 丹麦的,丹麦语

②〔动词后缀〕

表示做…、致使…、造成…、成为…

nourish 滋养,养育
establish 设立,建造
flourish 繁荣,兴旺
impoverish 使穷困
diminish 使缩小,变小
vanish 消逝
publish 公布
finish 结束

-ism 〔名词后缀〕

1. 表示"…主义"

materialism 唯物主义
idealism 唯心主义
imperialism 帝国主义
splittism 分裂主义
adventurism 冒险主义
extremism 极端主义
realism 现实主义
pessimism 悲观主义
optimism 乐观主义
capitalism 资本主义
opportunism 机会主义
expansionism 扩张主义

2. 表示宗教

Islamism 伊斯兰教
Moslemism 清真教,回教
Mohammedanism 回教
Hinduism 印度教
quietism 寂静教
Buddhism 佛教
Taoism (中国的)道教
Confucianism (中国的)儒教
Lamaism 喇嘛教
Catholicism 天主教
Shintoism (日本)神道教
Judaism 犹太教

3. 表示语言、语风

commercialism 商业用语	Americanism 美国用语
provincialism 方言,土语	Londonism 伦敦语调
colloquialism 口语	Latinism 拉丁语风、语法
archaism 古语,古风	Turkism 土耳其语风
Scotticism 苏格兰方言	euphemism 婉言,婉词

4. 表示风格、特征

Asiaticism 亚洲风格	Germanism 德意志风格
orientalism 东方风格	Slavism 斯拉夫族风格
Grecism 希腊风格	occidentalism 西方人特征

5. 表示行为、现象

escapism 逃避现实	criticism 批评
me-tooism 附和,人云亦云	tourism 旅游,观光
	baptism 洗礼
simplism 片面看问题,过分简单化	ageism 对老年人的歧视
	sexism 性别歧视
methodism 墨守成规	devilism 魔鬼似的行为
volcanism 火山活动	parasitism 寄生现象
loyalism 效忠	brigandism 土匪行为

6. 表示"…学"、"…术"、"…论"、"…法"

magnetism 磁学	fatalism 宿命论
spiritism 招魂术	phoneticism 音标表音法
historicism 历史循环论	
know-nothingism 不可知论	pedagogism 教授法
	stimulism 兴奋疗法
exceptionalism 例外论	atomism 原子论

7. 表示学术、文艺上的"…派"

modernism 现代派	cubism (艺术的)立体派

futurism 未来派
impressionism 印象派
abstractionism 抽象派
purism 纯粹派
structurism 结构派
Platonism 柏拉图学派
Socratism 苏格拉底学派
expressionism 表现派

8. 表示某种特性

insularism 岛国性质
humanism 人性
brutalism 兽性
globalism 全球性
diehardism 顽固
foreignism 外国风俗习惯
professionalism 职业特性
antagonism 对抗性
absurdism 荒唐性

9. 表示情况、状态

gigantism 巨大畸形
barbarism 野蛮状态
bachelorism 独身
alienism 外侨身份
dwarfism 矮小
sexdigitism 六指(趾)
androgynism 半男半女
invalidism 久病,伤残

10. 表示制度

multipartism 多党制
federalism 联邦制
parliamentarism 议会制
centralism 中央集权制
landlordism 地主所有制
protectionism 保护贸易制

11. 表示疾病名称

deaf-mutism 聋哑症
rheumatism 风湿症
alcoholism 酒精中毒症
morphinism 吗啡中毒症
iodism 碘中毒症
albinism 白化病

12. 其他

patriotism 爱国心
organism 有机体
mechanism 机械装置
journalism 新闻业
progressivism 进步人士的政见

-ist ①〔名词后缀〕

1. 表示某种主义者或某种信仰者

communist 共产主义者 materialist 唯物主义者
socialist 社会主义者 naturalist 自然主义者
nationalist 民族主义者 imperialist 帝国主义者
collectivist 集体主义者 extremist 极端主义者

2. 表示从事某种职业的人、从事某种研究的人、与某事物有关的人

artist 艺术家 tobacconist 烟草商人
scientist 科学家 chemist 化学家
typist 打字员 copyist 抄写员
novelist 小说家 motorist 驾驶汽车者
violinist 小提琴手 druggist 药商,药剂师
physicist 物理学家 moralist 道德家
dentist 牙科医生 progressist 进步分子

②〔形容词后缀〕

表示…主义的

communist 共产主义的 materialist 唯物主义的
socialist 社会主义的 nationalist 民族主义的
Marxist 马克思主义的 capitalist 资本主义的

-ister 〔名词后缀〕

表示人

palmister 看手相者 chorister 合唱者
sophister 诡辩家

-istic 〔形容词后缀〕

复合后缀,由-ist + -ic 而成,表示关于…的、属于…的、有…性质的、…主义的、…论的(参见-istical)

colouristic 色彩的 artistic 艺术的
simplistic 过分简单化的 humanistic 人道主义的
humoristic 幽默的 realistic 现实主义的
idealistic 唯心论的 antagonistic 敌对的
futuristic 未来的 characteristic 表示特性的
fatalistic 宿命论的 novelistic 小说的

-istical 〔形容词后缀〕

三合后缀,由 -ist + -ic + -al 而成,表示"…的"。有些词兼有 -istic 和 -istical 两种后缀形式

artistical 艺术的 antagonistical 敌对的
atomistical 原子论的 Buddhistical 佛教的
idealistical 唯心论的 egoistical 利己主义的
theistical 有神论的 linguistical 语言学的

-it 〔名词后缀〕

1. 表示人

bandit 匪徒 Jesuit 耶稣会会员
hermit 隐士

2. 表示抽象名词

spirit 精神,气概 pursuit 追赶,追求
unit 单位,单元 plaudit 喝采,赞扬
credit 信用,信任 deficit 亏空,赤字
summit 顶点,最高层 orbit 轨道

-ite ①〔名词后缀〕

表示人

suburbanite 郊区居民 Islamite 伊斯兰教徒
socialite 社会名流,名人 Israelite 以色列人
Tokyoite 东京市民 Labourite 工党党员

Muscovite 莫斯科人　favorite 喜爱的人
computerite 计算机人员　bedlamite 精神病人
Yemenite 也门人　negroite 同情黑人者

②〔形容词后缀〕

表示具有…性质的

partite 分成若干部分的　definite 明确的，一定的
composite 合成的　polite 文雅的
opposite 对立的，对面的　erudite 博学的
exquisite 精美的，精致的

③〔动词后缀〕

表示做…、作成…

unite 联合，统一　ignite 点燃，点火
expedite 加快，促进

-ition　〔名词后缀〕

1. 表示行为、行为的过程或结果、由行为而产生的事物

supposition 想象，推测　competition 比赛，竞争
proposition 提议　addition 附加，附加物
opposition 反对，反抗　imbibition 吸入，吸收
exposition 暴露　partition 分开，分隔
composition 组成(物)，作文　recognition 认出，承认

2. 表示情况、状态

audition 听觉，听力　dentition 出牙
erudition 博学　aglutition 吞咽困难
inanition 空虚　perdition 毁灭，沉沦

-itious　〔形容词后缀〕

表示有…性质的、属于…的、具有…的,意义与-ous同

suppositious 想象的,假定的
cementitious 水泥的
adventitious 外来的,偶然的
factitious 人为的
expeditious 急速的
nutritious 有营养的
fictitious 虚构的

-itive 〔形容词后缀〕

表示"…的",意义同 -ive

compositive 合成的,组成的
suppositive 想象的,假定的
additive 添加的
sensitive 敏感的
competitive 比赛的,竞争的
partitive 区分的,分隔的
punitive 惩罚性的
definitive 决定的,确定的
primitive 原始的,简单的

-itor 〔名词后缀〕

表示人

servitor 侍从,男仆
compositor 排字工人
progenitor 祖先
janitor 看门人
competitor 比赛者,竞争者
expositor 讲解者,说明者

-itude 〔名词后缀〕

构成抽象名词,表示情况、性质、状态、事物

correctitude 端正
exactitude 正确(性)
promptitude 敏捷,迅速
amplitude 广阔,广大
servitude 奴隶状态,奴役
similitude 相似,类似
longitude 经度

aptitude 聪明,颖悟 latitude 纬度
solitude 孤独,孤寂 gratitude 感激,感谢
plenitude 充足,丰富

-ity 〔名词后缀〕

构成抽象名词,表示性质、情况、状态及其他,与 -ty同

speciality 特性,特长 familiarity 熟悉,通晓
humanity 人性,人类 popularity 通俗,平易
equality 平等,均等 complexity 复杂性
reality 现实,真实 generality 一般(性)
futurity 将来,未来 extremity 极端,极度
modernity 现代性 fixity 固定性
mutuality 相互关系 immensity 广大,巨大,无限
perplexity 困惑
fluidity 流动性

-ive ①〔形容词后缀〕

表示有…性质的、有…作用的、有…倾向的、属于…的

educative 有教育作用的 progressive 进步的
protective 保护的,防护的 amusive 娱乐的
productive 生产(性)的
impressive 印象深刻的 constructive 建设(性)的
preventive 预防的 attractive 有吸引力的
purposive 有目的的 selective 选择的
resistive 抵抗的 expensive 花钱多的
creative 创造性的

②〔名词后缀〕

1. 表示人

detective 侦探,密探　　representative 代表
native 本地人,土人　　progressive 进步人士
relative 亲戚　　executive 执行者

2. 表示物

locomotive 火车头,机车　　anticorrosive 防腐蚀剂
explosive 炸药,爆炸物　　preventive 预防药
directive 指令　　olive 橄榄(树)
adhesive 胶粘剂

3. 构成抽象名词

motive 动机　　initiative 创造,发端
offensive 攻势　　perspective 透视,眼力
subjunctive 虚拟语气　　alternative 取舍,抉择

-ivity 〔名词后缀〕

复合后缀,由 -iv(e) + -ity 而成,构成抽象名词,表示情况、状态、"…性"、"…力"

productivity 生产能力,生产率　　selectivity 选择(性)
creativity 创造力
resistivity 抵抗力,抵抗性　　collectivity 集体(性)
relativity 相关性
activity 活动性,活动　　expressivity 善于表达
conductivity 传导性　　captivity 被俘

-ization 〔名词后缀〕

复合后缀,由 -iz(e) + -ation 而成,表示行为的过程或结果、"…化",与动词后缀 -ize 相对应

modernization 现代化　　realization 实现
industrialization 工业化　　economization 节约,节省

mechanization 机械化　　centralization 集中
normalization 正常化　　popularization 普及,推广
revolutionization 革命化　　organization 组织,团体

-ize 〔动词后缀〕

表示"…化"、照…样子做、按…方式处理,变成…状态、使成为…,与名词后缀 -ization 相对应

modernize (使)现代化　　realize 实现
industrialize (使)工业化　　economize 节约,节省
mechanize (使)机械化　　centralize (使)集中
normalize (使)正常化　　popularize 使普通,推广
organize 组织　　revolutionize (使)革命化

-kin 〔名词后缀〕

表示小

ladykin 小妇人　　manikin 矮子,侏儒
lambkin 羔羊　　devilkin 小魔鬼
princekin 小君主,幼君　　cannikin 小罐
pannikin 小盘,小平锅　　napkin 揩嘴布,餐布

-le ①〔动词后缀〕

1. 表示反复、连续及拟声动作

winkle 闪烁,闪耀　　jingle 作丁当响
twinkle 闪烁,闪耀　　tinkle 发丁当声
wriggle 蠕动,扭动　　sizzle 发咝咝声
joggle 轻摇　　gurgle 发咯咯声

2. 将形容词或名词变成动词

darkle 变暗　　sparkle 发火花
speckle 使弄上斑点　　handle 拿,搬弄,操纵

②〔名词后缀〕

表示做某种动作时所使用的东西

thimble 顶针 spindle 纺纱锭子
(thimb←thumb 拇指) (spin 纺)
shuttle 织布梭 handle 柄,把手
(shut←shoot 抛出) girdle 带,腰带
stopple 塞子

-less 〔形容词后缀〕

表示"无…的"、"不…的"

homeless 无家可归的 sleepless 不眠的
useless 无用的 tireless 不倦的
colourless 无色的 ceaseless 不停的
hopeless 无希望的 countless 数不清的
waterless 无水的,干的 fruitless 不结果实的
rootless 无根的 regardless 不注意的
jobless 无职业的 restless 不休息的
shameless 无耻的 changeless 不变的

-let 〔名词后缀〕

表示小

booklet 小册子 filmlet 短(电影)片
houselet 小房子 bomblet 小型炸弹
starlet 小星 lakelet 小湖
townlet 小镇 leaflet 小叶
piglet 小猪 statelet 小国家
rootlet 小根,细根 springlet 小泉
droplet 小滴,飞沫 streamlet 小溪
cloudlet 小朵云 dovelet 幼鸽
playlet 小型剧 hooklet 小钩子

kinglet 小国王,小王 chainlet 小链子

-like 〔形容词后缀〕

表示如…的、有…性质的

dreamlike 如梦的 manlike 有男子气概的
steellike 钢铁般的 womanlike 女人似的
childlike 孩子般天真的 fatherlike 父亲般的
warlike 好战的,军事的 motherlike 母亲般的
godlike 上帝般的 starlike 象星一样的
princelike 王子般的 springlike 如春的

-ling ①〔名词后缀〕

1. 表示小

birdling 小鸟,幼鸟 duckling 小鸭
catling 小猫 gosling 小鹅
pigling 小猪 seedling 幼苗,籽苗
wolfling 小狼,狼崽 princeling 小君主

2. 表示与某种事物(或情况)有关的人或动物、具有某种性质的人或动物

starveling 饥饿的人 fingerling 一指长的小鱼
weakling 体弱的人 cageling 笼中鸟
hireling 被雇的人 yearling 一岁的动物
underling 部下,下属 firstling 初产的动物
nurseling 乳婴,乳儿 fatling 养肥备宰的幼畜
suckling 乳儿,乳兽 worldling 凡人,世俗之徒
fondling 被宠爱者 youngling 年轻人,幼小动物,幼苗
witling 假作聪明的人
earthling 世人,凡人,俗人

②〔形容词及副词后缀〕

表示状态

darkling 在黑暗中(的) sideling 斜向一边(的)

-logical 〔形容词后缀〕亦作 -logic

表示"…学的",由 -log(y) + -ic + -al 而成

biological 生物学(上)的 zoological 动物学的
oceanological 海洋学的 philological 语言学的
geological 地质学的 technological 工艺学上的
climatological 气候学的 bacteriological 细菌学的

-logist 〔名词后缀〕偶作 -loger

表示"…学家"、"…研究专家",由 -log(y) + -ist 而成

biologist 生物学家 dialectologist 方言学家
oceanologist 海洋学家 Sinologist 汉学家
volcanologist 火山学家 Pekingologist 北京通
zoologist 动物学家 musicologist 音乐研究专家
climatologist 气候学家
bacteriologist 细菌学家 geologist 地质学家
seismologist 地震学者 technologist 工艺学家

-logy 〔名词后缀〕亦作 -ology

表示"…学"、"…研究"、"…论"、"…法",与 -logical, -logist 相对应

biology 生物学 bacteriology 细菌学
zoology 动物学 musicology 音乐研究
oceanology 海洋学 methodology 方法论
climatology 气候学 escapology 逃避法
dialectology 方言学 volcanology 火山学
mineralogy 矿物学 vitaminology 维生素学

-ly ①〔形容词后缀〕

1. 加在名词之后,表示如…的、有…特征的、属于…的

friendly 友好的 manly 男子气概的
homely 家常的,亲切的 womanly 有女子气质的
fatherly 父亲般的 godly 神的,神圣的
childly 孩子般天真的 costly 昂贵的
heavenly 天上的 lovely 可爱的,好看的
mannerly 有礼貌的 worldly 世间的

2. 加在时间名词之后,表示"每…的"、"每…时间一次的";这类词有的可兼作名词,表示报刊

hourly 每小时的 nightly 每夜的
daily 每日的,日报 monthly 每月的,月刊
weekly 每周的,周刊 quarterly 按季度的,季刊
yearly 每年的

②〔副词后缀〕

1. 加在时间名词之后,表示"每…地"、"每…时间一次地"

hourly 每小时地 monthly 每月地
daily 每日地 quarterly 每季度地
nightly 每夜地 yearly 每年地
weekly 每周地

〔注〕加在其他名词之后,也可构成副词

namely 也就是,即 partly 部分地
friendly 朋友般地 mannerly 有礼貌地
fatherly 父亲般地 timely 及时地

2. 加在形容词之后，构成副词，表示状态、程度、方式、“…地”

truly 真正地，确实地
greatly 大大地
fearfully 可怕地
newly 新近，最近
clearly 清楚地
coldly 冰冷地
really 真正地
badly 恶劣地
quickly 迅速地
quietly 安静地
gloriously 光荣地
similarly 相似地
usefully 有用地
recently 最近

-ment 〔名词后缀〕

1. 表示行为、行为的过程或结果

movement 运动，移动
management 管理，安排
development 发达，发展
establishment 建立，设立
argument 争论，辩论
treatment 待遇
punishment 处罚
enlargement 扩大
agreement 同意，协定
advertisement 广告，登广告
statement 陈述，声明
judgement 判断，判决
shipment 装船，装运
amusement 娱乐，消遣
enjoyment 享受
encouragement 鼓励

2. 表示物

embankment 堤岸
pavement 人行道
nutriment 营养品
battlement 城墙垛
attachment 附属物
vestment 外衣，制服
fragment 碎片，碎块
equipment 装备，设备
medicament 药物，药剂
basement 地下室
apartment 房间
armament 兵器

monument 纪念碑

3. 表示组织、机构

government 政府
parliament 国会,议会
establishment 建立的机构,行政机关
department 部,局,司,部门
regiment 团

-most 〔形容词后缀〕

表示最…的

easternmost 最东的
westernmost 最西的
topmost 最高的
lowermost 最低的
uppermost 最高的
rearmost 最后面的
middlemost 最当中的
headmost 最前面的
aftermost 最后面的
inmost 最里面的
outmost 最外面的
foremost 最前面的
hindmost 最后面的
farmost 最远的

-ness 〔名词后缀〕

加在形容词之后,构成抽象名词,表示性质、情况、状态

greatness 伟大
friendliness 友好,友善
kindness 仁慈,好意
darkness 黑暗
emptiness 空虚,空洞
likeness 相似,类似
willingness 心甘情愿
softness 柔软
goodness 善行,优良
badness 恶劣,坏
weakness 懦弱,虚弱
tiredness 疲倦,疲劳
bitterness 苦,苦难
holiness 神圣
idleness 懒惰
blindness 盲目

-nik 〔名词后缀〕

表示…的人、…迷

protestnik 抗议者
citynik 城市人,迷恋城市者
peacenik 反战运动者
filmnik 电影迷
cinenik 电影迷
nudnik 无聊的人
no-goodnik 不怀好意者
boatnik 船户,水上人家
computernik 电脑人员
goodwillnik 捧场人
folknik 民歌爱好者
jazznik 爵士乐迷

-o 〔名词后缀〕大多数来自意大利语

1. 表示音乐术语及乐器名称

solo 独唱,独奏(曲)
soprano 女高音
basso 低音部,男低音
alto 女低音,男高音
concerto 协奏曲
piano 钢琴
piccolo 短笛
tempo 速度
trio 三部合奏,三重奏
oratorio 圣乐

2. 表示人

Negro 黑人
politico 政客
typo 排字工人
desperado 亡命徒,暴徒
mulatto 黑白混血儿
fantastico 可笑的怪人
albino 患白化病者
Latino 拉丁美洲人
bravo 歹徒,亡命徒
magnifico 高官,贵人
maestro 艺术大师
virtuoso 艺术鉴赏家
buffo 滑稽男演员

3. 表示物

studio 工作室
volcano 火山
quarto 四开本
dynamo 发电机
flamingo 火烈鸟,红鹤
octavo 八开本

sexto 六开本 folio 对开本,对折纸

portico 门廊

4. 表示抽象名词及其他

manifesto 宣言,声明 lingo 行话,隐语

ratio 比率,比 fresco 壁画(法)

fiasco 大败,惨败 junto 秘密政治集团

motto 格言,座右铭 gusto 嗜好,爱好

salvo (炮火)齐射 credo (宗教)信条

-on 〔名词后缀〕

1. 表示人

southron 南方人 matron 主妇

Briton 英国人 archon 主要官员

patron 保护人 glutton 贪吃者

2. 表示物

automaton 自动装置 cordon 饰带

carton 纸板(箱) wagon 运货车

3. 构成物理学名词,表示物质结构成分,"…子"

electron 电子 neutron 中子

photon 光子 magneton 磁子

photoelectron 光电子 meson 介子

proton 质子 hyperon 超子

-oon 〔名词后缀〕

1. 表示物

spittoon 痰盂 cartoon 动画片

balloon 气球 bassoon 低音管,巴松管

saloon 大厅 festoon 花彩,彩饰

musketoon 短枪 macaroon 小杏仁饼

2. 表示人

buffoon 小丑,演滑稽戏的人
quadroon (有四分之一黑人血统的)混血儿
maroon 被放逐到孤岛的人
poltroon 胆小鬼,懦夫
picaroon 流浪汉;盗贼

-or 〔名词后缀〕

1. 表示人

actor 行动者,男演员
translator 翻译者,译员
oppressor 压迫者
educator 教育者
supervisor 监督人
sailor 水手,海员
debtor 负债人
constructor 建造者
elector 选举者
protector 保护者
corrector 矫正者,校对员
inventor 发明者
governor 总督,省长
bettor 打赌者

2. 表示物

tractor 拖拉机
conductor 导体
receptor 接受器
detector 探测器
mirror 镜子
incisor 门牙
televisor 电视机
compressor 压缩器
separator 分离器
resistor 电阻器
rotator 旋转器
flexor 曲肌

-orium 〔名词后缀〕

表示场所、地点

auditorium 礼堂,讲堂
beautorium 美容院
healthatorium 疗养院
sanatorium 疗养院
crematorium 火葬场
natatorium (室内)游泳池

-ory ①〔形容词后缀〕

表示有…性质的、属于…的、与…有关的

advisory 忠告的,顾问的
dictatory 独裁的,专政的
contradictory 矛盾的
possessory 占有的
appreciatory 有欣赏力的
sensory 感觉的
revisory 修订的,修正的
promissory 允诺的
rotatory 旋转的
separatory 分离用的
compulsory 强迫的
denunciatory 谴责的
exhibitory 显示的

②〔名词后缀〕

1. 表示场所、地点

factory 工厂
armory 军械库
protectory 贫民收容所
ambulatory 回廊
depository 保存处,仓库
crematory 火葬场
dormitory 集体宿舍
oratory 祈祷室
repository 贮藏所
consistory 宗教法庭

2. 表示物

directory 姓名地址录
inventory 财产目录
incensory 香炉
territory 领土,领地

-ose 〔形容词后缀〕

表示"…的"

globose 球形的
jocose 开玩笑的
operose 费力的,用功的
flexuose 弯弯曲曲的
verbose 噜苏的
nervose (植物)多脉的
grandiose 宏大的
fibrillose 有原纤维的

-osity 〔名词后缀〕

构成抽象名词,表示性质、状态、情况,与形容词后缀 -ous 与 -ose 相对应

curiosity 好奇心
globosity 球形,球状
grandiosity 宏大,雄伟
fabulosity 寓言性质
generosity 慷慨,大方
jocosity 滑稽
verbosity 噜苏,冗长
flexuosity 弯曲状态

-ot 〔名词后缀〕

1. 表示人

patriot 爱国者
zealot 热心者
pilot 领航员,飞行员
compatriot 同胞
idiot 白痴,傻子
Cypriot 塞浦路斯人
Italiot 意大利南部古希腊殖民地居民
Zantiot (希腊)赞德岛的土人

2. 表示物

chariot 战车
ballot 选票
carrot 胡萝卜
galliot 平底小船

-ous 〔形容词后缀〕

表示有…性质的、属于…的、如…的、有…的、多…的

dangerous 危险的
courageous 勇敢的
mountainous 多山的,如山的
glorious 光荣的
prosperous 繁荣的
riotous 暴乱的
mischievous 调皮的,有害的
poisonous 有毒的
advantageous 有利的
continuous 继续不断的
victorious 胜利的
zealous 热心的,热情的
famous 著名的
vigorous 精力充沛的
pompous 壮丽的
disastrous 灾难性的

-proof 〔形容词后缀〕

表示防…的、不透…的

fireproof 防火的　airproof 不透气的
waterproof 防水的　lightproof 不透光的
rainproof 防雨的　soundproof 隔音的
coldproof 抗寒的　bombproof 防炸弹的
smokeproof 防烟的　gasproof 防毒气的

-ress 〔名词后缀〕

表示女性,与 -ess 同

actress 女演员　electress 女选举人
waitress 女服务员　huntress 女猎人
interpretress 女译员　editress 女编辑
creatress 女创造者　protectress 女保护者
dictatress 女独裁者　foundress 女创立人
chantress 女歌唱者　aviatress 女飞行员

-rix 〔名词后缀〕

表示女性(亦作 -trix)

aviatrix 女飞行员　arbitratrix 女调解人
executrix 女执行者　testatrix 女遗嘱人
administratrix 女管理员　prosecutrix 女原告,女起诉人
interlocutrix 女对话者
agitatrix 女鼓动家

-ry 〔名词后缀〕

1. 表示行为、状态、情况、性质

banditry 盗匪活动　artistry 艺术性
rivalry 敌对,竞争　pleasantry 诙谐,开玩笑
outlawry 逍遥法外　devilry 邪恶,魔法
musketry 步枪射击　mimicry 模仿,学样

pedantry 迂腐,卖弄学问 bigotry 顽固,偏执

2. 表示…学、…术、…行业

forestry 林学,林业 carpentry 木工业
chemistry 化学 masonry 石工业
weaponry 武器设计制造学 husbandry 耕作
palmistry 相手术
dentistry 牙科学 rocketry 火箭技术
merchantry 商业,商务 falconry 猎鹰训练术

3. 表示集合名词(总称)

peasantry 农民(总称) tenantry 承租人(总称)
citizenry 公民(总称) weaponry 武器(总称)
Englishry 英国人(总称) yeomanry 自由民(总称)
poetry 诗(总称) gentry 绅士们,贵族们

4. 表示场所、地点、工作处

pigeonry 鸽舍,鸽棚 laundry 洗衣房
foundry 铸工车间 pantry 食品室
chantry 附属小教堂 vestry 教堂的法衣室
almonry 施赈所

-s 〔副词后缀〕

表示时间、地点、方式、状态

afternoons 每天下午 nowadays 现今,当今
nights 每夜,在夜间 outdoors 在户外
weekends 在每个周末 indoors 在屋内
sometimes 有时 upstairs 在楼上,往楼上
besides 此外,而且 downstairs 在楼下,往楼下
unawares 不知不觉地

weekdays 在每个周日

-ship 〔名词后缀〕

1. 表示情况、状态、性质、关系

friendship 友谊,友好
hardship 困难,受苦
scholarship 学问,学识
dictatorship 专政
partnership 合伙关系
comradeship 同志关系
fellowship 伙伴关系,交情
relationship 亲属关系,联系

2. 表示身分、职位、资格、权限

citizenship 公民权或身分
kingship 王位,王权
membership 成员资格
instructorship 讲师职位
managership 经理职位
rulership 统治权
lordship 贵族身分
colonelship 上校衔
doctorship 博士学位
professorship 教授职位
sonship 儿子身分
studentship 学生身分
ladyship 贵妇人身分
interpretership 译员职务
heirship 继承权

3. 表示技艺、技能、…法、…术

airmanship 飞行技术
salesmanship 售货术
penmanship 书法
marksmanship 射击术
huntsmanship 打猎术
workmanship 手艺,工艺
horsemanship 骑马术
watermanship 划船技术

-sion 〔名词后缀〕

表示行为、行为的过程或结果、情况、性质,与-ion 同。它所构成的名词大多由以-d, -de, -t 为结尾的动词派生而来(如:expand → expansion, decide → decision, convert → conversion)

expansion 扩张,扩展
conclusion 结论,结束

decision 决定 suspension 悬挂,停止
comprehension 理解 extension 伸展,延伸
declension 倾斜 division 分开,分割
collision (车船)碰撞 conversion 转变,变换

-some 〔形容词后缀〕

表示充满…的、易于…的、产生…的、有…倾向的、具有…的、令…的

gladsome 令人高兴的 darksome 阴暗的
playsome 爱玩耍的 fearsome 可怕的
laboursome 费力的 burdensome 沉重的
troublesome 令人烦恼的 quarrelsome 好争吵的
toothsome 美味可口的 lonesome 孤独的
venturesome 好冒险的 bothersome 麻烦的
awesome 可畏的 gamesome 爱玩耍的
wearisome 令人厌烦的 tiresome 令人厌倦的

-ster 〔名词后缀〕

表示人

songster 歌手,歌唱家 teenster 十几岁的少年
youngster 年轻人,小孩 tonguester 健谈的人
oldster 老人 spinster 纺织女
minister 部长,大臣 tapster 酒吧间招待员
punster 爱用双关语者 teamster 卡车司机,赶牲口者
gagster 开玩笑的人 maltster 制造麦芽者
speedster 超速驾驶者
penster 作者

〔注〕有些词含有贱称、卑称意义

gamester 赌徒,赌棍 trickster 骗子

gangster 匪徒,歹徒
mobster 暴徒,匪徒
rhymester 作打油诗的人,劣等诗人

-th 〔名词后缀〕

构成抽象名词,表示行为、性质、状态、情况

warmth 温暖,热情
coolth 凉爽,凉
growth 成长,发育
stealth 秘密行动,秘密
strength 力量(streng = strong)
breadth 广度(bread = broad)
length 长度(leng = long)
width 宽度(wid = wide)
depth 深度(dep = deep)
truth 真理(tru = true)

〔注〕加在基数词之后,表示"第…",兼表"…分之一"

fourth 第四,四分之一
fifth 第五,五分之一
sixth 第六,六分之一
seventh 第七,七分之一

-tic 〔形容词后缀〕

表示属于…的、有…性质的、与…有关的,与 -ic 同

Asiatic 亚洲的,属于亚洲的
dramatic 戏剧(性)的
romantic 浪漫的,传奇的
paraphrastic 意译的
cinematic 电影的
schematic 纲要的
asthmatic 患哮喘病的
operatic 歌剧的

-tion 〔名词后缀〕

构成抽象名词,表示行为、行为的过程或结果、状态、情况,与 -ion 同

intervention 干涉,干预
attention 注意

convention 集会,会议　description 描写,描述
introduction 介绍,引进　contention 竞争,斗争
production 生产　reduction 减少,缩减

-ture 〔名词后缀〕亦作 -ature 和 -iture
表示行为、行为的结果以及与行为有关之物

mixture 混合,混合物　signature 签名,署名
fixture 固定,固定物　curvature 弯曲(部分)
coverture 覆盖,覆盖物　armature 盔甲
expenditure 花费,支出　divestiture 脱衣,剥夺
fixature 定型发胶　garniture 装饰品

-ty 〔名词后缀〕
构成抽象名词,表示性质、情况、状态、权限

specialty 特性,专长　certainty 肯定,确实
safety 安全　cruelty 残忍,残酷
entirety 整体,全部　loyalty 忠诚,忠心
surety 确实　novelty 新奇,新颖
penalty 刑罚,处罚　subtlety 精巧,微妙
royalty 王位,王权　sovereignty 主权,统治权

〔注〕-ty 亦表示"…十"

sixty 六十　eighty 八十
seventy 七十　ninety 九十

-ual 〔形容词后缀〕
表示"…的",与 -al 同

textual 原文的,本文的　accentual (关于)重音的
actual 实际的,现实的　sensual 感觉的
sexual 性的,有性别的　gradual 逐渐的
spiritual 精神(上)的　effectual 有实效的

habitual 习惯(上)的
contractual 契约的
perceptual 感性的
intellectual 智力的
conceptual 概念的

-ular 〔形容词后缀〕

表示似…形状的、有…性质的、属于…的

globular 球状的
spherular 小球状的
zonular 小带(状)的
cellular 细胞的
nodular 小节的，节状的
jocular 滑稽的(joc ← joke)

-ule 〔名词后缀〕

表示小

spherule 小球(体)
globule 小球
barbule 小倒刺
granule 细粒(gran = grain)
antennule 小触须
zonule 小带，小区域
cellule 小细胞
nodule 小节，小瘤
pilule 小药丸(pil = pill)
gemmule 微芽

-ulous 〔形容词后缀〕

表示易于…的、多…的、如…形状的、有…性质的、属于…的，同 -ous

tubulous 管状的
acidulous 略酸的
pendulous 悬垂的
globulous 球状的
credulous 轻信的
bibulous 爱喝酒的

-um 〔名词后缀〕

表示场所、实物及抽象名词

museum 博物馆
mausoleum 陵墓
asylum 避难所，收容所
forum 法庭，论坛

sanctum 圣所,私室
minimum 最小量
plenum 充满,全体会议
symposium 酒会,座谈会,讨论会
rectum 直肠
hypogeum 地下室,窖
contagium 接触传染物
vacuum 真空(状态),真空度

-uous 〔形容词后缀〕

表示有…性质的、属于…的、有…的,同 -ous

sensuous 感觉上的
assiduous 刻苦的
innocuous 无害的
conspicuous 明显的
ambiguous 两可的
contemptuous 轻视的
flexuous 弯弯曲曲的
promiscuous 杂乱的,混杂的

-ure 〔名词后缀〕

构成抽象名词,表示行为、行为的结果、状态、情况

departure 离开,出发
pressure 压力,压
failure 失败
exposure 暴露,揭露
sculpture 雕刻(品)
seizure 抓住,捕捉
contracture 挛缩
closure 关闭,结束
disclosure 泄露
moisture 潮湿,湿度
creature 创造物,生物
procedure 程序,步骤
flexure 弯曲
pleasure 愉快

-ward 〔形容词及副词后缀〕

表示"向…的"、"向…"、"朝…"

downward 向下的,朝下
upward 向上的,朝上
northward 向北的,朝北
southward 向南的,朝南
sunward 向阳的,向太阳
backward 向后的,向后
outward 向外的,向外
inward 向内的,向内

seaward 向海的,朝海　　homeward 向家的,向家

-wards 〔副词后缀〕

表示"向…"、"朝…"

downwards 向下,朝下　　sunwards 向太阳
upwards 向上,朝上　　backwards 向后
northwards 向北,朝北　　outwards 向外
southwards 向南,朝南　　inwards 向内

-ways 〔副词后缀〕有的兼作形容词后缀

表示方向、方式、状态,常与 -wise 通用

crossways 交叉地(的)　　coastways 沿海岸
cornerways 对角地,斜　　sideways 斜向一边地(的)
endways 末端朝前地
lengthways 纵长地

-wise 〔副词后缀〕有的兼作形容词后缀

1. 常与 -ways 通用,表示方向、方式、状态

crosswise 交叉地(的)　　coastwise 沿海岸
cornerwise 对角地,斜　　lengthwise 纵长地
endwise 末端朝前地　　sidewise 斜向一边地(的)

2. 也有不与 -ways 通用者

clockwise 顺时针方向　　likewise 同样地
sunwise 顺日转方向　　otherwise 要不然,否则
moneywise 在金钱方面　　crabwise 似蟹横行地
dropwise 一滴一滴地　　pairwise 成双成对地
contrariwise 相反地　　stepwise 逐步的

-y ①〔形容词后缀〕

表示多…的、有…的、如…的、属于…的(大多数加在单音节名词之后)

rainy 下雨的
windy 有风的
sunny 阳光充足的
hilly 多小山的
rosy 玫瑰色的
woody 树木茂密的
snowy 多雪的
silvery 似银的
smoky 多烟的
bloody 血的,流血的
watery 多水的,如水的
silky 丝一样的
wintery 冬天(似)的
sleepy 想睡的
earthy 泥土似的
greeny 略呈绿色的
trusty 可信赖的
homey 像家一样的
inky 有墨迹的
hairy 多毛的
icy 似冰的,多冰的
wordy 多言的
woolly 如羊毛的
cloudy 多云的

〔注〕在以 y 或 o 为结尾的词之后,则作 -ey,如:skyey 天空的,天蓝色的,clayey (多)粘土的,mosquitoey 蚊子多的

②〔名词后缀〕

1. 构成抽象名词,表示性质、状态、情况、行为

difficulty 困难
discovery 发现
soldiery 军事训练
inquiry 询问,打听
burglary 夜盗行为
bastardy 私生子身分
mastery 精通,掌握
beggary 乞丐生涯,行乞
modesty 谦虚,虚心
jealousy 妒忌,猜忌
injury 伤害,损害
monotony 单音,单调

2. 表示人或物

lefty 左撇子
fatty 胖子
darky 黑人
oldy 老人
newsy 报童
nighty 妇女(或孩子)穿

的睡衣

towny 城里人,镇民

shorty 矮子

cabby 出租车驾驶人

smithy 铁匠,锻工

sweety 糖果,蜜饯

parky 公园管理人

whitey 白人

3. 表示小称及爱称(在一部分词中与 -ie 通用)

doggy(=doggie) 小狗

piggy(=piggie) 小猪

kitty 小猫

missy 小姑娘,小姐

daddy 爸爸,爹爹

granny(=grannie) 奶奶

aunty(=auntie) 阿姨

maidy 小女孩

-yer 〔名词后缀〕

表示人

lawyer 律师,法律家

sawyer 锯木人,锯工

bowyer 制弓的人,弓手,射者